D1353645

Frederick Forsyth

Chacal

Texte français
de Henri Robillot

Mercure de France

Titre original :

THE DAY OF THE JACKAL

*Tous droits de traduction, de reproduction et d'adaptation
réservés pour tous les pays, y compris l'U.R.S.S.*

Chef-d'œuvre de la « politique-fiction », Chacal est le récit de l'attentat qui devait changer l'histoire de France. Après l'échec de Pont-sur-Seine, après l'exécution de Bastien-Thiry, les chefs de l'O. A. S. ont loué les services d'un tueur professionnel : Chacal. La victime désignée est le général de Gaulle. Le meurtre doit avoir lieu le 25 août 1963. Le salaire de Chacal, qui opère seul, est de 250 000 dollars.

Celui qui le mettra en échec n'est qu'un modeste petit policier, nommé Claude Lebel...

Frederick Forsyth, né le 25 août 1938, en Grande-Bretagne, est journaliste. Chargé par l'Agence Reuter de l'actualité française, il suit de très près les événements politiques parisiens au moment de la guerre d'Algérie et des attentats contre le général de Gaulle. Il décide un jour d'écrire un roman sur la base de cette information.

D'abord refusé en Grande-Bretagne, publié pour la première fois en France par le Mercure de France, *Chacal* est un extraordinaire succès mondial qui a figuré sur la liste des best-sellers des principaux pays d'Europe et d'Amérique pendant de longues semaines. Il est suivi bientôt d'*Odessa*, dont le succès est presque aussi considérable. Un troisième roman est à paraître au Mercure de France, *Les chiens de la guerre*.

PREMIÈRE PARTIE

Anatomie d'un complot

1

Au mois de mars à Paris, il fait froid à six heures quarante du matin et ce froid semble plus mordant encore lorsqu'un homme est sur le point d'être passé par les armes. A cette heure-là, le 11 mars 1963, dans la cour principale du fort d'Ivry, un colonel de l'armée de l'Air française se tenait adossé au poteau d'exécution fiché dans le sol glacé et, tandis qu'on lui liait les mains par-derrière, il fixait d'un regard où l'incrédulité s'effaçait peu à peu le peloton qui lui faisait face à vingt mètres de distance.

Il y eut un raclement de pied sur le sol, fugitif signe d'un infime relâchement de tension, tandis que le bandeau était noué sur les yeux du lieutenant-colonel Jean-Marie Bastien-Thiry, lui voilant à jamais la lumière du jour. Contrepoint pitoyable au claquement des culasses se détacha la voix murmurante du prêtre, tandis que les soldats armaient leurs vingt fusils.

Au-delà des murs, un camion Berliet, dont un véhicule plus petit, roulant vers le centre de la ville, barrait la route, klaxonna bruyamment. Avant de s'estomper, l'écho sonore couvrit l'ordre

« En joue! » que lançait l'officier commandant le peloton. Le crépitement de la fusillade ne provoqua aucun remous dans la ville qui s'éveillait, sinon la dispersion soudaine d'un vol de pigeons effrayés. L'unique détonation, quelques secondes plus tard, du coup de grâce, se perdit dans la rumeur croissante de la circulation au-delà des murs.

La mort de l'officier, chef d'une bande de tueurs de l'Organisation de l'Armée secrète qui avait essayé d'abattre le président de la République française, aurait dû marquer la fin de toute autre tentative d'assassinat sur la personne du chef de l'État. Par un étrange coup du sort, elle marqua plutôt un point de départ. Pour comprendre ce mécanisme, il faut tout d'abord expliquer pourquoi, en ce matin du mois de mars, un corps que retenaient seuls ses liens venait de s'affaisser, criblé de balles, dans la cour d'une prison militaire de la banlieue de Paris...

Le soleil avait enfin sombré derrière le mur du palais et des ombres s'étiraient en travers de la cour, apportant une fraîcheur bienfaisante. Même à sept heures du soir, en cette journée de canicule, il faisait encore vingt-cinq degrés. D'un bout à l'autre de la ville accablée de chaleur, les Parisiens empilaient leurs épouses maussades et leurs enfants piailleurs dans des voitures ou des trains afin de gagner la campagne pour le week-end. C'était le 22 août 1962, le jour où quelques hommes, en attente près de Paris, avaient décidé que le Président, le général Charles de Gaulle, devait mourir.

Tandis que la population de la ville s'apprêtait à fuir cette chaleur torride pour aller se réfugier dans la nature, le long des rivières ou des plages, la réunion du conseil de cabinet derrière l'imposante façade du palais de l'Élysée se poursuivait. Sur le gravier beige de la cour d'honneur, que baignait enfin une ombre tant attendue, seize DS noires, garées en enfilade, formaient un arc de cercle occupant les trois quarts de la cour.

Les chauffeurs, à l'abri du mur ouest, le premier gagné par l'ombre, échangeaient des réflexions banales. Ils commençaient à pester contre la longueur inhabituelle des délibérations lorsque, peu avant sept heures trente, un huissier, arborant la chaîne et les médailles de sa charge, apparut derrière les portes vitrées au sommet des six marches du perron et adressa un signe aux gardes. Les chauffeurs jetèrent vivement leurs mégots et les écrasèrent du bout du pied. Les hommes des services de sécurité et les gardes se raidirent dans leurs guérites à côté du portail et les grilles d'acier massives pivotèrent.

Les chauffeurs étaient au volant de leurs limousines lorsqu'un premier groupe de ministres apparut derrière les portes. L'huissier les ouvrit et les membres du cabinet descendirent les marches, le sourire aux lèvres, en se souhaitant un week-end reposant. Par ordre de préséance, les DS s'arrêtaient à la base du perron, l'huissier ouvrait la portière en s'inclinant, le ministre s'installait sur la banquette arrière et le véhicule traversait la cour, salué au passage par les Gardes républicains, avant de virer dans le faubourg Saint-Honoré.

Dix minutes plus tard, il ne restait plus dans la

cour que deux DS noires. A leur tour, lentement,
elles s'approchèrent du perron. Sur l'aile de la
première flottait le pavillon du chef de l'État.
Elle était conduite par Francis Marroux, chauffeur
de la police provenant du camp d'entraînement de
la gendarmerie nationale de Satory. Ses nerfs à
toute épreuve, la rapidité de ses réflexes et sa
technique au volant lui avaient valu d'être nommé
chauffeur personnel de De Gaulle. La deuxième
DS, derrière, était également conduite par un
gendarme de Satory.

A sept heures quarante-cinq, un autre groupe
apparut derrière les portes vitrées et, de nouveau,
les hommes dans la cour rectifièrent la position.
Vêtu comme à son habitude d'un complet croisé
gris anthracite et d'une cravate sombre, Charles
de Gaulle apparut derrière la vitre. Avec une
courtoisie presque désuète, il s'effaça pour laisser
passer Mme de Gaulle, puis, lui prenant le bras, il
l'aida à descendre les marches jusqu'à la voiture.
Mme de Gaulle monta à l'arrière du premier
véhicule du côté gauche. Le Général s'installa à
côté d'elle en montant du côté droit.

Leur gendre, le colonel Alain de Boissieu, alors
chef d'état-major de l'Arme blindée de l'armée
française, vérifia que les deux portières étaient
bien fermées, et prit place au côté de Marroux.

Deux autres personnes du groupe de fonctionnaires qui était descendu du perron en même
temps que le couple présidentiel montèrent dans
la deuxième voiture ; Henri Djouder, le robuste
garde du corps de service, d'origine kabyle, s'assit
à côté du chauffeur, dégagea légèrement le lourd
revolver niché sous son aisselle gauche et s'adossa

à la banquette. A partir de ce moment-là, son regard allait surveiller sans cesse, non pas la voiture roulant devant la sienne, mais les trottoirs et les coins de rues défilant à toute vitesse de part et d'autre. Après un dernier mot à l'un des hommes du service de sécurité qui devaient rester sur place, le deuxième personnage monta seul à l'arrière. C'était le commissaire Jean Ducret, chef du Service de sécurité présidentiel. Le long du mur ouest, deux motards casqués de blanc firent rugir leurs moteurs et se mirent à rouler au pas. Avant d'atteindre le portail, ils stoppèrent à trois mètres de distance l'un de l'autre et jetèrent un coup d'œil par-dessus leur épaule. Marroux démarra le premier, manœuvra pour placer sa voiture dans l'axe du portail et stoppa derrière les deux motards. La deuxième voiture fit de même. Il était huit heures moins dix.

A nouveau, la grille d'acier pivota, le petit cortège défila entre les factionnaires figés au garde à vous et déboucha dans le faubourg Saint-Honoré. Au bout de la rue, le convoi s'engagea dans l'avenue Marigny. Sous les marronniers, un jeune homme casqué de blanc, à cheval sur un scooter, laissa prendre au cortège une vingtaine de mètres d'avance puis démarra à sa suite. La circulation était normale pour un week-end du mois d'août et le départ du Président n'avait pas été annoncé d'avance. Seul le hululement des sirènes des motards prévenait les agents de la circulation de l'approche du cortège. Alors, à grand renfort de coups de sifflet frénétiques, ils faisaient stopper les autres véhicules.

Dans l'avenue baignée d'ombre, le convoi prit

de la vitesse, déboucha sur la place Clemenceau
et traversa en direction du pont Alexandre III.
Dans le sillage des voitures officielles, le scootériste
gardait le contact sans difficulté. Après le pont,
Marroux suivit les motards dans l'avenue Général-
Gallieni et de là boulevard des Invalides. Parvenu
à ce point le scootériste avait appris ce qu'il voulait savoir : l'itinéraire que suivrait le convoi présidentiel pour sortir de Paris. Au carrefour du
boulevard des Invalides et de la rue de Varenne,
il ralentit et vira brusquement pour se diriger vers
le café le plus proche. Là, il prit un jeton au
comptoir, gagna la cabine du fond et forma un
numéro sur le cadran.

L'homme qui avait décidé que le Président
devait mourir ce soir-là attendait dans un café de
Meudon. C'était le lieutenant-colonel Jean-Marie
Bastien-Thiry, un officier de l'armée de l'Air âgé
de trente-cinq ans, marié et père de trois enfants,
en poste au ministère de l'Air. Sous un confor-
misme de façade, il entretenait une haine profonde
à l'égard de Charles de Gaulle, coupable à ses yeux
d'avoir trahi à la fois son pays et les hommes qui
l'avaient ramené au pouvoir, en cédant l'Algérie
aux nationalistes algériens.

Ils étaient quelques milliers à l'époque à par-
tager son point de vue, mais seule une poignée
de fanatiques appartenant à l'Organisation de
l'Armée secrète avait juré de tuer de Gaulle et de
provoquer du même coup la chute de son gouvernement. Bastien-Thiry faisait partie de ce petit
nombre.

Il buvait sa bière à petits coups lorsque l'appel
téléphonique lui parvint. Le barman lui passa

l'appareil, puis alla baisser le volume de la télévision à l'autre bout du bar. Bastien-Thiry écouta
pendant quelques secondes, murmura : « Très
bien, merci », et raccrocha. Sa bière était déjà
réglée. Il sortit du bar et, planté sur le trottoir,
prit sous son bras un journal plié qu'il déplia
soigneusement par deux fois.

De l'autre côté de la rue, une jeune femme laissa
retomber le rideau de dentelle à la fenêtre de son
appartement du premier et se tourna vers les
douze hommes qui attendaient dans la pièce.

— Itinéraire numéro 2, déclara-t-elle.

Les cinq plus jeunes, encore novices dans leur
métier de tueurs, cessèrent de se triturer les mains
et se levèrent d'un bond.

Les sept autres, plus aguerris, manifestaient
moins de nervosité. Parmi eux se trouvait le second
de Bastien-Thiry, le lieutenant Alain Bougrenet
de La Tocnaye, personnage d'extrême-droite issu
d'une famille de hobereaux. Il avait aussi trente-
cinq ans, était marié et père de deux enfants.

Le plus dangereux de la bande était Georges
Watin, âgé de trente-neuf ans, un fanatique de
l'O. A. S. aux épaules massives, à la mâchoire
carrée, ex-ingénieur agricole en Algérie, qui en
deux ans s'était révélé l'un des tueurs les plus
redoutables de l'O. A. S. Une vieille blessure à la
jambe lui avait valu le surnom de « la Boiteuse ».

A peine la jeune femme avait-elle annoncé la
nouvelle que les douze hommes dévalaient l'escalier de service et débouchaient dans une rue latérale où étaient garés six véhicules, tous volés ou
loués. Il était huit heures moins cinq.

Bastien-Thiry avait en personne passé des journées entières à étudier les lieux choisis pour l'attentat, mesurant des angles de tir, la vitesse et la distance probables des véhicules et la puissance de feu nécessaire pour les stopper. C'était un long tronçon de route rectiligne, conduisant au carrefour principal du Petit-Clamart : l'avenue de la Libération.

Selon le plan, un premier groupe comprenant les tireurs d'élite devait ouvrir le feu sur la voiture du Président deux cents mètres environ avant qu'elle atteignît le carrefour. Abrités derrière une estafette garée au bord de la route, ils mitrailleraient sous un angle très large les véhicules roulant vers eux pour se ménager un champ de tir maximum.

D'après les calculs de Bastien-Thiry, cent cinquante projectiles devaient toucher la voiture de tête avant qu'elle parvînt à hauteur de la camionnette. La DS présidentielle ainsi immobilisée, le second groupe O. A. S. surgirait d'une route latérale pour arroser à bout portant la voiture d'escorte. Quelques secondes suffiraient pour achever les occupants de la voiture présidentielle, puis les deux groupes se précipiteraient vers les trois voitures prévues pour assurer leur fuite, stationnées dans une autre rue latérale.

Bastien-Thiry lui-même, le treizième de la bande, ferait le guet. À huit heures cinq, tous les groupes étaient en position. Vers Paris, à cent mètres de l'endroit où était tendue l'embuscade, Bastien-Thiry se tenait négligemment à un arrêt d'autobus, un journal à la main. En agitant son journal, il donnerait le signal à Serge Bernier, chef du premier commando posté près de l'estafette. L'ordre serait aussitôt transmis aux tireurs couchés à plat ventre dans l'herbe à ses pieds. Bougrenet de La Tocnaye conduirait la voiture chargée d'intercepter le véhicule d'escorte, avec Watin la Boiteuse à son côté, armé d'une mitraillette.

Au moment où se dégageaient les crans de sûreté le long de la route du Petit-Clamart, le cortège du général de Gaulle, enfin sorti des encombrements du centre de Paris, atteignait les avenues plus dégagées des faubourgs. Il prit alors de la vitesse et accéléra jusqu'à quatre-vingt-dix à l'heure.

Trois kilomètres avant le Petit-Clamart, dans l'avenue Gabriel-Péri, le convoi atteignit une zone où la chaussée était en voie de réfection sur deux cents mètres et, obligé de ralentir, réduisit son allure à vingt kilomètres-heure. Ce fut là que Bastien-Thiry commit sa première erreur. Son quartier général était situé dans les faubourgs de Meudon et il avait reconnu les lieux sur deux kilomètres de part et d'autre le long de la grand-route. Bien qu'il y eût des travaux en cours depuis cinq semaines, il ne s'en était jamais aperçu. Le sol inégal, les piles de gravats et les pelleteuses encombrant les bas-côtés faisaient de l'avenue Gabriel-Péri le lieu idéal où tendre une embuscade ce jour-là.

Après avoir contourné tous les obstacles, Francis Marroux jeta un coup d'œil à sa montre, sentit l'impatience irritée du vieux Général derrière lui et écrasa le champignon. Les deux motards se laissèrent doubler pour aller prendre position à l'arrière du cortège. De Gaulle n'avait jamais aimé être précédé d'une avant-garde ostentatoire et s'en dispensait chaque fois qu'il le pouvait. Ce fut dans cet ordre que le convoi déboucha dans

2

l'avenue de la Division-Leclerc au Petit-Clamart.
Il était huit heures dix-sept.

Quinze cents mètres plus haut le long de la
route, Bastien-Thiry allait subir le contrecoup de
sa deuxième erreur. Il ne connaîtrait l'une et
l'autre que par les policiers, une fois enfermé dans
sa cellule de condamné à mort. Comme il étudiait
l'horaire de son attentat, il avait, en consultant un
calendrier, noté que le crépuscule tombait à
huit heures trente-cinq le 22 août, ce qui lui
laissait une marge plus que suffisante, semblait-il,
même si de Gaulle était en retard sur son horaire
habituel — et c'était d'ailleurs le cas. Mais c'était
le calendrier de 1961 qu'il avait consulté. Le
22 août 1962, le crépuscule tombait à huit heures
dix. Cet écart de vingt-cinq minutes devait changer
le cours de l'Histoire. A huit heures dix-huit,
Bastien-Thiry distingua le cortège qui fonçait
dans sa direction, avenue de la Libération, à cent
dix à l'heure. Frénétiquement, il se mit à agiter
son journal.

Une centaine de mètres plus loin, de l'autre
côté de la chaussée, Bernier considérait avec irritation dans la pénombre naissante la silhouette
indistincte qui se tenait près de l'arrêt d'autobus.

« Le colonel a agité son journal ? » dit-il à voix
haute, ne s'adressant à personne en particulier.
Ces mots venaient tout juste de franchir ses lèvres
lorsqu'il vit le nez aplati de la voiture du Président
déboucher en trombe à hauteur de l'arrêt d'autobus.

— Feu ! hurla-t-il aux hommes couchés à ses
pieds.

Ils commencèrent à tirer à l'instant où le convoi
parvenait à leur hauteur sur une cible qui traver-

sait leur champ de vision à cent dix à l'heure.

Que douze impacts aient été relevés sur la voiture atteste l'habileté des tireurs. La plupart des balles atteignirent la DS par l'arrière. En dépit des chambres à air auto-obturantes qui les équipaient, deux pneus lacérés par les projectiles accusèrent une telle baisse de pression qu'à cette vitesse élevée, la voiture amorça une embardée et se mit à déraper de l'avant. Ce fut alors que Francis Marroux sauva la vie du Président.

Tandis que Varga, ancien légionnaire et tireur d'élite, déchiquetait les pneus, les autres vidaient leurs chargeurs sur l'arrière de la voiture qui s'éloignait. Plusieurs projectiles traversèrent la carrosserie ; l'un d'eux fit éclater la lunette arrière et passa à quelques centimètres du nez du Président. A l'avant, le colonel de Boissieu se retourna et hurla : « Baissez-vous! » à ses beaux-parents. Mme de Gaulle inclina la tête vers les genoux de son mari. « Quoi, encore? » laissa échapper le Général d'un ton froid, et il se détourna pour regarder par la vitre arrière.

Marroux maintint fermement le volant qui vibrait sous ses mains et braqua doucement pour accompagner le dérapage, tout en décélérant légèrement. Après un court passage à vide, la Citroën bondit de nouveau en avant vers l'intersection avec l'avenue du Bois, la route latérale où attendait le second commando O. A. S. Derrière Marroux, la voiture d'escorte avait gardé le contact sans avoir été touchée par le moindre projectile.

Pour Bougrenet de La Tocnaye, qui attendait avenue du Bois au volant d'une voiture dont le moteur tournait, la vitesse des véhicules qui

approchaient lui laissait une alternative précise :
intercepter la deuxième voiture, et par conséquent se suicider et être broyé sous le choc, ou
alors embrayer une demi-seconde trop tard. Il
opta pour cette deuxième solution. Comme il
débouchait de la rue latérale avec l'intention de
virer pour rouler parallèlement au convoi présidentiel, il se retrouva non pas à la hauteur de
la DS du chef de l'État, mais de celle où se trouvaient Djouder et le commissaire Ducret.

Sortant le buste par la portière du côté droit,
Watin vida sa mitraillette sur l'arrière de la DS qui
roulait devant lui et dans laquelle il pouvait voir
le profil hautain de De Gaulle par la vitre brisée.

— Pourquoi est-ce qu'ils ne tirent pas, ces
idiots ? demanda le Général, excédé.

Djouder essayait de mettre en joue les tueurs
de l'O. A. S., distants de trois mètres au plus, mais
le chauffeur lui bouchait la vue. Ducret hurla au
chauffeur de rester dans la roue de la voiture
présidentielle et, deux secondes plus tard, le
commando O. A. S. était laissé sur place. Les deux
motards, dont l'un avait failli être renversé par La
Tocnaye débouchant brusquement de la route
latérale, rectifièrent leur trajectoire et accélérèrent.
Le convoi au complet aborda le carrefour à vive
allure, le traversa et continua en direction de
Villacoublay.

Sur les lieux de l'embuscade, sans se perdre en
récriminations, les hommes de l'O. A. S., abandonnant sur place les trois voitures utilisées pour
l'opération, sautèrent à bord des véhicules prévus
pour leur fuite et disparurent dans l'obscurité
grandissante.

Ducret avait appelé Villacoublay sur son poste
émetteur et brièvement expliqué ce qui s'était
passé. Lorsque le convoi arriva dix minutes plus
tard, le général de Gaulle insista pour se rendre
tout droit à l'aire d'atterrissage où l'hélicoptère
attendait. A peine la voiture stoppée, un essaim
d'officiers et de fonctionnaires l'environnait, ouvrant les portières pour aider Mme de Gaulle,
encore sous le coup de l'émotion, à descendre. De
l'autre côté, le Général émergea des débris en
faisant tomber de ses revers des échardes de
verre. Sans prêter la moindre attention aux questions angoissées des officiers qui l'entouraient, il
contourna la voiture pour aller prendre le bras de
sa femme.

— Venez, ma chère, nous rentrons à la Boisserie,
lui dit-il, et il se décida enfin à donner aux avia-
teurs présents son verdict sur l'O. A. S. : « Ces
gens-là tirent comme des cochons. »

Là-dessus, il aida sa femme à monter dans l'hélicoptère et s'assit à son côté. Djouder s'installa
à son tour et ils décollèrent.

Sur l'aire d'atterrissage, Francis Marroux, le
visage blême, était assis au volant de sa DS.
Les deux pneus du côté droit avaient finalement
lâché et la voiture reposait sur ses jantes. Ducret
lui murmura un bref mot de félicitation et se pencha pour examiner la caisse de la voiture. Une
rude enquête policière l'attendait.

Pendant que les journalistes du monde entier
se perdaient en spéculations sur cette tentative
d'assassinat et, faute de mieux, emplissaient leurs

colonnes de conjectures personnelles, la police française, dirigée par la Sûreté nationale et appuyée par les Services secrets et la gendarmerie, lançait une enquête fantastique. Cette opération se transforma en une chasse à l'homme d'une envergure exceptionnelle, qui n'a sans doute pas son égal dans les annales de la police française. Elle figure dans les dossiers sous le nom de code d'AFFAIRE CHACAL.

La chance servit les policiers pour la première fois le 3 septembre et comme il arrive souvent dans le travail de la police, ce fut à l'occasion d'une vérification de simple routine. A proximité de Valence, sur la route Paris-Marseille, un barrage de police intercepta une voiture occupée par quatre hommes. Des centaines de voyageurs avaient déjà été arrêtés pour vérification d'identité, mais en l'occurrence, l'un des occupants de la voiture n'avait aucun papier sur lui. Il affirmait les avoir perdus. Lui et les trois autres furent emmenés à Valence pour y être interrogés.

A Valence, il fut établi que les trois autres occupants de la voiture n'avaient rien à faire avec le quatrième, qu'ils avaient simplement ramassé alors qu'il faisait du stop. Ils furent relâchés. Les empreintes digitales du quatrième furent relevées et envoyées à Paris, aux fins d'enquête. La réponse parvint, douze heures plus tard. Les empreintes étaient celles d'un déserteur de la Légion étrangère âgé de vingt-deux ans, recherché par la Justice militaire. Mais le nom qu'il avait donné était bien le sien : Pierre-Denis Magade.

Magade fut conduit au Service régional de la Police judiciaire à Lyon. Pendant qu'il attendait,

dans un couloir, d'être interrogé, un de ses gardes
lui demanda en matière de plaisanterie :

— Alors, le Petit-Clamart ?

Magade eut un haussement d'épaules résigné.

— Bon, fit-il, qu'est-ce que vous voulez savoir ?

Devant un groupe de policiers stupéfaits et de
sténographes dont les crayons noircissaient feuillet sur feuillet, Magade « se mit à table ». Il parla
pendant huit heures. A la fin de son récit, il avait
donné le nom de tous les participants à l'attentat
du Petit-Clamart plus ceux de neuf autres conjurés qui avaient joué des rôles secondaires dans
l'élaboration du complot et l'obtention du matériel. Vingt-deux en tout. Cette fois, la chasse se
déclencha sur une grande échelle. Les policiers
savaient qui ils recherchaient.

Le 14 septembre, le commandant Robert Niaud,
âgé de quarante-huit ans, marié et père de deux
enfants, fut arrêté. Il était soupçonné d'être un
des principaux instigateurs du complot dans sa
phase préparatoire. Il se pendit dans sa cellule
sans avoir donné le nom du chef. Mais Bastien-
Thiry était appréhendé deux jours plus tard.

Bougrenet de La Tocnaye avait déjà été pris le
5 septembre, quarante-huit heures à peine après
que Magade se fut mis à parler. Avec Bastien-
Thiry, l'on tenait les trois principaux responsables,
bien que deux seulement fussent encore en vie.
Le reste n'était plus qu'un travail de routine et
tous les autres furent arrêtés l'un après l'autre au
cours de l'automne et de l'hiver.

Un seul finalement réussit à échapper aux recherches et il n'a toujours pas été pris à ce jour. Georges
Watin réussit à s'enfuir. On pense qu'il vit en

Espagne, avec la plupart des autres leaders O. A. S.
recrutés parmi les anciens colons d'Algérie.

Les interrogatoires et la constitution du dossier
contre Bastien-Thiry, Bougrenet de La Tocnaye
et les autres leaders du complot furent terminés en
décembre et le procès s'ouvrit en janvier 1963.

Pendant que se déroulaient les débats, l'O. A. S.
rassemblait ses forces pour une nouvelle attaque
intensive contre le gouvernement gaulliste. Les
services secrets français se défendaient avec acharnement. Derrière la souriante façade de la vie
parisienne, sous un mince vernis de culture et de
civilisation se déroulait l'une des guerres clandestines les plus féroces de l'histoire moderne.

Le service secret français s'appelle le Service de
documentation extérieure et de contre-espionnage,
en abrégé le S. D. E. C. E. Ses activités englobent
à la fois l'espionnage hors de France et le contre-espionnage à l'intérieur, encore qu'à l'occasion
chaque service empiète sur le territoire de l'autre.
Le service numéro 1 est consacré au pur renseignement et se subdivise en bureaux désignés par l'initiale R. Ces subdivisions sont : R 1, Renseignement
et Analyse ; R 2, Europe orientale ; R 3, Europe
occidentale ; R 4, Afrique ; R 5, Moyen-Orient ;
R 6, Extrême-Orient ; R 7, Amérique et Hémisphère occidental. Le service numéro 2 s'occupe
de contre-espionnage. Le troisième et le quatrième
comprennent la Section communiste en un seul
bureau. Le sixième est celui des Finances et le
septième de l'Administration.

Le service numéro 5 a pour titre un seul mot :
Action. Il constituait le fer de lance de la guerre
menée contre l'O. A. S. A partir de ses quartiers

généraux situés dans un groupe d'immeubles anodins du boulevard Mortier près de la porte des
Lilas, ces tristes faubourgs nord-est de Paris, les
durs à cuire du service Action se lancèrent tous
dans la lutte. Ces hommes, Corses pour la plupart,
étaient les répliques vivantes de James Bond.
Après avoir suivi un entraînement intensif qui les
amenait au mieux de leur forme physique, ils faisaient un stage au camp de Satory où, incorporés
dans une section spéciale isolée du reste du camp,
ils apprenaient toutes les méthodes connues de
destruction. Ils devenaient des experts dans le
maniement des armes portatives, du combat à
mains nues, du karaté et du judo. Ils suivaient des
cours de transmission radio, de démolition et de
sabotage, d'interrogatoire avec ou sans usage de la
torture, d'enlèvement, d'incendie et d'assassinat.

Certains ne parlaient que français, d'autres,
polyglottes, se trouvaient à leur aise dans n'importe quelle capitale du monde. Autorisés à tuer
en cas de nécessité dans l'exercice de leurs fonctions, ils en usaient souvent.

Comme l'action de l'O. A. S. se faisait de plus
en plus violente, le directeur du S. D. E. C. E., le
général Eugène Guilbaud, se décida enfin à retirer
à ces hommes leurs muselières et à les lâcher sur
l'O. A. S. Certains d'entre eux s'engagèrent dans
les rangs de l'Armée secrète et réussirent à s'infil-
trer dans les plus hautes sphères. Les renseignements qu'ils fournissaient permirent l'arrestation
de nombreux émissaires de l'O. A. S. Ils furent
connus du grand public sous le nom de « bar-
bouzes ».

Tandis que se déroulait le procès de Bastien-

Thiry et de ses complices, la campagne de l'O. A. S.
prenait une extension accrue. Son animateur, l'ins-
tigateur en coulisses du complot du Petit-Clamart,
était le colonel Antoine Argoud. Ancien de Polytechnique, Argoud était intelligent et dynamique.
Lieutenant dans les Forces françaises libres il
avait gagné ses galons de colonel et avait reçu à
Alger le commandement d'un régiment de cavalerie. Petit et nerveux, c'était un soldat brillant
mais impitoyable. En avril 1961, il avait été l'une
des chevilles ouvrières du putsch d'Alger pour
devenir un an plus tard le chef opérationnel de
l'O. A. S. en exil.

Expert de la guerre psychologique, il avait compris que la lutte contre le gaullisme devait être
menée sur tous les fronts, à la fois au niveau du
terrorisme, de la diplomatie et des relations publiques. Il lança donc une campagne qui comportait
entre autres une série d'interviews que devait
donner le chef du conseil de la Résistance nationale, la branche politique de l'O. A. S., l'ancien
ministre des Affaires étrangères Georges Bidault,
aux journaux et à la télévision à travers l'Europe
occidentale pour expliquer l'opposition de l'O. A. S.
à de Gaulle en termes « respectables ».

La S. D. E. C. E. eut vent de ce projet en
décembre. Entre autres détails, les rapports pré-
cisaient qu'Argoud avait contacté la B. B. C. et
organisé une interview de Bidault à Londres. Le
15 janvier 1963, Bidault arriva comme prévu à
Londres, en voyageant avec un faux passeport
et accorda une interview à la télévision. Bien que
l'émission ne dût passer en différé sur le petit écran
que le 4 mars, et encore en dépit d'une vigoureuse

protestation des autorités britanniques, le correspondant du S. D. E. C. E. à Londres signala à ses supérieurs à Paris la visite de Bidault à Londres avant le 18 janvier. Cet incident survenant si peu de temps après que de Gaulle se fût opposé à l'entrée de la Grande-Bretagne dans le Marché commun, l'on en conclut que les autorités britanniques étaient à l'origine du « scoop ».

En quittant Londres, Bidault regagna Munich où il eut de nouveau un entretien avec Argoud dans l'appartement que ce dernier avait loué au 16 Unertlstrasse. Argoud tirait maintenant parti de cette brillante intelligence qui faisait de lui aujourd'hui l'agent le plus dangereux de l'O. A. S. Il organisa pour Bidault une série d'interviews avec les principales chaînes de radio et les correspondants des plus grands journaux, au cours desquelles le vieux politicien réussit à couvrir d'un voile subtil les activités de l'O. A. S.

Le succès de l'opération de propagande de Bidault, inspirée par Argoud, inquiéta le gouvernement français tout autant que les actes de terrorisme et la vague d'attentats au plastique qui déferlait sur Paris et plusieurs grandes villes de France. Là-dessus, on découvrit, le 14 février, un autre complot pour assassiner le général de Gaulle. Le chef de l'État devait le lendemain faire une conférence à l'École militaire. Il était prévu qu'un tueur perché sur les toits de l'immeuble voisin l'abattrait d'une balle dans le dos au moment où il pénétrerait dans le hall d'entrée.

Furent par la suite traduits en justice comme instigateurs du complot un nommé Jean Bichon, un capitaine d'artillerie, Robert Poinard, et un

professeur d'anglais à l'École militaire, Paule
Rousselet de Liffiac. Le tireur devait être Georges
Watin, mais une fois de plus la Boiteuse demeura
insaisissable. On trouva dans l'appartement de
Poinard un fusil équipé d'une lunette télescopique
et les trois complices furent arrêtés. On précisa
par la suite au cours du procès que, cherchant un
moyen de faire pénétrer Watin et son fusil dans le
bâtiment, ils avaient contacté l'aspirant Marius
Tho, qui était allé directement trouver la police.
Le général de Gaulle assista comme prévu à la
cérémonie militaire le 15, mais consentit néanmoins à arriver en voiture blindée, concession qui
lui déplut fortement.

Ce complot portait la marque d'un incroyable
amateurisme, mais il irrita de Gaulle. Le lendemain il convoquait le ministre de l'Intérieur, asse-
nait un coup de poing sur la table et déclarait :

— Ces histoires d'assassinat ont assez duré.

Il fut décidé de faire un exemple avec les principaux conspirateurs O. A. S. afin de décourager
les autres. Le ministre de l'Intérieur ne nourrissait
aucun doute sur l'issue du procès qui continuait
à se dérouler devant le Tribunal militaire ; Bastien-Thiry était bien en peine d'expliquer sur le
banc des prévenus pourquoi il estimait nécessaire
la mort de Charles de Gaulle. Mais ces méthodes
de dissuasion ne suffisaient pas.

Le 22 février, la copie d'un rapport adressé au
ministre de l'Intérieur par le chef du service 2 du
S. D. E. C. E. (contre-espionnage/sûreté intérieure)
parvenait sur le bureau du chef du service Action.
En voici un extrait :

« *Nous avons réussi à retrouver la trace de l'un
des principaux meneurs du mouvement subversif, à
savoir l'ex-colonel de l'armée française, Antoine Argoud. Il s'est réfugié en Allemagne et envisage,
d'après des informations fournies par notre service
de renseignements là-bas, d'y rester plusieurs jours...*

« *Étant donné les circonstances, il serait peut-
être possible de s'emparer d'Argoud. Comme la
requête présentée par notre service officiel de contre-
espionnage aux services de sécurité allemands intéressés a été rejetée, et que ces services s'attendent
maintenant que nos agents prennent en chasse
Argoud et d'autres responsables de l'O. A. S., l'opération, dans la mesure où elle est dirigée contre la
personne d'Argoud, devra être menée avec le maximum de célérité et de discrétion.* »

Cette tâche fut confiée au service Action.

Le 25 février, au milieu de l'après-midi, Argoud,
de retour de Rome où il avait eu un entretien avec
des leaders de l'O. A. S., regagnait Munich. Au
lieu de se rendre droit à l'Unertlstrasse, il se fit
conduire en taxi à l'Eden-Wolff Hôtel où il avait
réservé une chambre, probablement en vue d'une
réunion. Il n'y assista jamais. Dans le hall de l'établissement, il fut accosté par deux hommes qui
lui adressèrent la parole dans un allemand impeccable. Les prenant pour des policiers germaniques,
il tendit la main vers sa poche pour y prendre son
passeport.

Des mains de fer l'empoignèrent par les deux
bras, ses pieds quittèrent le sol et il fut embarqué
au-dehors jusqu'à une camionnette de teinturier
qui attendait. Il tenta de se défendre à coups de

poing et une bordée d'injures en français accueillit cette tentative. Une main calleuse lui assena une manchette en travers du nez, un poing s'enfonça dans son estomac, un doigt s'appuya sur le centre nerveux juste en dessous de l'oreille, et il sombra aussitôt dans le néant.

Vingt-quatre heures plus tard, un téléphone sonnait à la brigade criminelle de la Police judiciaire au 36 quai des Orfèvres à Paris. Une voix rauque annonça au sous-officier de garde qu'il appelait au nom de l'O. A. S. et qu'Antoine Argoud, « joliment ficelé », était dans une camionnette garée derrière l'immeuble de la Sûreté. Quelques minutes plus tard, la porte de la camionnette fut ouverte à la volée et Argoud en émergeait titubant, au milieu d'un cercle de policiers stupéfaits.

Ses yeux, aveuglés par le bandeau porté une journée entière, ne parvenaient plus à accommoder. Il fallut l'aider à se tenir debout. Il avait le visage souillé de sang séché, suite d'un saignement de nez, et son bâillon lui avait meurtri la bouche. Quelqu'un lui demanda : « Vous êtes le colonel Argoud? » et il répondit : « Oui. » Le service Action avait réussi à lui faire franchir clandestinement la frontière la nuit précédente et le coup de fil anonyme à la police révélant la présence d'un colis en souffrance dans leur propre parking était simplement une manifestation de leur sens d'un humour bien particulier.

Mais le service Action n'avait pas prévu certaines répercussions de l'incident : si l'enlèvement d'Argoud devait provoquer une profonde démoralisation au sein de l'O. A. S., il amena aussi son obscur adjoint, le lieutenant-colonel Marc Chaza-

net, peu connu mais tout aussi intelligent, à prendre
la tête des opérations visant à assassiner de Gaulle.
A bien des égards, ce fut un mauvais marché.

Le 4 mars, le Tribunal militaire rendait son
verdict. Jean-Marie Bastien-Thiry était condamné
à mort ainsi que deux autres conjurés. Trois
autres en fuite, parmi lesquels Watin la Boiteuse,
furent frappés de la même sentence. Le 8 mars, le
général de Gaulle écouta pendant trois heures
sans mot dire les appels à la clémence lancés par
les avocats des condamnés. Il commua deux des
peines capitales en emprisonnement à vie, mais la
condamnation de Bastien-Thiry fut maintenue.

Ce soir-là son avocat annonça la décision prise
au colonel de l'armée de l'Air.

— La date est fixée au 11, dit-il à son client et
comme ce dernier continuait à arborer un sourire
incrédule, il s'exclama : Vous allez être fusillé!

Bastien-Thiry continua à sourire et secoua la tête.

— Vous ne comprenez pas, dit-il à son avocat.
Pas un soldat français ne lèvera son fusil sur moi.

Il se trompait. La nouvelle de l'exécution fut
annoncée au bulletin d'informations de huit heures
d'Europe numéro 1. Elle fut entendue dans la
majeure partie de l'Europe occidentale par tous
ceux qui étaient à l'écoute. Dans la chambre d'un
petit hôtel en Autriche, cette information devait
déclencher toute une série de réflexions et d'actions qui amenèrent le général de Gaulle plus
près de sa mort qu'à aucun autre moment de sa
carrière. Cette chambre était celle du colonel
Marc Chazanet, nouveau chef opérationnel de
l'O. A. S.

Marc Chazanet coupa son transistor et se leva,
laissant sur la table le plateau de son petit déjeuner presque intact. Il se dirigea vers la fenêtre,
alluma une cigarette au mégot de la précédente
et laissa errer son regard sur le paysage enfoui sous
une neige dont le printemps tardif n'était pas
encore venu à bout.

— Les salauds.

Il murmura ce mot d'une voix basse chargée
de venin et débita ensuite, toujours à mi-voix,
tout un chapelet d'injures traduisant les senti-
ments que lui inspiraient le chef de l'État, son
gouvernement et le service Action.

Chazanet avait fort peu de points communs
avec son prédécesseur. Grand et maigre, avec un
visage cadavérique ravagé par la haine, il dissimulait en général ses émotions derrière une froideur fort peu latine. Pour lui ne s'étaient pas
ouvertes les portes de l'École polytechnique donnant accès aux promotions brillantes. Fils d'un
cordonnier il avait, encore adolescent, atteint
l'Angleterre sur un bateau de pêche alors que les
Allemands occupaient la France, et s'était engagé

comme simple soldat sous l'emblème de la Croix de Lorraine.

Il avait gagné ses galons de sergent, puis d'adjudant au cours de rudes batailles, d'abord en Afrique du Nord sous Kœnig et plus tard dans le bocage normand, avec Leclerc. Une mission couronnée de succès au cours de la bataille de Paris lui avait valu le grade d'officier que son éducation et son milieu ne lui auraient jamais permis d'obtenir et, dans la France de l'après-guerre, il avait eu le choix entre le retour à la vie civile et le maintien dans l'armée.

Mais que pouvait lui offrir la vie civile ? Il ne connaissait que le métier de cordonnier que son père lui avait enseigné, et par ailleurs la classe ouvrière de son pays était à ses yeux dominée par les communistes, comme l'avaient été la Résistance et les F. F. I. Il resta donc dans l'armée et connut peu à peu l'amère expérience de l'officier sorti du rang qui voit une nouvelle génération de jeunes gens issus des grandes écoles récolter dans de confortables salles de classe les galons pour lesquels lui a dû suer sang et eau. Et bientôt, ce fut la rage au cœur qu'il se vit par eux dépassé en grade et en privilèges.

Il ne lui restait qu'une solution : s'engager dans l'un de ces régiments coloniaux, parmi les durs à cuire qui n'avaient cessé de se battre, pendant que les appelés faisaient l'exercice dans les cours de caserne. Et il réussit à obtenir sa mutation aux parachutistes de la coloniale.

Moins d'un an plus tard, on lui confiait le commandement d'une compagnie en Indochine où il allait se retrouver parmi des hommes qui par-

laient le même langage que lui et pensaient
comme lui. Pour un jeune cordonnier, c'était
encore le combat, et toujours le combat, qui pouvait lui valoir de l'avancement. A la fin de la
campagne d'Indochine, il était commandant, et,
après une année de malaise et de frustration sur
le sol français, il fut envoyé en Algérie.

Le retrait du corps expéditionnaire d'Indochine
et l'année qu'il avait passée en France avaient
transformé son amertume latente en une haine
dévorante des politiciens et des communistes qu'il
considérait comme une seule et même engeance.
La France ne serait débarrassée des traîtres et des
parasites dont elle était la proie que lorsqu'elle
serait dirigée par un soldat. Seule l'armée était à
l'abri de ces deux fléaux.

Comme la plupart des officiers rompus au
combat, qui avaient vu mourir leurs hommes et
avaient dû parfois enterrer les cadavres atroce-
ment mutilés de ceux qui avaient eu la malchance
d'être pris vivants, Chazanet vénérait les militaires en qui il voyait véritablement le sel de la
terre, les hommes qui faisaient le sacrifice de leur
vie pour que les bourgeois puissent vivre confortablement chez eux. Apprendre par les civils de son
pays natal après huit années de combat dans les
rizières et la jungle que la plupart d'entre eux
se moquaient éperdument des militaires, lire les
protestations des intellectuels de gauche dénon-
çant l'armée pour de simples peccadilles telles que
la torture de prisonniers pour obtenir des renseignements d'une importance vitale, avaient entraîné chez Chazanet une série de réactions qui,
jointes à l'amertume de son obscure condition,

l'avaient poussé à la pointe du fanatisme.

Deux années de luttes féroces et acharnées en Algérie ne firent que confirmer ses convictions. Les rebelles, il était vrai, n'étaient pas aussi faciles à dompter qu'il l'avait cru à l'origine. Quel que fût le nombre de fellaghas abattus par lui et ses hommes, de villages rasés, la rébellion s'étendit bientôt à tout le pays.

Ce qu'il fallait, bien entendu, c'était une aide accrue de la métropole. L'Algérie, c'était la France, une région de France, habitée par trois millions de Français. On se battrait pour l'Algérie comme on se serait battu pour la Normandie, la Bretagne ou les Alpes-Maritimes. Lorsqu'il fut promu lieutenant-colonel, Marc Chazanet quitta le bled pour les villes, d'abord Bône, puis Constantine.

Dans le bled, il s'était battu contre les soldats de l'A. L. N., soldats irréguliers certes, mais des combattants. La haine qu'ils lui inspiraient n'était rien comparée à celle qui le dévora lorsqu'il fit connaissance avec la guérilla urbaine, plus sournoise et cruelle, une guerre à coups de plasticage dans les cafés, les supermarchés et les parcs de jeux. Les mesures qu'il prit pour nettoyer Constantine de cette racaille qui déposait des bombes parmi les civils français lui valut dans la Casbah d'être surnommé le Boucher.

En juin 1958, le général de Gaulle revenait au pouvoir comme Premier ministre. Éliminant avec efficacité la IVe République, corrompue et affaiblie, il fondait la Ve. Lorsqu'il reprit l'expression « Algérie française », qui, prononcée par les généraux, l'avait ramené à Matignon, puis, en janvier 1959, à l'Élysée, Chazanet se retira dans sa chambre pour y pleurer d'émotion. Lorsque de Gaulle se rendit en Algérie, sa visite fut pour Chazanet celle de Zeus descendant de l'Olympe. Une nouvelle politique, il en était persuadé, s'amorçait. Les communistes seraient chassés de leurs postes, Jean-Paul Sartre fusillé comme traître, les syndicats matés, et la France se déciderait enfin à soutenir de tout son cœur ses parents d'Algérie et son armée qui protégeait les frontières de la civilisation française.

Chazanet était aussi sûr de cette évolution qu'il était sûr que le soleil se lève à l'est. Lorsque de Gaulle commença à prendre des mesures pour restaurer la France suivant sa propre conception, Chazanet pensa qu'il devait y avoir une erreur quelque part. Il fallait donner au vieux le temps d'agir.

Puis vinrent les premières rumeurs de pourparlers préliminaires avec Ben Bella et le F. L. N. Chazanet refusa d'y croire. C'était là une tactique du vieux qui connaissait son affaire mieux que personne.

Quand lui fut imposée la preuve irréfutable que la conception que se faisait de Gaulle d'une France ressuscitée excluait l'Algérie française, le monde de Chazanet se désintégra. Foi, espérance, certitude, confiance, il ne lui restait rien. Seulement la haine. Haine pour le système, pour les politiciens, pour les intellectuels, pour les Algériens, pour les syndicats, pour les journalistes, pour les étrangers ; mais surtout et par-dessus tout, la haine de *Cet Homme*. A part quelques benêts qui refusèrent de le suivre, Chazanet entraîna tout son bataillon dans le putsch militaire d'avril 1961.

Ce fut un échec. Par une seule mesure, d'une stupéfiante habileté, de Gaulle fit avorter le putsch dans l'œuf. Quelques semaines avant que fussent annoncés les pourparlers avec le F. L. N., des milliers de transistors avaient été distribués aux soldats, mais les officiers n'y avaient pas prêté grande attention. Les radios étaient considérées comme un moyen de réconfort inoffensif pour la troupe, et nombre d'officiers et de sous-officiers avaient approuvé cette initiative. La musique pop qui arrivait de France par la voie des airs apportait une agréable distraction aux hommes accablés par la chaleur, les mouches et l'ennui.

La voix de De Gaulle, quant à elle, n'était pas aussi inoffensive. Quand la loyauté de l'armée fut finalement mise à l'épreuve, des dizaines de milliers d'appelés disséminés dans toute l'Algérie ouvrirent leurs radios pour écouter les nouvelles. Après le bulletin d'informations, ils entendirent cette même voix que Chazanet avait écoutée en juin 1940. Et presque le même message : « Vous avez le choix entre deux formes de loyalisme. Je suis la France, l'instrument de sa destinée. Suivez-moi. Obéissez-moi. »

Quelques chefs de bataillon, à leur réveil, ne trouvèrent plus qu'une poignée d'officiers présents à l'unité et la plupart de leurs sous-officiers les avaient abandonnés.

Chazanet eut plus de chance que d'autres. Cent vingt de ses officiers, sous-officiers et soldats restèrent avec lui. La raison en était qu'il commandait une unité où la proportion d'anciens d'Indochine et des djebels algériens était plus élevée que dans les autres. En accord avec d'autres putschistes, ils créèrent l'Organisation de l'Armée secrète qui se jura de renverser le Judas de l'Élysée.

Entre le F. L. N. triomphant et l'armée française demeurée loyale, il ne restait guère de temps pour se livrer à des orgies de destruction. Au cours des sept dernières semaines, tandis que les colons français cédaient pour une bouchée de pain leurs exploitations représentant les efforts de toute une vie et fuyaient la région côtière ravagée par la guerre, l'Armée secrète exerça une ultime et terrible vengeance sur ce qu'ils devaient abandonner derrière eux. Lorsque ce fut terminé il ne restait plus que l'exil pour les chefs dont les noms étaient connus des autorités gaullistes.

Chazanet devint l'adjoint d'Argoud comme chef opérationnel de l'O. A. S. en exil durant l'hiver 1961. Argoud mit au service de l'offensive alors déclenchée par l'O. A. S. contre la France métropolitaine son flair, son talent, son inspiration, Chazanet mit à profit son don de l'organisation, sa duplicité, son bon sens rusé.

La plupart des recrues de l'O. A. S. provenaient de deux milieux sociaux. Elle était dirigée et soutenue en majeure partie par l'aristocratie et la noblesse terrienne, d'extrême-droite par tradition dans son ensemble. Le gros de la troupe de l'O. A. S. était, lui, composé d'hommes issus de la classe ouvrière, soit d'artisans d'Algérie, comme Watin, petit Blanc beaucoup plus acharné contre les autochtones que les représentants des classes supérieures, soit d'engagés fanatisés par de longues années de service dans l'armée.

Chazanet faisait partie de cette dernière catégorie. Grâce à son esprit logique, à sa faculté de concentration, il fut un des rares avec de tels antécédents à accéder aux leviers de commande dans l'O. A. S.

Ce furent précisément ces qualités qu'il exploita lorsque, en cette matinée du 11 mars, il décida de mettre à l'étude un nouveau plan d'attentat contre Charles de Gaulle. Les échecs du Petit-Clamart et de l'École militaire allaient multiplier les difficultés de la tâche. Trouver des tueurs n'était certes pas un problème ; mais il fallait dénicher un homme insoupçonnable, élaborer un plan qui permettrait de franchir le réseau protecteur disposé en cercles concentriques autour de la personne du Président.

La situation avait bien changé depuis le Petit-Clamart. La pénétration du service Action dans les rangs de l'O. A. S. s'était accrue à un degré alarmant. Le récent enlèvement d'Argoud démontrait clairement que le service Action n'hésitait plus devant les grands moyens. Il n'avait même pas reculé devant la perspective d'un conflit avec le gouvernement allemand.

Depuis quinze jours déjà que se prolongeait l'interrogatoire d'Argoud, tous les chefs de l'O. A. S. avaient dû prendre la fuite. Bidault avait brusquement perdu son goût de la publicité et de l'exhibitionnisme ; d'autres membres du C. N. R., pris de panique, s'étaient enfuis en Espagne, en Amérique et en Belgique. Il y avait eu une ruée sur les faux papiers, sur les billets à destination de pays lointains.

Cette débandade avait porté un coup sérieux au moral des troupes. Des sympathisants en France, jusqu'alors prêts à aider, à donner asile à des hommes recherchés, à transporter des colis ou des armes, à transmettre des messages, voire même à fournir des renseignements, raccrochaient le téléphone après avoir marmonné quelques vagues excuses.

Après l'échec du Petit-Clamart et l'interrogatoire des prisonniers, trois réseaux entiers en France même furent démantelés. Renseignée du dedans, la police avait effectué des descentes dans toutes les maisons suspectes, découvert cache sur cache d'armes et de matériel. Deux autres complots visant à supprimer de Gaulle avaient été déjoués, les conspirateurs ayant vu surgir les policiers en masse au moment où ils se réunissaient pour la seconde fois.

Tandis que le C. N. R. se perdait en palabres, se répandait en propos vagues sur la nécessité de restaurer la démocratie en France, Chazanet affrontait la sombre réalité telle qu'elle était exposée dans les rapports que contenait son volumineux porte-documents posé sur le lit. A court d'argent, perdant ses appuis sur les plans national et international, ses membres et son prestige, l'O. A. S. s'écroulait sous les assauts répétés des services secrets et de la police.

Débouchant sur la conclusion d'un long raisonnement, Chazanet murmura : « Un homme que personne ne connaît... » Il passa en revue la liste des tueurs qu'il savait prêts à agir. Chacun d'entre eux avait un dossier épais comme la Bible à la préfecture de police. Sinon pourquoi lui, Chazanet, se serait-il caché dans un petit hôtel des Alpes autrichiennes ?

La solution lui vint à l'esprit un peu avant midi. Il tenta tout d'abord de l'écarter mais elle s'imposait à lui. Si l'on pouvait trouver un tel homme... si seulement cet homme existait... Lentement, laborieusement, il échafauda un autre plan autour de cet homme, puis envisagea tous les obstacles, toutes les objections possibles. Le plan semblait en avoir raison, y compris même l'épineux problème des services de sécurité.

Juste avant l'heure du déjeuner, Marc Chazanet endossa son pardessus et descendit. Une bourrasque de vent balayant la rue glacée l'enveloppa dès sa sortie. Un frisson le parcourut mais très vite la sourde migraine que lui avaient value les cigarettes fumées à la chaîne dans sa chambre surchauffée se dissipa. Tournant à gauche, il se dirigea vers la poste dans l'Adlerstrasse et envoya une série de brefs télégrammes, annonçant à ses collègues disséminés sous de faux noms dans le sud de l'Allemagne, en Autriche, en Italie et en Espagne, qu'il partait en mission pendant quelques semaines et qu'on ne pourrait pas le joindre.

Il déjeuna à la pension de famille Stammkarte, dont le menu se composait ce jour-là de jambonneau froid et de nouilles. Bien que ses années de jungle et de bled l'eussent rendu particulièrement frugal, il ne vint pas sans peine à bout de ce repas. Vers le milieu de l'après-midi, ses bagages bouclés, sa note payée, il était parti, se lançant dans une mission solitaire qui consistait à trouver un homme, ou plus exactement un type d'homme, dont l'espèce devait être rarissime.

Au moment où il montait dans son train, un Comète 4B de la B. O. A. C. se posait sur la piste d'atterrissage numéro 40 de l'aéroport de Londres. L'avion arrivait de Beyrouth. Parmi les passagers qui se dispersaient dans le hall d'arrivée se trouvait un grand Anglais blond. Le visage hâlé par le soleil du Moyen-Orient, il se sentait détendu et en pleine forme après avoir savouré pendant deux mois les incontestables plaisirs que pouvait offrir le Liban et celui, encore plus grand, de superviser le transfert d'une coquette somme d'argent d'une banque de Beyrouth à une autre banque en Suisse.

Loin derrière lui, dans le sol sablonneux de l'Égypte, enterrés depuis longtemps par une police égyptienne aussi déroutée que furieuse, se trouvaient les cadavres de deux ingénieurs allemands, spécialistes des missiles, qui avaient été tous deux abattus d'une balle dans la nuque. Leur mort avait retardé de plusieurs années la mise au point de la roquette Al Goumhouria de Nasser et un millionnaire sioniste de New York estimait que son argent avait été bien dépensé. Après avoir passé la douane sans encombre, l'Anglais prit une voiture de location pour gagner son appartement de Mayfair.

3

La quête de Chazanet se prolongea trois mois.
Le résultat de ses recherches tenait en trois
minces dossiers, protégés chacun par une chemise
et qu'il gardait constamment à portée de main
dans son porte-documents. Ce fut à la mi-juin
qu'il regagna l'Autriche où il loua une chambre
dans une petite pension de famille de la Brucknerallee à Vienne, la pension Kleist.

De la poste principale, il expédia deux télégrammes concis, l'un à Bolzano, en Italie du Nord,
l'autre à Rome. Chacun invitait ses deux principaux lieutenants à venir le rejoindre d'urgence à
Vienne. Les deux hommes arrivèrent dans les
vingt-quatre heures. René Montclair avait loué
une voiture à Bolzano. André Casson était venu de
Rome par avion. Tous deux voyageaient sous de
faux noms avec de faux papiers. Les agents du
S. D. E. C. E. en Italie et en Autriche les avaient
classés parmi les tout premiers sur la liste des
suspects recherchés et dépensaient des sommes
considérables pour acheter la collaboration d'informateurs de toutes catégories aux postes de
contrôle frontaliers et sur les aérodromes.

André Casson arriva le premier à la pension

Kleist, en avance de sept minutes sur le rendez-vous
de onze heures. Il demanda au chauffeur de taxi
de le déposer à l'angle de la Brucknerallee et passa
plusieurs minutes à rectifier son nœud de cravate
devant la vitrine d'un fleuriste avant de pénétrer
d'un pas vif dans le hall de l'hôtel. Chazanet,
comme d'habitude, s'était inscrit sous un faux
nom, l'un des vingt connus de ses seuls collabora-
teurs immédiats. Chacun des deux hommes convoqués avait reçu la veille un télégramme signé
Schultze, le nom de code de Chazanet pour cette
période précise de vingt jours.

— *Herr Schulze, bitte ?* demanda Casson au
jeune réceptionniste.

L'employé consulta son registre.

— Chambre 64. Vous êtes attendu, monsieur ?

— Oui, absolument, répondit Casson qui s'engagea aussitôt dans l'escalier.

Arrivé au premier, il tourna dans le couloir, à
la recherche de la chambre 64. Il la trouva un peu
plus loin, sur sa droite. Comme il levait la main
pour frapper, il sentit qu'on lui agrippait le poignet
au vol. Pivotant sur lui-même, il leva la tête vers
un visage lourd à la mâchoire bleuâtre. Les yeux
de l'inconnu, sous d'épais sourcils noirs formant
comme un bourrelet continu, le considéraient sans
curiosité. L'homme lui avait emboîté le pas au
moment où il passait à hauteur d'un renfoncement
quatre mètres avant et, malgré la minceur du
tapis de corde élimé, Casson n'avait pas entendu
le moindre bruit.

— Vous désirez ? demanda le géant, comme s'il
se désintéressait éperdument de la réponse, mais
sans relâcher son étreinte.

Se rappelant la célérité avec laquelle Argoud avait été enlevé de l'hôtel Eden-Wolff quatre mois plus tôt, Casson sentit son estomac se contracter. Puis il reconnut dans l'homme qui se tenait derrière lui un Polonais, un ancien de la Légion étrangère qui avait fait partie de la compagnie de Chazanet en Indochine. Il se rappela alors que Chazanet faisait parfois appel à Viktor Kowalski pour certaines missions spéciales.

— J'ai rendez-vous avec le colonel Chazanet, Viktor, déclara-t-il doucement.

Les sourcils de Kowalski se nouèrent plus étroitement encore lorsqu'il entendit prononcer son propre nom et celui de son chef.

— Je suis André Casson, ajouta Casson.

Sans paraître impressionné, Kowalski tendit le bras gauche par-dessus l'épaule de Casson et frappa à la porte du 64.

— Oui, répondit une voix à l'intérieur.

Tout contre le panneau de bois Kowalski grogna :

— Une visite.

La porte s'entrouvrit légèrement. Chazanet jeta un coup d'œil par l'entrebâillement, puis ouvrit en grand :

— Mon cher André, je suis désolé, vraiment.

Il adressa un signe de tête à Kowalski.

— Ça va, caporal, nous avons rendez-vous.

Casson, ayant enfin retrouvé le libre usage de sa main droite, pénétra dans la chambre. Chazanet adressa quelques paroles à Kowalski sur le seuil, puis referma la porte. Le Polonais retourna s'embusquer dans le renfoncement.

Chazanet serra la main de Casson et l'entraîna

vers un poêle à gaz devant lequel étaient disposés
deux fauteuils.

Bien qu'on fût à la mi-juin, il faisait encore frais
au-dehors, où tombait un petit crachin, et les deux
hommes étaient habitués au chaud soleil d'Afrique
du Nord : le poêle marchait à plein rendement.
Casson ôta son pardessus et s'installa dans un des
fauteuils.

— En général, tu ne prends pas de telles précautions, Marc, fit-il observer.

— Ce n'est pas tellement pour moi, répliqua
Chazanet. S'il se passe quoi que ce soit, je peux
toujours me défendre. Mais il me faut quand
même quelques minutes pour me débarrasser des
papiers. (Il indiqua le bureau près de la fenêtre où
un épais dossier était posé à côté de son porte-
documents.) C'est pour ça que j'ai amené Viktor,
en fait. Quoi qu'il arrive, il me donnera soixante
secondes pour détruire les papiers.

— Ils sont si importants que ça?

— Peut-être. (Une note de satisfaction perçait
dans la voix de Chazanet.) Mais attendons René.
Je lui ai dit de venir à onze heures un quart, pour
que vous ne débarquiez pas en même temps. Ça
aurait troublé Viktor. Il devient nerveux quand il
y a autour de lui trop de gens qu'il ne connaît
pas.

Chazanet se permit un de ses rares sourires à
l'idée de ce qui pourrait s'ensuivre si jamais
Viktor, qui portait un gros Colt sous l'aisselle
gauche, devenait nerveux. On frappa à la porte.
Chazanet traversa la pièce et demanda à travers
le panneau :

— Qu'est-ce que c'est?

Cette fois, ce fut René Montclair qui répondit,
d'une voix tendue :

— Marc, je t'en prie...

Chazanet ouvrit la porte. Montclair se tenait là,
rapetissé par la présence du géant derrière lui.
Viktor l'encerclait de son bras droit, immobilisant le comptable, bras collés au corps.

— Ça va, Viktor, murmura Chazanet à Kowalski.

Montclair, soulagé de se sentir libre, entra
dans la pièce et adressa une petite grimace à
Casson qui lui souriait depuis son fauteuil près du
feu. La porte se referma de nouveau et Chazanet
pria Montclair de l'excuser.

Montclair s'avança vers lui et les deux hommes
se serrèrent la main. Il avait enlevé son pardessus
et était vêtu d'un complet gris sombre de coupe
médiocre. Comme la plupart des anciens militaires
de métier, lui et Chazanet, en civil, avaient toujours eu l'air fagotés.

Une fois ses deux invités installés dans les deux
fauteuils de la chambre, Chazanet s'assit sur la
chaise à dossier droit derrière la table qui lui tenait
lieu de bureau. De la table de chevet, il sortit une
bouteille de cognac français et la leva d'un air
interrogateur. Ses deux invités opinèrent du bonnet.
Chazanet emplit généreusement trois verres et en
tendit un à Montclair et un à Casson. Les deux
voyageurs avalèrent chacun une bonne rasade pour
se réchauffer.

René Montclair, petit et trapu, était tout comme
Chazanet un officier de carrière. Mais contrairement à Chazanet, il n'avait jamais commandé
d'unité combattante. La majeure partie de sa
carrière s'était écoulée dans les services adminis-

tratifs et, les dix années précédentes, à la trésore-
rie de la Légion étrangère. Au printemps de 1963,
il était devenu trésorier de l'O. A. S.

André Casson était le seul civil. Petit et méticuleux, il continuait à s'habiller comme le directeur de banque qu'il avait été en Algérie. C'est
lui qui coordonnait les activités clandestines de
l'O. A. S. et du C. N. R. en métropole.

Tout comme Chazanet, les deux hommes étaient
animés d'un égal fanatisme, encore qu'inspiré
par des motifs différents. Montclair avait un fils,
un garçon de dix-neuf ans qui, lors de son service
militaire en Algérie, trois ans auparavant, avait
été capturé par les rebelles. Une patrouille de la
Légion avait trouvé son cadavre dans un village
dont ils venaient de s'emparer et l'avait enterré
sur place. Montclair avait su plus tard dans quel
état avait été découvert le mort. Il ne devait pas
l'oublier.

Le cas d'André Casson était plus compliqué.
Né en Algérie, il avait été toute sa vie absorbé
par son travail, son appartement et sa famille. La
maison mère de la banque où il travaillait était à
Paris ; l'indépendance de l'Algérie ne l'aurait donc
pas mis au chômage. Mais lorsque les colons se
soulevèrent en 1960, il se rangea à leurs côtés et
devint un des chefs de l'opposition à Constantine,
sa ville natale. Il avait néanmoins conservé son
emploi, mais quand il vit les Français d'Algérie
liquider leur compte en banque les uns après les
autres et les hommes d'affaires vendre leurs biens
pour regagner la métropole, il se rendit compte
que les beaux jours de la présence française en
Algérie étaient terminés. Peu après le putsch mili-

taire, exaspéré par la nouvelle politique gaulliste
et la misère des petits fermiers et commerçants de
la région, qui s'enfuyaient, ruinés, vers un pays
que nombre d'entre eux n'avaient jamais vu de
l'autre côté de la mer, il avait aidé un commando
O. A. S. à voler dans sa propre banque trente millions d'anciens francs. Un jeune caissier témoin
de ce geste de complicité l'avait dénoncé. Sa carrière bancaire s'était arrêtée là. Il envoya sa femme
et ses deux enfants chez ses beaux-parents à Per-
pignan et s'engagea dans l'O. A. S. Il rendait de
précieux services à l'organisation du fait qu'il
connaissait personnellement plusieurs milliers de
sympathisants de l'O. A. S. vivant maintenant en
France.

Assis à sa table, Marc Chazanet dévisagea ses
deux visiteurs. Tous deux l'observaient avec curiosité, mais sans poser de questions.

Avec minutie, méthodiquement, Chazanet commença son exposé, en énumérant la liste des échecs
et des défaites subis par l'O. A. S. depuis quelques
mois devant l'offensive des services secrets français. Ses invités fixaient le fond de leurs verres
d'un air sombre.

— Il faut regarder la vérité en face. En quatre
mois, nous avons encaissé trois coups durs. Cet
échec à l'École militaire est le dernier d'une longue
série de tentatives avortées du même ordre. Inutile
d'entrer dans les détails, vous les connaissez aussi
bien que moi... L'enlèvement d'Antoine Argoud
nous a privés d'un de nos meilleurs chefs et, malgré
sa loyauté à la cause, il est bien évident qu'avec les
méthodes modernes d'interrogatoire, comprenant

4

probablement l'usage de drogues, auxquelles a été
soumis Argoud, la sécurité de l'organisation tout
entière est maintenant compromise. Il faut donc
que nous repartions pratiquement à zéro. Voilà
pourquoi nous sommes ici, dans la chambre d'un
obscur hôtel plutôt qu'à notre quartier général
de Munich. Il y a un an, ç'aurait été simple. Nous
aurions pu faire appel à des milliers de volontaires
enthousiastes. Ça n'est plus aussi facile maintenant. Le meurtre de Jean Bastien-Thiry ne facilite
pas les choses. Je ne peux guère en vouloir à nos
partisans. Nous leur avons promis des résultats
et ne leur en avons donné aucun. Ils sont en droit
d'attendre des résultats, et non pas des mots.

— Bon. Bon. Où voulez-vous en venir ? interrompit Montclair.

Les deux hommes qui écoutaient Chazanet
savaient qu'il avait raison. Montclair se rendait
compte mieux que quiconque que les fonds obtenus grâce aux pillages de banques en Algérie
servaient uniquement à couvrir les frais de l'organisation et que les industriels de droite qui avaient
jusqu'alors donné pour la cause commençaient
à se faire tirer l'oreille. Depuis quelque temps, ses
demandes étaient accueillies avec un dédain mal
dissimulé. Casson savait qu'il lui était de plus en plus
difficile d'établir des liaisons avec les réseaux clan-
destins en France, que des descentes de police étaient
effectuées dans les maisons abritant des membres
de l'O. A. S. et que, depuis la capture d'Argoud,
bien des sympathisants avaient retiré leur appui à
l'O. A. S. L'exécution de Bastien-Thiry ne pouvait qu'accélérer le processus. La situation était
bien telle que l'avait résumée Chazanet, mais la

vérité n'en était pas pour autant plus agréable à
entendre.

Chazanet poursuivit, comme s'il n'avait pas été
interrompu.

— Nous avons maintenant atteint un stade où
l'objectif essentiel de notre entreprise pour libérer
la France, l'élimination de la Grande Zohra, sans
laquelle tous les plans ultérieurs échoueraient inévitablement, est devenu pratiquement impossible
à atteindre par les moyens traditionnels. J'hésite,
messieurs, à engager d'autres jeunes patriotes
dans des projets qui ont bien peu de chances
d'échapper pendant plus de quelques jours à la
vigilance de la Gestapo française. En résumé, il y
a trop de mouchards, trop de traîtres, trop de
réfractaires. La police secrète, qui profite de cette
situation, a maintenant si complètement noyauté
notre mouvement qu'elle est au courant même des
décisions prises à l'échelon supérieur. Et puisque
nous devons considérer tous nos tueurs ou tous
les candidats susceptibles de mener à bien l'attentat
comme brûlés, il ne reste qu'une seule méthode
pour atteindre notre objectif principal, la liquidation de Zohra : engager les services d'un inconnu.

Montclair et Casson posèrent sur lui des regards
interrogateurs.

— Quel genre d'inconnu ? s'enquit enfin Casson.

— Pour commencer il faudrait faire appel aux
services d'un étranger, dit Chazanet. Un homme
sans rapport avec l'O. A. S. ou le C. N. R., inconnu
des polices françaises. Il circulerait sous un faux
passeport et, une fois sa mission remplie, redispa-
raîtrait dans son propre pays pendant que le peuple
de France se soulèverait pour balayer ce qui reste-

rait de la racaille gaulliste. L'important, c'est qu'il puisse entrer en France sans se faire repérer et sans éveiller les soupçons. Ce que, pour le moment, aucun d'entre nous ne peut faire.

Ses deux invités demeuraient silencieux, absorbés par leurs propres pensées, tandis que le plan de Chazanet prenait forme dans leur esprit.

Montclair laissa échapper un petit sifflement.

— En somme, un assassin professionnel, un mercenaire.

— Exactement, répliqua Chazanet. Il ne faut pas espérer qu'un inconnu exécute ce genre de travail pour nos beaux yeux, ou par patriotisme ou pour l'amour du sport. Un véritable professionnel se paye, et se paye cher, ajouta-t-il en jetant un bref coup d'œil à Montclair.

— Mais où le dénicher, ce tueur? demanda Casson.

Chazanet leva une main.

— Commençons par le commencement, messieurs. Il y a évidemment une foule de détails à mettre au point. Ce que je veux savoir en premier, c'est si vous êtes d'accord sur le principe.

Montclair et Casson échangèrent un regard, puis tous deux se tournèrent vers Chazanet et acquiescèrent lentement d'un signe de tête.

— Bien. (Chazanet se pencha légèrement en arrière.) Un premier point à considérer : la sécurité, qui joue un rôle fondamental dans tout le projet. Or moins un secret est partagé, plus il a de chances de le rester... Secret absolu, c'est la base même de mon plan. Il y a des traîtres infiltrés dans les rangs de l'O. A. S., nous le savons. Les politiciens du C. N. R. ne sont pas tous des hommes sûrs, donc

moins nous serons à être au courant, mieux ça
vaudra. Je vous ai convoqués ici, toi René, et toi
André, parce que je crois autant à votre loyauté
qu'à votre discrétion. En outre, dans mon plan, ta
coopération active, René, comme trésorier et
caissier, est indispensable pour faire face aux exigences d'un tueur professionnel, quel qu'il soit.
Quant à toi, André, j'ai besoin de toi pour rassembler une poignée d'hommes vraiment sûrs, capables d'un dévouement à toute épreuve et prêts à
assister notre tueur en cas de nécessité. Cela dit, je
ne vois aucune raison pour que les détails de ce
plan ne restent pas entre nous. Je vous propose
en conséquence de constituer tous les trois un
comité qui prenne l'entière responsabilité du projet,
de sa préparation, de son exécution et de son finan-
cement.

Un autre silence s'ensuivit. Montclair se décida
enfin à demander :

— Vous voulez dire qu'on laisse en dehors du
coup tout le conseil de l'O. A. S., tout le C. N. R. ?
Ça ne va pas leur plaire du tout.

— Ils ne seront pas au courant, du moins jusqu'à l'exécution de la mission, répliqua Chazanet.
N'oubliez pas la nécessité absolue du secret. En
cas d'échec, la situation ne sera pas pire que maintenant. Il y aura peut-être des récriminations
après coup, mais rien de plus. Si le plan réussit,
nous serons au pouvoir et personne à ce moment-là
ne s'avisera de discuter. La technique mise en
œuvre pour éliminer le dictateur sera devenue un
sujet purement académique. En résumé, donc,
êtes-vous d'accord tous les deux pour vous joindre
à moi dans les conditions que je vous ai exposées ?

De nouveau, Montclair et Casson échangèrent
un regard avant de se tourner vers Chazanet et
d'opiner du bonnet. C'était la première fois qu'ils
avaient affaire à lui depuis l'enlèvement d'Argoud
trois mois auparavant. Lorsque Argoud avait
pris la tête du mouvement, Chazanet s'était can-
tonné discrètement à l'arrière-plan. Il révélait
maintenant ses qualités de chef et d'organisateur.

Chazanet considéra tour à tour les deux hommes,
reprit son souffle, puis sourit.

— Parfait, dit-il. Venons-en maintenant aux
détails. Du jour où j'ai appris par la radio l'exécution de Bastien-Thiry, je me suis mis à la recherche
de l'homme qu'il nous fallait. Rien de plus difficile à trouver : ces gens-là ne se font pas de publicité. Le résultat de ces recherches, le voici.

Et il souleva les trois dossiers posés sur sa table.
Montclair et Casson échangèrent un coup d'œil,
haussèrent les sourcils et demeurèrent silencieux.
Chazanet reprit la parole :

— Le mieux, à mon avis, serait que vous étu-
diiez ces dossiers, et nous pourrons ensuite procéder
à un choix initial. Personnellement, j'ai classé mes
trois candidats par ordre de préférence, au cas où
le premier de la liste ne pourrait ou ne voudrait
pas se charger de l'affaire. Il n'y a qu'un exemplaire
de chaque dossier, vous vous les passerez donc à
tour de rôle.

Là-dessus, il tendit une chemise à Montclair
et une à Casson, gardant la troisième à la main,
sans l'ouvrir néanmoins. Il en connaissait par cœur
le contenu.

Il n'y avait pas grand-chose à lire. Chaque dossier était d'une concision déprimante. Casson ter-

mina le premier la lecture du sien, leva les yeux vers Chazanet et esquissa une grimace.

— C'est tout ?

— Les détails concernant les personnages de ce genre sont difficiles à obtenir, répliqua Chazanet. Essaie donc celui-ci.

Il tendit à Casson la chemise qu'il tenait à la main.

Quelques instants plus tard, Montclair, qui avait également terminé sa lecture, rendit son dossier à Chazanet qui lui donna celui que venait de finir Casson. Les deux hommes s'absorbèrent de nouveau dans leur lecture. Cette fois, ce fut Montclair qui termina le premier. Il leva la tête et haussa les épaules.

— Eh bien... comme renseignements, c'est plutôt mince, mais on doit pouvoir trouver une cinquantaine de gars comme celui-là. Les tueurs courent les rues, après tout...

Il fut interrompu par Casson.

— Attends une minute, attends d'avoir vu celui-là.

Il tourna la dernière page et parcourut rapidement les trois derniers paragraphes. Lorsqu'il eut terminé, il ferma le dossier et leva les yeux sur Chazanet. Le chef de l'O. A. S. ne laissa rien deviner de ses propres préférences. Il prit le dossier qu'avait fini Casson et le passa à Montclair. A Casson, il remit le troisième. Quatre minutes plus tard, les deux hommes terminèrent ensemble leur lecture.

Chazanet rassembla les trois dossiers et les remit sur sa table. Puis il se leva, prit sa chaise, l'approcha du feu, la tourna à l'envers, s'installa dessus à califourchon. Et les deux bras appuyés sur le dossier, il observa les deux autres.

— Eh bien, je vous avais dit que c'était une denrée très rare sur le marché. Il y en a peut-être d'autres qui font des boulots comme ça, mais quand on n'a pas accès aux fichiers d'un bon service secret, ils sont bigrement difficiles à dénicher. D'ailleurs, les meilleurs d'entre eux ne sont sans doute répertoriés nulle part. Alors, vous avez étudié les trois cas. Pour les désigner, en attendant, disons : l'Allemand, le Sud-Africain et l'Anglais. André ?

Casson haussa les épaules.

— Pour moi, pas de discussion possible. D'après ses états de service, s'ils sont exacts, l'Anglais vient en tête, et de loin.

— René ?

— Je suis du même avis. L'Allemand est un peu vieux pour ce genre de travail maintenant. A part quelques coups exécutés pour le compte des nazis survivants contre les agents israéliens qui les pourchassaient, il n'a guère d'expérience politique. En outre, ses motivations étaient probablement personnelles, par conséquent il n'agissait pas vraiment en tant que professionnel. Le Sud-Africain était peut-être très bien pour bouziller des politiciens nègres comme Lumumba, mais descendre le président de la République française, c'est une autre affaire. En plus, l'Anglais parle français couramment.

Chazanet opina lentement du bonnet.

— Je pensais bien qu'il n'y aurait pas grande discussion. Moi j'avais fait mon choix tout de suite.

— Vous êtes sûr, pour cet Anglo-Saxon ?

demanda Casson. Il a vraiment exécuté tous ces boulots ?

— Ça m'a étonné moi-même, dit Chazanet. J'ai donc un peu creusé la question. Des preuves irréfutables, il n'y en a aucune. Le contraire serait d'ailleurs mauvais signe. Cela signifierait qu'il figurerait sur la liste des immigrants indésirables. En fait, il n'existe rien contre lui sinon des rumeurs. Officiellement, il est blanc comme neige. Même si les Anglais l'ont repéré, ils ne savent rien de précis. Il ne figure même pas dans les dossiers de l'Interpol. Même si une enquête officielle avait lieu, il y a très peu de chances pour que les Anglais signalent cet homme au S. D. E. C. E. Vous savez que les deux services se détestent. Ils n'ont même pas mentionné la présence de Georges Bidault à Londres en janvier dernier. Non, pour ce genre de mission, l'Anglais présente tous les avantages sauf un...

— Lequel ? s'enquit vivement Montclair.

— Très simple. Il ne sera pas bon marché. Où en sont les finances, René ?

Montclair haussa les épaules.

— Pas brillantes. D'un côté, les frais ont un peu diminué. Depuis l'affaire Argoud, tous les héros du C. N. R. se sont planqués dans des hôtels de troisième ordre. Ils semblent avoir perdu leur penchant pour les palaces cinq étoiles et les interviews à la télévision. En revanche, les rentrées sont devenues insignifiantes. Comme vous l'avez fait remarquer, il faut agir, sinon nous serons coulés par le manque d'argent. L'amour et l'eau fraîche ne suffisent pas à soutenir un mouvement comme le nôtre.

Chazanet acquiesça d'un air sombre.

— Je m'en doutais. Il faut trouver des fonds.
Mais avant de se mettre en quête, il vaudrait peut-
être mieux être fixé sur le chiffre...

— Autrement dit, coupa Casson d'un ton uni,
il faut commencer par contacter cet Anglais et
lui demander ses conditions.

— Nous sommes donc bien d'accord? insista
Chazanet.

Les deux autres se contentèrent d'incliner la
tête.

— Il est maintenant une heure, reprit-il. Je
dois appeler un correspondant à Londres qui
prendra contact avec cet homme et lui demandera
de venir. S'il accepte de prendre ce soir même
l'avion pour Vienne, nous pourrions le rencontrer
ici après le dîner. Nous serons fixés dès que mon
agent me rappellera. Je me suis permis de vous
réserver à tous les deux des chambres contiguës
au bout du couloir. Il vaut mieux que nous soyons
protégés par Viktor tous ensemble plutôt que
séparés et donc mal défendus. On ne sait jamais.

Tous trois se levèrent. Puis Chazanet appela
Viktor et lui demanda de descendre chercher à la
réception les clefs des chambres 65 et 66. Viktor
salua et ressortit. Chazanet se tourna vers Montclair et Casson :

— Il faut que j'aille téléphoner de la poste
principale, expliqua-t-il. J'emmènerai Viktor avec
moi. Pendant mon absence, enfermez-vous dans
la même chambre. A mon retour, je frapperai
trois coups, puis deux.

C'était là le signal familier sur le rythme des
mots « Algérie française » que certains automo-

bilistes avaient klaxonné au cours des années précédentes pour exprimer leur désapprobation de la
politique gaulliste.

— Au fait, poursuivit Chazanet, vous êtes armés,
l'un ou l'autre ?

Les deux hommes secouèrent la tête. Chazanet
sortit d'un tiroir un lourd MAB 9 mm qu'il
gardait pour son usage personnel. Il vérifia le
chargeur, le remit en place, et fit monter une balle
dans le canon. Puis il tendit le pistolet à Montclair.

— Tu connais ce flingue ?

Montclair acquiesça.

— Assez bien, dit-il en l'empochant.

Viktor, de retour avec les clefs, escorta les deux
hommes jusqu'à la chambre de Montclair. Lorsqu'il
revint, Chazanet était en train de boutonner son
pardessus.

— Allez, viens, caporal. On a du boulot.

Ce soir-là, alors que le crépuscule virait à la
nuit, le Vanguard B. E. A. arrivant de Londres
descendait vers l'aéroport de Schwechat à Vienne.
Confortablement installé dans son fauteuil près
du hublot à l'arrière de l'avion, l'Anglais blond
regardait les feux de signalisation défiler à toute
allure sous l'appareil qui perdait de l'altitude. A
la dernière minute, la masse d'herbe faiblement
éclairée, les panneaux numérotés de part et
d'autre de la piste et les lumières elles-mêmes
disparurent pour être remplacés par le ruban
de ciment noir et luisant, et les roues tou-
chèrent enfin le sol. La précision d'un atterrissage

réussi lui plaisait toujours. Il aimait la précision.

A son côté, le jeune Français du Bureau du Tourisme français à Piccadilly l'effleura d'un regard inquiet. Depuis le coup de téléphone qu'il avait reçu à l'heure du déjeuner, il se sentait fort nerveux. Près d'un an auparavant, alors qu'il était en congé à Paris, il avait proposé à l'O. A. S. de se mettre à sa disposition, mais depuis lors, on lui avait simplement demandé de rester derrière son bureau à Londres. Des instructions données par une lettre ou un coup de téléphone, qui lui seraient adressées sous son nom véritable, mais qui commenceraient par « Cher Pierre », devraient être suivies immédiatement et de façon précise. Rien depuis, jusqu'à ce jour-là, 15 juin.

La téléphoniste lui avait annoncé qu'on le demandait personnellement en préavis de Vienne, et avait ajouté « en Autriche », pour éviter toute confusion avec la ville du même nom en France. Intrigué, il avait pris la communication et avait entendu une voix l'appeler « Cher Pierre ». Il lui avait fallu plusieurs secondes pour se rappeler son propre nom de code.

Prétextant un accès de migraine après le déjeuner, il s'était rendu à un appartement près de South Audley Street et avait transmis un message à l'Anglais qui lui avait ouvert. Ce dernier n'avait manifesté aucune surprise en apprenant qu'il devait prendre l'avion pour Vienne dans les trois heures. Il avait tranquillement préparé un sac de voyage et tous deux avaient gagné en taxi l'aéroport de Heathrow. Le Français ayant expliqué qu'il n'avait pas songé à régler son passage en liquide et n'avait emporté que son passeport et son chéquier, l'Anglais, sans commentaires, avait payé les deux aller et retour.

Depuis, ils n'avaient pratiquement pas échangé un mot. L'Anglais n'avait pas demandé où ils se rendaient à Vienne, ni qui ils devaient rencontrer ni pourquoi, ce qui était tout aussi bien puisque le Français n'en avait aucune idée. Ses seules instructions étaient de rappeler depuis l'aérodrome de Londres et de confirmer son arrivée par le vol de la B. E. A. A bord de l'avion, on lui demanda de passer au bureau de renseignements en atterrissant à Schwechat. Tout cela l'avait rendu nerveux et le parfait sang-froid de l'Anglais assis à côté de lui, loin de le calmer, ne faisait qu'aggraver ses inquiétudes.

Au guichet des renseignements dans le hall principal, il donna son nom à la séduisante réceptionniste autrichienne, qui chercha dans la rangée de casiers alignés derrière elle et lui tendit une petite carte sur laquelle était simplement inscrit le message suivant : « Appeler le 61 44 03, demander Schulze. » Il se détourna et se dirigea vers la rangée de cabines téléphoniques au fond du hall. L'Anglais lui tapa sur l'épaule et lui indiqua la cabine sur laquelle était écrit : Wechsel.

— Il vous faut des pièces, dit-il dans un français parfait. Même les Autrichiens ne sont pas généreux à ce point.

Le Français rougit et se dirigea vers le bureau de change pendant que l'Anglais s'installait confortablement à l'angle d'un canapé capitonné le long du mur et allumait une cigarette. Son guide revint au bout d'une minute avec plusieurs coupures autrichiennes et une poignée de piécettes. Il gagna

une cabine téléphonique vide et composa le numéro
indiqué. A l'autre bout du fil, Herr Schulze lui
donna des directives d'un ton net et précis. Le
message ne prit que quelques secondes et la communication fut coupée.

Le jeune Français revint vers le canapé et le
blond leva la tête vers lui.

— On y va? demanda-t-il.

— On y va.

En se détournant pour partir, le Français roula
en boule le morceau de papier sur lequel était
inscrit le numéro et le laissa tomber à terre.
L'Anglais le ramassa, le défroissa et le tint au-
dessus de la flamme de son briquet. Le papier
flamba un instant, puis tomba en cendres que
l'Anglais émietta sous la semelle de son élégante
chaussure de daim. Ils sortirent de l'immeuble
sans mot dire et hélèrent un taxi.

Le centre de la ville, flamboyant de lumières,
était à demi paralysé par une circulation intense
et il fallut quarante minutes au taxi pour atteindre
la pension Kleist.

— C'est là que nous nous séparons. J'ai reçu
l'ordre de vous amener ici, mais de partir ailleurs
avec le taxi. Vous devez monter directement à la
chambre 64. On vous y attend.

L'Anglais opina du bonnet et descendit de la
voiture. Le chauffeur se tourna vers le Français,
l'air interrogateur.

— Continuez, dit ce dernier et le taxi redémarra.

L'Anglais leva les yeux vers la plaque où le nom
de la rue figurait en lettres gothiques, puis regarda
le nom de la pension Kleist inscrit en capitales au-
dessus de la porte. Enfin, il jeta son mégot et entra.

L'employé de la réception avait le dos tourné, mais un léger grincement de la porte attira son attention. Sans esquisser le moindre pas vers le bureau, l'Anglais se dirigea droit vers l'escalier. L'employé allait l'interpeller lorsque le visiteur se tourna vers lui, le salua d'un signe de tête négligent et déclara d'un ton ferme :

— *Guten Abend.*

— *Guten Abend, Mein Herr,* répondit automatiquement l'employé.

Mais déjà le blond avait disparu dans l'escalier. Sans hâte apparente, il gravit les marches deux par deux. Sur le palier du premier, il s'immobilisa et jeta un coup d'œil sur l'unique couloir. A l'extrémité, il distingua le chiffre 68 sur la porte du fond. Il en compta donc quatre en revenant vers lui. Le 64 se trouvait à environ six mètres.

Sur le côté gauche du couloir, un rideau de velours rouge délavé masquait une sorte de renfoncement. L'Anglais examina avec soin ce renfoncement. Sous le rideau, qui arrivait à quelques centimètres du sol, dépassait légèrement le bout d'une chaussure noire. Faisant volte-face, il redescendit dans le hall. Cette fois, l'employé l'attendait, tourné vers l'escalier.

— Passez-moi la chambre 64, dit l'Anglais.

Le réceptionniste le dévisagea une seconde, puis obtempéra. Se tournant vers le petit standard, il décrocha le téléphone et le tendit à l'Anglais.

— Si votre gorille n'est pas sorti de son trou d'ici quinze secondes, je rentre chez moi, déclara le blond.

Là-dessus, il raccrocha et monta de nouveau

l'escalier. Comme il atteignait le palier, il vit la
porte du 64 s'ouvrir et le colonel Chazanet apparut
sur le seuil. Il observa l'Anglais au bout du couloir
puis appela doucement.

— Viktor. (Le gigantesque Polonais surgit du
réduit et regarda les deux hommes à tour de rôle.)
Ça va. Je l'attendais, dit Chazanet.

Kowalski prit l'air furibond. L'Anglais s'avança.

Chazanet le fit entrer dans la chambre. Elle avait
été transformée en bureau de recrutement. De part
et d'autre d'une table jonchée de papiers étaient
assis sur des chaises droites Montclair et Casson.
Derrière la table se trouvait la troisième et dernière chaise. Tandis que les deux assesseurs de
Chazanet l'examinaient avec curiosité, l'Anglais
regarda autour de lui, tira un fauteuil et le fit
pivoter pour le placer face au bureau.

Chazanet, en ayant fini avec Viktor, alla s'asseoir
à la table et, sans quitter des yeux le visiteur,
alluma lentement une cigarette.

A première vue, cet Anglais faisait bonne impression. Environ un mètre quatre-vingts, une trentaine d'années, mince et visiblement athlétique.
Un visage bronzé aux traits réguliers, mais sans
rien de remarquable, et ses mains reposaient
tranquillement sur les accoudoirs du fauteuil. Il
faisait à Chazanet l'effet d'un homme doué d'un
parfait sang-froid. Mais c'étaient ses yeux qui
troublaient Chazanet. Des yeux grands ouverts
qui semblaient vous regarder en face avec une
franchise sans détours. A la réflexion, les iris
avaient quelque chose d'insolite. Leur teinte gris
moucheté d'abord, brumeuse et froide, et avec des
pupilles si petites qu'ils en paraissaient comme di-

latés. Il fallut plusieurs secondes à Chazanet pour se rendre compte que ces yeux étaient totalement dépourvus d'expression. Et cette absence de regard faisait naître un profond malaise chez Chazanet. Comme tous les hommes façonnés par des systèmes et des processus bien définis, il éprouvait une aversion presque instinctive pour l'imprévisible et donc pour l'incontrôlable.

— Nous savons qui vous êtes, commença-t-il brusquement. Je me présente : colonel Marc Chazanet...

— Je sais, dit l'Anglais. Vous êtes le chef opérationnel de l'O. A. S. ; vous, vous êtes le commandant René Montclair, trésorier, et vous, M. André Casson, le chef de la clandestinité en métropole.

Il dévisagea les trois hommes à tour de rôle à mesure qu'il s'adressait à chacun d'entre eux et prit une cigarette.

— Vous avez l'air d'en savoir déjà bien long, fit observer Casson.

L'Anglais se pencha en arrière et souffla un nuage de fumée.

— Messieurs, soyons francs. Je sais qui vous êtes et vous savez qui je suis. Nous avons tous des occupations inhabituelles. Vous êtes pourchassés alors que je suis libre de me déplacer sans être surveillé. J'opère pour de l'argent, et vous par idéalisme. Mais en matière de détails pratiques, nous sommes tous des professionnels. Inutile par conséquent de finasser. Vous vous êtes renseignés sur mon compte. On ne peut pas se livrer à ce genre d'enquête sans que l'intéressé finisse par en avoir vent. Bien entendu, je désirais savoir pourquoi je

vous intéressais tellement. Dès que j'ai su quelle
était l'organisation qui s'occupait ainsi de moi,
deux jours passés à potasser les journaux français
dans les archives du British Museum m'ont suffi
pour savoir tout ce que je voulais. La visite de
votre garçon de courses cet après-midi ne m'a donc
pas surpris. Bon. Je sais qui vous êtes et qui
vous représentez. Maintenant qu'attendez-vous de
moi ?

Un long silence s'ensuivit. Casson et Montclair
tentaient de consulter Chazanet du regard, mais
le colonel et le tueur ne se quittaient pas des yeux.
Déjà les derniers doutes du premier étaient levés.
C'était bien d'un homme de cette trempe qu'il
avait besoin. Dès cet instant, Montclair et Casson
n'étaient plus guère que des éléments du décor.

— Puisque vous êtes renseigné sur nous, je ne
perdrai pas de temps à vous exposer les buts de
notre organisation. A juste titre, vous avez employé
le terme idéalisme. Pour nous, la France est actuellement dirigée par un dictateur qui a souillé notre
pays et prostitué son honneur. Nous estimons que
son régime ne peut tomber et la France être
rendue aux Français que s'il meurt d'abord. Nos
partisans ont essayé par six fois de l'éliminer,
mais sans succès. Nous avons donc envisagé de
faire appel aux services d'un professionnel pour
accomplir cette tâche. Cependant, nous n'avons
aucune envie de gaspiller notre argent. La première
chose que nous aimerions savoir, c'est si c'est faisable.

Une brève lueur s'alluma dans les yeux gris de
l'Anglais. Déjà Chazanet savait quelle serait la
réponse à sa dernière question.

— Aucun homme au monde n'est à l'abri de la
balle tirée par un assassin. De Gaulle est plus
exposé qu'un autre. Il est évidemment possible
de le supprimer. Le difficile, c'est de s'en tirer.
Rien ne vaut, bien sûr, un fanatique prêt à mourir
pour la cause. Il semble, ajouta-t-il avec une
pointe d'ironie, que vous n'ayez pas encore réussi
à trouver un tel homme. Si les attentats du Pont-
de-Seine et du Petit-Clamart ont échoué, c'est
que personne n'était prêt à risquer sa vie pour les
faire aboutir.

— Il y a encore maintenant des Français patriotes prêts à..., commença Casson avec emporte-
ment, mais Chazanet le fit taire d'un geste.

L'Anglais ne tourna même pas les yeux vers
lui.

— Et en ce qui concerne un professionnel ?
s'enquit Chazanet.

— Un professionnel n'agit pas par conviction ;
il est donc plus calme, plus méthodique, plus dénué
de scrupules également. Il a calculé tous les risques
éventuels. Il a donc plus de chances de réussir que
n'importe qui, mais il ne bougera pas avant d'avoir
mis au point un plan qui lui permette non seulement de remplir sa mission, mais aussi de s'en
tirer indemne.

— A votre avis, peut-on mettre sur pied un tel
plan qui permettrait à un professionnel de liquider
la Grande Zohra et d'en réchapper ?

L'Anglais tira quelques bouffées de sa cigarette,
le regard fixé sur la fenêtre.

— En principe, oui, répondit-il enfin. En principe, c'est toujours possible si on consacre à ce
genre de mission beaucoup de temps et de prépa-

ratifs. Mais, dans ce cas-là, ce serait extrêmement
difficile. Beaucoup plus que pour la plupart des
autres cibles.

— Pourquoi plus que pour les autres? demanda
Montclair.

— Parce que de Gaulle est sur ses gardes, qu'il
se sait visé. En ce moment, tous les services de
sécurité sont en alerte. La mission que vous envi-
sagez est donc spécialement difficile et dangereuse.
Tous les échecs précédents ne font que compliquer
la tâche pour les suivants.

— Au cas où nous prendrions la décision d'employer un assassin professionnel..., commença Chazanet.

— Vous n'avez pas d'autre solution, coupa
tranquillement l'Anglais.

— Et pourquoi? Il y a encore bien des hommes
qui seraient prêts à se sacrifier pour des mobiles
purement patriotiques.

— Oui, il y a encore Watin et Curutchet,
réplique le blond. Et sans doute y a-t-il d'autres
Degueldre et Bastien-Thiry encore disponibles.
Mais si vous m'avez fait venir ici, ce n'est que
parce que vous êtes à court de tueurs. C'est que
votre organisation est aujourd'hui si bien noyautée
par les agents des services secrets français que vos
chances de conserver un complot secret sont inexis-
tantes. Il vous faut donc un outsider. Dernier
problème à résoudre : qui? et pour combien?
Maintenant, messieurs, je pense que vous avez eu
suffisamment de temps pour examiner la mar-
chandise, pas vrai?

Chazanet jeta un coup d'œil en biais à Montclair
et haussa un sourcil. Montclair opina du bonnet.

Casson l'imita. L'Anglais regardait dans le vague d'un air indifférent.

— Êtes-vous prêt à tuer de Gaulle ? demanda enfin Chazanet.

Il avait parlé d'une voix contenue, mais l'écho de sa question semblait emplir la pièce. L'Anglais reporta son regard sur lui ; ses yeux étaient de nouveau vides de toute expression.

— Oui, mais ça coûtera très cher.

— Combien ? demanda Montclair.

— Comprenez bien que c'est le genre de coup qu'on ne fait qu'une fois dans sa vie. Les chances de s'en sortir sont extrêmement minimes. Il s'agit donc de gagner assez d'argent sur cette opération pour pouvoir vivre confortablement jusqu'à la fin de sa vie et se protéger contre une vengeance possible...

— Quand nous tiendrons la France, déclara Casson, nous ne serons pas à court...

— Cash, interrompit l'Anglais. La moitié d'avance et l'autre moitié une fois le travail fait.

— Combien ? demanda Chazanet.

— Un demi-million.

Chazanet jeta un coup d'œil à Montclair qui fit la grimace.

— C'est beaucoup. Un demi-million de francs nouveaux...

— De dollars, précisa l'Anglais.

— Un demi-million de dollars ! s'écria Montclair en se levant de sa chaise. Vous êtes fou ?

— Non, répliqua calmement l'Anglais, mais je suis le meilleur et, par conséquent, le plus cher.

— Nous pourrions certainement trouver des conditions plus raisonnables, fit Casson, ironique.

— Oui, acquiesça l'Anglais sans émotion, vous pouvez trouver des hommes meilleur marché, et vous vous apercevrez qu'ils empocheront les cinquante pour cent payables d'avance et disparaîtront, ou découvriront plus tard de bonnes raisons de ne pas tenter le coup. Quand on emploie le meilleur, on paie le prix. Et le prix, c'est un demi-million de dollars. Étant donné que vous espérez obtenir la France, je trouve que vous n'estimez pas à beaucoup votre pays.

Chazanet, demeuré un instant silencieux, marqua le coup.

— Touché, dit-il. Le problème, monsieur, c'est que nous n'avons pas un demi-million de dollars en liquide.

— Je m'en doute, répliqua l'Anglais. Si vous voulez que le travail soit fait, il vous faudra trouver cet argent quelque part. Je n'ai pas besoin de ce boulot, comprenez-moi bien. Mon dernier contrat m'a rapporté assez pour vivre à l'aise plusieurs années. Mais l'idée de récolter de quoi prendre une retraite définitive me séduit assez. En conséquence, je suis prêt à prendre des risques exceptionnels pour ce prix. Vos amis ici présents veulent davantage encore ; ils veulent la France elle-même. Pourtant, l'idée de prendre, eux, leurs risques, les consterne. Je regrette. Si cette somme est trop élevée pour vous, rabattez-vous sur vos méthodes habituelles qui donnent de si fâcheux résultats.

Il se leva à demi de son fauteuil tout en écrasant sa cigarette dans un cendrier. Chazanet se leva en même temps que lui.

— Restez assis. Nous trouverons l'argent.

Tous deux se rassirent.

— Bien, dit l'Anglais. Mais il y a également des conditions.

— Je vous écoute.

— Si vous avez besoin d'un inconnu, c'est avant tout en raison de ces fuites perpétuelles dont profitent les autorités françaises. Combien êtes-vous au courant de ces tractations ? Qui sait que vous avez envisagé d'engager un inconnu, moi, en l'occurrence ?

— Uniquement nous trois réunis dans cette pièce. L'idée m'est venue après l'exécution de Bastien-Thiry. J'ai entrepris moi-même toutes les démarches et enquêtes. Personne d'autre n'est au courant.

— Eh bien, il ne faut rien y changer surtout, insista l'Anglais. Tous les papiers, tous les documents concernant l'opération devront être détruits. Étant donné ce qui est arrivé à Argoud en février, je me considérerais dégagé de toute obligation au cas où l'un de vous serait arrêté. Il faut donc que vous vous mettiez en sûreté et que votre protection soit assurée jusqu'à l'exécution du contrat.

— D'accord, répondit Chazanet avec une trace d'impatience. Quoi d'autre ?

— Le plan sera entièrement conçu et mis en œuvre par moi seul. Je ne révélerai les détails à personne, même pas à vous. En résumé, je vais disparaître. Vous n'entendrez plus parler de moi. Vous avez mon numéro de téléphone à Londres et mon adresse, mais je quitterai mon appartement dès que je serai prêt à agir. De toute façon, vous ne me contacterez chez moi qu'en cas d'urgence. Pour le reste, il n'y aura aucun contact. Je vous

laisserai le nom de ma banque en Suisse. Quand
elle me préviendra que les premiers 250 000 dollars
ont été déposés, et lorsque je serai tout à fait prêt,
je passerai à l'action. Je n'accepterai ni pression
ni interférence de qui que ce soit et n'agirai que
selon mon propre jugement. D'accord?

— D'accord. Mais nos agents en France sont en
mesure de vous apporter une aide appréciable
sous forme de renseignements. Certains sont très
haut placés.

L'Anglais réfléchit un instant.

— Très bien. Quand vous serez prêts, envoyez-
moi par la poste un seul numéro de téléphone, de
préférence à Paris pour que je puisse appeler directement de n'importe où en France. Je ne dirai à
personne où je me trouve, mais demanderai simplement ce numéro pour avoir les derniers renseignements sur les mesures de sécurité entourant le
Président. Mais l'homme qui sera au bout du fil ne
doit pas savoir ce que je fais en France. Dites-lui
simplement que j'accomplis une mission pour votre
compte et que j'ai besoin de son aide. Moins il en
saura et mieux ça vaudra. Qu'il représente purement et simplement un relais d'information. Nous
sommes toujours d'accord?

— Très bien. Vous désirez opérer entièrement
seul, sans amis et sans endroit où vous réfugier.
Comme vous voudrez. Et pour les faux papiers?
Nous avons deux excellents faussaires à notre
disposition.

— Je me les procurerai moi-même, merci.

Casson intervint :

— J'ai en France toute une organisation semblable à la Résistance pendant l'occupation alle-

mande. Je peux mettre le réseau tout entier à votre disposition s'il peut vous être utile.

— Non merci. Je préfère tabler sur un anonymat total. C'est la meilleure arme dont je dispose.

— Mais supposons que vous ayez un pépin, que vous soyez obligé de vous enfuir...

— Il n'y aura pas de pépin, à moins que vous ne le provoquiez. J'opérerai sans contacter votre organisation, monsieur Casson, et sans être connu d'elle, pour les raisons mêmes qui m'ont amené ici ; parce que l'organisation grouille d'agents et d'indics.

Casson semblait sur le point d'exploser. Montclair regardait par la fenêtre, l'air préoccupé ; Chazanet observait pensivement l'Anglais de l'autre côté de la table.

— Du calme, André. Il veut opérer seul. Qu'il le fasse. C'est sa façon de travailler. Après tout, nous n'allons pas verser une somme pareille à un homme qui a besoin d'être dorloté, cajolé, comme tant de nos propres tireurs.

— Ce que j'aimerais savoir, murmura Montclair, c'est comment on peut réunir une telle somme aussi rapidement.

— Servez-vous de votre organisation pour braquer quelques banques, suggéra l'Anglais d'un ton léger.

— De toute façon, c'est notre problème, dit Chazanet. Avant que notre visiteur regagne Londres, y a-t-il d'autres questions à débattre ?

— Qu'est-ce qui peut vous empêcher de prendre les 250 000 dollars d'acompte et de disparaître ? demanda Casson.

— Je vous ai dit, messieurs, que je voulais

prendre ma retraite. Je n'ai pas envie d'avoir une
armée d'ex-paras à mes trousses. Je serais obligé
de tout dépenser et au-delà pour sauver ma
peau.

— Et qu'est-ce qui peut nous empêcher, insista
Casson, d'attendre que le travail soit fait et de
refuser ensuite de vous payer le reste du demi-
million ?

— La même raison, rétorqua l'Anglais d'un
ton uni. Dans ce cas-là, je me mettrais à travailler
pour mon propre compte. Et ma cible, ce serait
vous trois, messieurs. Mais je ne pense pas que nous
en arrivions là, n'est-ce pas ?

— Bon. Si tout est réglé, interrompit Chazanet,
il est inutile de retenir notre hôte plus longtemps.
Oh... un dernier détail. Votre nom. Si vous
désirez garder l'anonymat, il vous faut un nom de
code. Avez-vous une idée quelconque ?

L'Anglais réfléchit un moment.

— Puisque nous parlions de chasse, que diriez-
vous de Chacal ? Ça vous va ?

Chazanet acquiesça.

— Parfait. Et ça me plaît beaucoup.

Il accompagna l'Anglais jusqu'à la porte et
l'ouvrit. Viktor sortit de son recoin et se rapprocha.
Pour la première fois Chazanet sourit et tendit la
main à l'assassin.

— Nous vous contacterons comme convenu dès
que possible. D'ici là, pouvez-vous commencer à
établir votre plan dans les grandes lignes, de façon
à ne pas perdre de temps ? Bien. Alors bonsoir,
monsieur Chacal.

Le Polonais regarda le visiteur partir aussi
discrètement qu'il était venu. L'Anglais passa la

nuit à l'hôtel de l'aérodrome et prit le premier
avion pour Londres le lendemain matin.

A la pension Kleist, Chazanet dut faire face à
une avalanche de questions à retardement et de
récriminations de Montclair et Casson, qui avaient
été tous les deux fort éprouvés par les trois heures
écoulées entre neuf heures et minuit.

— Cinq cent mille dollars, ne cessait de répéter
Montclair. Comment diable va-t-on trouver cinq
cent mille dollars ?

— Il faudra peut-être suivre la suggestion de
Chacal et braquer quelques banques, comme il
dit, répondit Chazanet.

— Ce type ne me plaît pas, déclara Casson. Il
travaille seul, sans allié. Ces hommes-là sont dangereux. On ne peut exercer aucun contrôle sur eux.

Chazanet mit un terme à la discussion :

— Écoutez, nous avons conçu un plan, nous
sommes arrivés à un accord et nous avons cherché
un homme prêt à accomplir cette mission difficile
moyennant finances. Je crois en savoir assez long
sur ce genre d'hommes pour être sûr que si quelqu'un peut réussir, c'est lui. Nous avons accompli
notre part de la tâche. Laissons-le accomplir la
sienne.

Pendant la seconde moitié du mois de juin et tout le mois de juillet, en 1963, la France connut une recrudescence sans précédent — et qui ne s'est jamais renouvelée depuis — d'attaques à main armée de grande envergure. Les détails de cette vague de crimes sont maintenant connus officiellement.

D'un bout du pays à l'autre, presque chaque jour, des banques étaient pillées par des bandits armés de pistolets, de fusils à canon scié et de mitraillettes. Les raids éclairs contre des joaillebries étaient devenus monnaie courante durant cette période, au point que les policiers du coin avaient à peine fini d'enregistrer les dépositions de bijoutiers affolés et souvent couverts de sang qu'ils étaient appelés ailleurs pour s'occuper d'une affaire similaire.

Deux employés de banque furent abattus dans des villes différentes alors qu'ils essayaient de résister aux bandits et, avant la fin de juillet, la crise avait pris de telles proportions que les C. R. S. furent appelés à la rescousse et armés pour la première fois de pistolets mitrailleurs. Les clients

des banques prirent l'habitude d'en franchir le
seuil entre deux gardes en uniforme bleu, l'arme à
la bretelle au niveau de la hanche.

Les protestations répétées des banquiers et des
joailliers auprès des autorités entraînèrent une
multiplication des rondes nocturnes, mais sans
résultat, car les bandits n'étaient pas des bra-
queurs de banque professionnels opérant la nuit
avec un maximum de discrétion, mais des malfai-
teurs résolus à tirer à la moindre alerte et opérant
en plein jour.

Trois bandits furent blessés et arrêtés au cours
de hold-up différents vers la fin de juillet. L'un se
révéla être un petit truand qui trouvait dans l'existence de l'O. A. S. un prétexte pour participer à
l'anarchie générale, les deux autres des déserteurs
d'anciens régiments de la coloniale qui reconnurent
très vite qu'ils appartenaient à l'O. A. S. Mais en
dépit des interrogatoires poussés qu'on leur fit
subir, aucun des trois ne put être persuadé de dire
pourquoi cette vague de cambriolages avait subitement déferlé sur le pays ; ils se contentèrent de
déclarer que c'était sur l'ordre d'un grand patron
dont ils ne savaient rien qu'ils avaient attaqué
telle banque ou telle bijouterie. La police finit par
admettre que les bandits ignoraient le but de ces
cambriolages ; on avait promis à chacun d'eux
une part du butin et, n'étant que des sous-fifres,
ils s'étaient contentés d'obéir aux ordres reçus.

Les autorités françaises en arrivèrent à la conclusion que l'O. A. S. était à l'origine de cette épidé-
mie de banditisme et que, pour une raison quelconque, elle avait besoin d'argent rapidement.
Mais ce ne fut que durant la première quinzaine

d'août, et d'une façon tout à fait différente, que les autorités découvrirent pourquoi.

Durant la dernière semaine de juin, un rapport parvenait sur le bureau du général Guilbaud, chef du S. D. E. C. E. ; il lui était adressé par son correspondant permanent à Rome. Le rapport signalait que les trois principaux responsables de l'O. A. S., Marc Chazanet, René Montclair et André Casson, s'étaient installés au dernier étage d'un hôtel à proximité de la Via Condotti. Le rapport ajoutait que malgré les prix élevés pratiqués par un hôtel situé dans un quartier aussi élégant, les trois hommes avaient loué tout l'étage pour eux, et celui d'en dessous pour leurs gardes du corps, une escouade de huit anciens légionnaires des plus coriaces qui veillaient jour et nuit et ne mettaient pratiquement pas le nez dehors. On avait cru tout d'abord qu'ils s'étaient réunis pour une conférence, mais à mesure que les jours passaient, le S. D. E. C. E. en était arrivé à la conclusion qu'ils prenaient simplement le maximum de précautions pour éviter le sort d'Antoine Argoud.

Malgré les rapports tendus qui régnaient encore entre le Quai d'Orsay et le ministère des Affaires étrangères allemand à Bonn depuis qu'avait été violée au mois de février précédent l'intégrité du territoire allemand, Guilbaud avait toute raison de se féliciter de l'opération réalisée par ses hommes du service Action. L'idée que cette initiative avait inquiété les chefs de l'O. A. S. au point qu'ils avaient jugé prudent de prendre le large était satisfaisante en soi.

Ce fut seulement six semaines plus tard que la véritable signification des précautions prises par

les trois hommes de l'O. A. S. pour assurer leur
sauvegarde lui apparut clairement, et il était alors
trop tard.

Rentré à Londres, le Chacal consacra la dernière quinzaine de juin et la première de juillet à
un certain nombre d'activités méthodiquement
réparties. Il entreprit, entre autres, de lire presque
tout ce qui avait été écrit par ou sur Charles de
Gaulle. Après avoir réuni une liste complète des
ouvrages de référence le concernant, il se fit adresser, sous un faux nom dans Praed Street, Paddington, tous ceux qui étaient disponibles, par diverses
librairies. Puis, un par un, il les étudia avec soin,
soulignant les passages saillants, notant certains
points dans un carnet, élaborant en pensée un
portrait détaillé de l'homme qui occupait maintenant le palais de l'Élysée, depuis son enfance
jusqu'à ses dernières années de présidence.

Le Fil de l'épée, notamment, retint son attention. Dans ce livre écrit en 1932, alors qu'il était
encore jeune officier de cavalerie, Charles de Gaulle
révélait le plus profondément son attitude personnelle envers la vie, son pays, et sa destinée telle
qu'il la concevait.

Mais si, à partir de ses lectures, le Chacal était
parvenu à se faire une idée relativement précise
du personnage qu'il voulait abattre, il n'en avait
pas pour autant résolu le problème essentiel ; il
n'avait toujours pas trouvé la réponse à cette
question : quand, où et comment devait-il exécuter
son « contrat » ? Finalement, à la salle de lecture
publique du British Museum, il entreprit de consul-

ter méthodiquement les collections du *Figaro*.

Ce fut sans doute entre le 7 et le 10 juillet que lui apparut la solution. Partant d'une vague idée qui lui était venue à la lecture d'un article écrit en 1962, et remontant dans le temps jusqu'en 1945, il parvint à une quasi-certitude : il y aurait dans l'année un jour précis où, quelles que fussent les circonstances, maladie ou mauvais temps, sans la moindre considération pour sa sécurité personnelle, Charles de Gaulle se montrerait en public. A dater de cet instant, le Chacal en vint à l'élaboration du plan proprement dit.

Couché sur le dos dans sa chambre, les yeux fixés au plafond, fumant à la chaîne ses longues cigarettes à filtre, il lui fallut de longues heures de réflexion avant de mettre au point le dernier détail.

Il étudia et rejeta au moins une douzaine de projets avant de trouver finalement le plan qu'il décida d'adopter, le « comment » qui devait s'ajouter au « quand » et au « où » pour lesquels sa décision était déjà prise.

Le Chacal était parfaitement conscient du fait que le général de Gaulle, en 1963, était l'un des hommes publics les mieux gardés de tout le monde occidental. Le supprimer — comme ce fut prouvé par la suite — serait considérablement plus difficile que de tuer le président des États-Unis. Ce qu'ignorait le Chacal, c'était que les experts français de la sécurité, autorisés par les Américains à étudier les précautions prises pout protéger la vie du président Kennedy, étaient rentrés en affichant un certain dédain pour les méthodes des services secrets américains, dédain qui se trouva justifié lorsque, en novembre 1963, John Kennedy fut assassiné à Dallas par un amateur à demi fou, alors que Charles de Gaulle a pu paisiblement prendre sa retraite, malgré l'attention personnelle que lui prêta la même année l'assassin politique le plus dangereux du monde.

En tant que professionnel, le Chacal n'apportait ni passion ni émotivité à son travail. Sinon il serait sans doute mort sous la torture bien des années plus tôt dans les prisons de quelque police étrangère. Il avait non seulement survécu mais réussi, et même conservé, un anonymat presque total, parce qu'il considérait chaque nouvelle mission comme un travail qui devait être préparé, exécuté et rémunéré avec une égale précision. La somme exorbitante qu'il avait exigée et obtenue pour abattre de Gaulle (la plus élevée à avoir été offerte pour un meurtre politique depuis que le colonel d'aviation A. E. Clouston s'était vu proposer un million de livres sterling par une assemblée de millionnaires juifs pour assassiner Adolf Hitler en 1938) représentait la fortune et la sécurité pour le restant de ses jours. A coup sûr, l'O. A. S. profiterait du meurtre de De Gaulle pour tenter et peut-être réussir un coup d'État qui porterait l'extrême-droite au pouvoir. En ce cas, il était peu probable qu'on pousserait l'enquête pour démasquer l'assassin du Président.

Néanmoins, il mit chaque détail de son plan au point comme si l'attentat devait entraîner des recherches intensives et prolongées, se répercutant à l'échelon international. Et c'est pour cette raison que même les dossiers de la police secrète française demeurent incomplets sur cette affaire.

L'avion de la S. A. S. arrivant de Kastrup,
Copenhague, roula jusqu'au bout de l'aire d'atterrissage, pivota pour faire face à la gare terminale
à Londres, roula encore sur quelques mètres puis
s'immobilisa. Le ronflement des moteurs s'éteignit
progressivement. Quelques instants plus tard, la
passerelle était mise en place et les passagers commençaient à descendre en saluant d'un dernier
signe de tête l'hôtesse souriante qui se tenait au
sommet des marches. Sur la terrasse, en face,
l'homme blond releva ses lunettes noires sur son
front et porta à ses yeux une paire de jumelles.
La file des passagers échelonnés le long de la passerelle était la sixième ce matin-là qu'il soumettait
à ce genre d'examen ; mais sur la terrasse inondée
d'un chaud soleil et encombrée de personnes venues
chercher des voyageurs et attentives aux évolutions des appareils, nul n'avait remarqué le manège
de cet inconnu.

Comme le huitième passager émergeait dans la
lumière et se redressait, l'homme blond se raidit
légèrement et suivit le nouvel arrivant le long des
marches à travers ses jumelles. Le voyageur arrivant du Danemark était un prêtre ou un pasteur,
vêtu d'un strict costume gris foncé à col droit.
Avec sa chevelure grisonnante, il semblait aux
alentours de la quarantaine, mais il avait un visage
très jeune. C'était un homme de haute taille aux
larges épaules, et d'apparence robuste. Il avait
approximativement la même carrure que l'homme
qui l'observait depuis la terrasse au-dessus de lui.

Tandis que les passagers pénétraient dans le
hall d'arrivée pour faire vérifier leurs passeports

et passer à la douane, le Chacal remit les jumelles dans leur étui, le referma et gagna les portes vitrées pour descendre dans le hall principal. Un quart d'heure plus tard, le pasteur danois émergeait de la douane, tenant un petit sac de voyage et une valise. Personne ne semblait l'attendre et sa première visite fut pour le comptoir de la banque Barclays, où il changea de l'argent.

D'après ce qu'il expliqua à la police danoise quand on le questionna six semaines plus tard, il ne remarqua pas le jeune Anglais blond qui se tenait à côté de lui au comptoir, attendant son tour d'être servi mais examinant discrètement, à l'abri de ses lunettes noires, les traits du Danois. Il n'avait apparemment aucun souvenir de cet homme.

Mais lorsqu'il sortit du hall principal pour monter dans le car de la B. E. A. qui menait les passagers à la gare de Cromwell Road, l'Anglais était à quelques mètres derrière lui, un porte-documents à la main, et ils durent probablement gagner Londres dans le même car.

A la gare, le Danois attendit quelques minutes pendant que l'on déchargeait ses bagages de la remorque accrochée au car, puis il se dirigea vers la sortie marquée d'une flèche avec l'indication : « Taxis. » Pendant ce temps, le Chacal contournait le car et se dirigeait vers le parking réservé au personnel où il avait laissé sa propre voiture. Il posa son porte-documents sur le siège du passager de son cabriolet sport décapoté, s'installa au volant, démarra et alla s'arrêter le long du mur de gauche de la gare d'où il pouvait observer sur sa droite la longue file des taxis en attente sous l'arcade. Le

Danois monta dans le troisième de la rangée qui
s'engagea dans la rue Cromwell en direction de
Knightbridge. La cabriolet sport démarra à la
suite.

Le taxi déposa le prêtre devant un petit hôtel
de Half Moon Street tandis que la voiture de sport
continuait son chemin pour aller se garer à l'extrémité de Curzon Street. Le Chacal boucla son
porte-documents dans le coffre, acheta l'édition
de midi de l'*Evening Standard* au kiosque à journaux de Shepherd Market. Cinq minutes plus tard,
il était dans le hall de l'hôtel. Il lui fallut attendre
encore vingt minutes avant de voir le Danois
redescendre et tendre à la réceptionniste la clef
de sa chambre. L'employée l'accrocha au tableau
où elle se balança un instant. L'homme assis dans
un des fauteuils du hall, attendant apparemment
un ami, abaissa son journal au moment où le
Danois pénétrait dans le restaurant et remarqua
que la clef portait le numéro 47. Comme la réceptionniste passait dans le bureau du fond afin de
s'occuper d'une réservation de places de théâtre
pour un des clients, l'homme aux lunettes noires
se glissa dans l'escalier qu'il escalada d'un pas
léger sans avoir été remarqué.

Une plaquette de mica flexible de cinq centimètres de large ne réussit pas à venir à bout de la
serrure du 47 qui semblait plutôt dure, mais grâce
à l'appoint d'un minuscule couteau de peintre,
elle finit par s'ouvrir avec un léger déclic. Comme
le pasteur était simplement descendu pour déjeuner, il avait laissé son passeport sur la table de
chevet. Trente secondes plus tard, le Chacal était
de nouveau dans le couloir, sans avoir touché au

carnet de travellers chèques. Si l'on ne pouvait
relever aucune preuve évidente de vol, espérait-il,
les autorités s'efforceraient de persuader le Danois
qu'il avait perdu son passeport ailleurs. Et ce fut
bien ce qui arriva. Bien avant que le Danois eût
fini son café, l'Anglais était reparti discrètement
et ce fut beaucoup plus tard dans l'après-midi,
après avoir fouillé sa chambre à fond, que le pasteur mystifié signala la disparition de son passeport au directeur de l'hôtel. Le directeur inspecta
la chambre à son tour et, après avoir fait remarquer à son client que rien d'autre n'avait disparu,
usa de toute sa diplomatie pour persuader le pasteur déconcerté qu'il était inutile de faire venir
la police sur place puisqu'il avait dû, de toute évidence, perdre son passeport pendant son trajet
jusqu'à l'hôtel. Le Danois, de caractère conciliant,
et en outre dépaysé de se trouver en pays étranger,
finit par admettre cette version de l'événement. Il
se contenta donc de signaler le lendemain la perte
de son passeport au consulat général du Danemark,
reçut des papiers provisoires lui permettant de
circuler librement et de rentrer au Danemark
après son séjour de deux semaines à Londres, et
oublia l'incident. L'employé du consulat qui lui
remit les documents de voyage nota sur un registre
spécial que le pasteur Per Jensen de Sankt Kjelds-
kirk avait perdu son passeport et n'y pensa plus
non plus. On était le 14 juillet.

Deux jours plus tard, un étudiant américain
de Syracuse, New York, était victime de la même
mésaventure. Il était arrivé à l'Oceanic Building
de l'aéroport de Londres, venant de New York et,
au guichet de l'American Express, il avait sorti

son passeport au moment de changer son premier travellers chèque. Après avoir fait le change, il plaça l'argent dans la poche intérieure de sa veste et le passeport dans une pochette munie d'une fermeture à glissière qu'il remit ensuite dans un petit sac de voyage en cuir. Un instant après, comme il s'efforçait d'attirer l'attention d'un porteur, il avait posé son sac à terre ; trois secondes plus tard, le sac avait disparu. Il se plaignit pour commencer au porteur, qui le conduisit au bureau de renseignements de la Pan American, lequel l'orienta à son tour vers le policier de service le plus proche. Celui-ci l'emmena dans un bureau où il raconta l'incident.

Une brève enquête permit d'éliminer l'hypothèse d'une erreur. Il ne pouvait donc s'agir que d'un vol délibéré et un rapport fut établi en ce sens.

Les autorités exprimèrent au jeune et athlétique Américain leurs excuses et leurs regrets concernant les activités des pickpockets et voleurs de bagages dans les endroits publics et on lui énuméra les multiples précautions que prenaient les responsables de l'aérodrome pour essayer de protéger de ce genre de mésaventures les étrangers débarquant en Angleterre. Il eut la bonne grâce de reconnaître qu'un de ses amis avait été dépouillé de la même manière à la gare de Grand Central, à New York.

Le rapport finit par être transmis automatiquement à toutes les sections de la police métropolitaine de Londres, avec une description du sac disparu, de son contenu, des papiers et du passeport dans la pochette. Il fut dûment enregistré, mais comme les semaines passaient, sans qu'on

retrouvât la moindre trace du bagage, on ne pensa
plus à l'incident.

L'enquête effectuée à l'aéroport même ne permit pas de découvrir un témoin du vol ou de
retrouver quiconque ayant vu sortir un suspect
portant un sac semblable à celui perdu par l'Américain, et qui en fait ressemblait à n'importe quel
autre sac de voyage en cuir marron. Les chauffeurs
de taxis furent interrogés, mais bien peu pouvaient
donner un signalement précis des clients qu'ils
avaient chargés quelques heures plus tôt, et encore
moins de leurs bagages. En fait, le hasard voulut
qu'on ne questionnât pas le chauffeur d'une compagnie de voitures de location qui racolait des
clients dans le hall d'entrée alors que les chauffeurs
de taxi devaient attendre au-dehors, et qui avait
conduit dans le centre de Londres un jeune Anglais
élégant et distingué portant un sac en cuir aux
trois quarts dissimulé par un imperméable beige
jeté en travers. Eût-on demandé à ce chauffeur
s'il avait chargé un client susceptible d'être un
voleur à la tire cet après-midi-là qu'il aurait en
toute bonne foi nié avoir jamais posé les yeux sur
un individu aussi louche.

Marty Schulberg finit par passer à son consulat,
à Grosvenor Square ; il déclara le vol de son passeport et reçut les documents nécessaires pour poursuivre son voyage dans les highlands d'Écosse en
compagnie de sa correspondante anglaise. Au
consulat, on prit note de la perte du passeport,
on la signala au State Department à Washington,
puis ces deux organismes s'empressèrent d'oublier
l'incident. Dans le monde entier, parmi des centaines d'Américains partis en vacances à l'étranger,

un par heure environ était en difficulté pour telle
ou telle raison. Et dans le tas, la perte d'un passeport pouvait être considérée comme un ennui
négligeable. Cinq semaines plus tard, le personnel
de l'ambassade américaine à Paris regrettait sincèrement que Marty Schulberg, de Syracuse, état
de New York, eût jamais vu le jour.

On ne saura jamais exactement combien de
passagers débarquant à l'aéroport de Londres
furent observés à la jumelle depuis la terrasse. Ils
arrivaient d'Amérique du Nord ou du Sud, d'Australie, d'Asie, d'Afrique et d'Europe. Les appareils observés le plus attentivement étaient ceux
en provenance des pays scandinaves, d'Australie,
de Nouvelle-Zélande, d'Afrique du Sud et d'Amérique du Nord, qui, tous, amenèrent pendant cette
période de trois jours un échantillonnage varié
d'hommes grands, minces et bien bâtis au teint
clair, avec des cheveux variant du blond pâle au
châtain foncé et au gris. Malgré leur différence
d'âge, les deux qui perdirent leur passeport avaient
quelque chose en commun. Tous deux mesuraient
environ un mètre quatre-vingts, avaient de larges
épaules et les hanches minces, des yeux bleus et
des traits assez semblables à ceux de l'Anglais discret qui les avait dépouillés. En vérité, le pasteur
Jensen avait quarante-huit ans et devait mettre
des lunettes à monture d'or pour lire ; Marty Schulberg, âgé de vingt-cinq ans, avait les cheveux
châtain foncé et portait en permanence des verres
à grosse monture d'écaille.

C'était là les visages que le Chacal étudia attentivement sur son bureau dans son appartement
près de South Audley Street. Il lui fallut toute une

journée et une série de visites chez des costumiers
de théâtre, des opticiens, et à un magasin de vêtements du West End spécialisé dans le style américain pour acquérir une importante liste d'accessoires : des verres de contact non correctifs teintés
en bleu ; deux paires de lunettes, l'une à monture
d'or et l'autre aux verres cerclés de noir, toutes
deux non correctives ; une garde-robe complète
comprenant une paire de mocassins en cuir noir,
un T-shirt et un caleçon, un pantalon coquille
d'œuf et un blouson de nylon bleu ciel à fermeture
à glissière avec un col et des poignets en laine
rouge et blanche, le tout importé de New York ;
une chemise blanche de pasteur, un col droit
amidonné et un rabat noir. De chacun de ces
trois derniers articles, il enleva soigneusement l'étiquette du fabricant.

Sa dernière visite de la journée fut pour une
boutique de perruques et postiches pour hommes
à Chelsea, tenue par deux homosexuels. Il y acheta
deux lotions spéciales ultra rapides pour teindre
les cheveux en gris et en châtain et eut droit à de
longues explications susurrées d'une voix minau-
dière sur le mode d'emploi et les indispensables
précautions à prendre. Il se munit également de
plusieurs petites brosses à cheveux, nécessaires
pour l'application des teintures. Ces acquisitions,
ainsi que celles des vêtements américains mises à
part, il avait soigneusement veillé à ne jamais
acheter plus d'un article par boutique.

Le lendemain, 18 juillet, un entrefilet en bas de
page dans *le Figaro* annonçait que le commissaire
Hyppolite Dupuy, chef adjoint de la brigade criminelle de la Police judiciaire à Paris, avait eu une

attaque dans son bureau du quai des Orfèvres et était mort durant son transport à l'hôpital. Un successeur avait été nommé. C'était le commissaire Claude Lebel, chef du service homicide, et comme la brigade tout entière était surchargée de travail pendant tous les mois d'été, il allait occuper ses nouvelles fonctions immédiatement. Le Chacal, qui lisait chaque jour tous les journaux français vendus à Londres, parcourut des yeux ce court article parce que son regard avait été attiré par le mot « criminelle » dans le titre, mais il n'en pensa rien de spécial.

Avant même d'entreprendre sa surveillance quotidienne à l'aéroport de Londres, il avait décidé d'agir jusqu'au jour de l'opération sous une fausse identité. Rien n'est plus facile au monde que de se procurer un faux passeport britannique. Le Chacal suivit la procédure adoptée par la plupart des mercenaires, contrebandiers et autres qui désirent traverser la frontière avec une identité d'emprunt. Il commença par faire la tournée des petits villages de la vallée de la Tamise. Presque chaque village anglais possède une charmante petite église à l'ombre de laquelle se niche le cimetière. Au troisième cimetière qu'il visita, le Chacal trouva la pierre tombale correspondant à ce qu'il cherchait, celle d'Alexandre Duggan, mort à l'âge de deux ans et demi en 1931. S'il avait vécu, ce Duggan aurait eu, en juillet 1963, quelques mois de plus que le Chacal. Le vieux vicaire se montra courtois et complaisant lorsque le visiteur, qui se présenta chez lui, lui annonça qu'il était généalogiste amateur et s'efforçait d'établir l'arbre généalogique des Duggan. Ayant appris qu'une

famille Duggan avait vécu autrefois dans ce village,
il se demandait si les registres de la paroisse pourraient lui faciliter ses recherches.

Le vicaire était la bonté même et tandis qu'ils
se dirigeaient vers l'église, un compliment sur la
beauté du petit édifice gothique et un billet glissé
dans le tronc destiné à recevoir les fonds pour
sa restauration améliorèrent encore l'atmosphère
déjà fort cordiale. Les registres indiquaient que
les parents Duggan étaient morts au cours des
sept années précédentes et que leur fils unique,
Alexandre, avait été, hélas! enterré dans ce même
cimetière plus de trente ans auparavant. Le Chacal
tourna négligemment les pages du registre où
étaient consignés les naissances, les mariages et les
décès de la paroisse pour l'année 1929, et pour le
mois d'avril, le nom de Duggan, écrit d'une main
maladroite et appliquée, attira son attention.

Alexander James Quentin Duggan, né le 3 avril
1929, dans la paroisse de Saint-Mark, Sambourne
Fishley.

Il nota les détails, remercia abondamment le
vicaire et prit congé. De retour à Londres, il se
présenta au Service central de l'état civil. Un jeune
employé plein d'obligeance accepta sans se poser
de questions aussi bien sa carte de visite où il
figurait comme avoué attaché à une firme de
Market Brayton, Shropshire, que ses explications selon lesquelles il essayait de retrouver les
traces des petits-enfants d'une des clientes de la
firme, morte récemment en leur léguant tous ses
biens. L'un d'eux était Alexander James Quentin
Duggan, né à Sambourne Fishley, dans la paroisse
de Saint-Mark, le 3 avril 1929.

La plupart des fonctionnaires anglais font de
leur mieux pour se rendre utiles lorsqu'on leur
demande poliment de résoudre un problème et,
en l'occurrence, l'employé ne fit pas exception à
la règle. Un examen des registres indiqua que la
naissance de l'enfant en question avait été enregistrée précisément à la date donnée par le visiteur,
mais qu'il était mort le 8 novembre 1931, victime
d'un accident de la route. En échange de quelques
shillings, le Chacal reçut un duplicata à la fois de
l'extrait de naissance et du certificat de décès.
Avant de rentrer chez lui, il s'arrêta à un bureau
du ministère du Travail où on lui remit un formulaire de demande de passeport, puis dans une
boutique de jouets où, pour quinze shillings, il
se procura du matériel d'imprimerie pour enfant,
et enfin dans une poste où il acheta un mandat-
carte d'une livre.

Rentré chez lui, il remplit la demande de passeport au nom de Duggan, donnant l'âge véritable,
la date de naissance, etc., mais ajoutant son
propre signalement : poids, couleur des yeux et
des cheveux. Quant à la rubrique profession, il
inscrivit simplement « homme d'affaires ». Les noms
complets des parents de Duggan, relevés sur l'extrait de naissance de l'enfant, figuraient également sur l'imprimé. Comme répondant, il donna
le nom du R. P. James Elderly, vicaire de Saint-
Mark, Sambourne Fishley, qu'il avait vu le matin
même et dont il avait noté le nom gravé sur une
plaque à la porte de l'église. La signature du vicaire
fut forgée d'une calligraphie légère avec une encre
pâle et une plume effilée, et, avec son petit matériel d'imprimerie, il fabriqua un tampon indiquant :

Église paroissiale de Saint-Mark
Sambourne Fishley

qu'il apposa fermement à côté du nom du vicaire.
Copie de l'extrait de naissance, demande de passeport et mandat postal furent envoyés au bureau
des passeports à Petty France. Quant au certificat
de décès, il le détruisit. Le passeport flambant neuf
lui parvint quatre jours plus tard par la poste à
une adresse de circonstance alors qu'il était en
train de lire *Le Figaro* du jour. En fin d'après-
midi, il boucla l'appartement et gagna l'aéroport
de Londres où il prit un avion pour Copenhague.

Pour éviter d'utiliser son chéquier, il avait payé
son billet en liquide. Dans le double fond de sa
valise, glissées dans un compartiment d'un centimètre environ et presque impossible à détecter
à moins d'une fouille particulière, se trouvaient
deux mille livres sterling qu'il avait retirées plus
tôt dans la journée de son coffre privé dans la
chambre forte d'un bureau d'avoué de Holborn.

Sa visite à Copenhague fut rapide et efficace.
Avant de quitter l'aéroport Kastrup, il réserva une
place sur le vol Sabena du lendemain après-midi
pour Bruxelles. Dans la capitale danoise, il était
trop tard pour songer à faire des courses ; il prit
donc une chambre à l'hôtel d'Angleterre, dans
Kongs Ny Torv, dîna comme un roi au Sept-
Nations, amorça un flirt sans conséquence avec
deux blondes Danoises en flânant dans les jardins
Tivoli, et à une heure du matin, il était au lit.

Le lendemain, il acheta un complet de pasteur
gris foncé en tissu léger chez l'un des meilleurs
tailleurs du centre de Copenhague, une paire de

sobres chaussures de marche noires, des chaussettes, des sous-vêtements et trois chemises blanches. Il prit soin de choisir des vêtements portant une étiquette indiquant leur origine danoise. L'acquisition des trois chemises, dont il n'avait pas besoin, avait pour seul but de lui fournir précisément des étiquettes qu'il comptait transférer sur la chemise, le col et le rabat qu'il s'était procurés à Londres en se faisant passer pour un étudiant en théologie sur le point d'être reçu pasteur.

Son dernier achat fut celui d'un livre danois sur les églises et les cathédrales célèbres de France. Puis, après un solide repas froid dans un restaurant au bord du lac au milieu des jardins Tivoli, il prit l'avion de trois heures quinze pour Bruxelles.

5

Qu'un homme doué des incontestables talents
que possédait Paul Goossens pût mal tourner alors
qu'il avait atteint l'âge mûr, devait offrir une
énigme à ses quelques rares amis, ses clients, —
plus nombreux — et la police belge.

Durant ses trente années de service à la Fabrique
nationale de Liège, il avait acquis la réputation
d'un technicien à l'infaillible précision dans un
domaine où la précision est absolument indispensable. Personne n'avait jamais non plus mis en
doute son honnêteté. Au cours de ces trente années,
il était également devenu l'expert le plus qualifié
de la compagnie en ce qui concernait le très vaste
éventail d'armes produites par la maison, depuis
l'automatique pour dames du plus petit calibre
jusqu'aux mitrailleuses lourdes.

Au début des années 50, un client étranger se
plaignit d'avoir été escroqué d'une grosse somme
d'argent à l'occasion d'une importante commande
d'armes. Les soupçons se portèrent sur Goossens
qui dirigeait un service dans la firme. Ses supérieurs
affirmèrent avec véhémence à la police que leur
méfiance à l'égard de l'honnête M. Goossens était
absurde.

Au procès, son directeur plaida en sa faveur.
Mais le président du tribunal considéra que trahir
une telle confiance n'en était que plus répréhen-
sible, et Goossens fut condamné à dix ans de prison.
En appel, sa peine fut réduite à cinq. Grâce à sa
bonne conduite, il fut relâché au bout de trois
ans et demi.

Sa femme, entre-temps, avait divorcé en emme-
nant les enfants. La vie paisible qu'avait menée le
banlieusard dans la villa environnée de fleurs d'un
des plus jolis faubourgs de Liège, et ils sont rares,
appartenait maintenant au passé. Il en était de
même pour sa carrière à la Fabrique nationale. Il
avait loué un petit appartement à Bruxelles ; par
la suite une maison en dehors de la ville, lorsque
sa situation devint plus prospère.

Ni dans sa cellule en dessous du palais de justice,
malgré les objurgations de ses avocats et des
prêtres, ni en prison dans l'atmosphère de rude
camaraderie qui règne entre les détenus, jamais
il n'avait donné la moindre indication sur la raison
qui l'avait poussé à essayer d'escroquer un demi-
million de francs suisses au client venu d'Afrique.
Le petit employé, sous ses dehors doux et effacés,
rêvait peut-être des îles des mers du Sud ou des
casinos de la Côte d'Azur ; le père attentif de deux
petites filles aux genoux encore noueux éprouvait
peut-être les appétits d'un pacha pour des com-
pagnes de lit passionnées et lascives. Jamais il
ne laissa rien percer des motifs qui l'avaient
poussé. Il prit simplement sa revanche en deve-
nant le fournisseur d'armes illégales de la moitié de
la pègre en Europe occidentale.

Au début des années 60, il était connu sous le

sobriquet de l'Armurier. N'importe quel citoyen belge peut acheter une arme à feu, revolver automatique ou fusil, dans n'importe quelle boutique de sport ou chez n'importe quel armurier du pays en montrant une carte d'identité prouvant sa nationalité belge. Goossens ne se servait jamais de sa propre carte, car chaque vente d'arme et des munitions correspondantes est notée dans le registre de l'armurier, en même temps que le nom et le numéro de la carte d'identité de l'acheteur. Goossens se servait donc de cartes d'identité fausses ou volées.

Il avait établi des liens étroits avec un des meilleurs pickpockets de la ville, un véritable artiste qui, lorsqu'il ne croupissait pas en prison, pouvait soulager n'importe qui de son portefeuille sans le moindre problème. Goossens lui achetait directement les cartes d'identité ainsi volées. Il avait également à sa disposition les services d'un faussaire de génie qui, ayant subi un fâcheux coup du sort vers la fin des années 40 après avoir fabriqué une grosse quantité de billets de mille francs français sur lesquels il avait par inadvertance oublié le *u* dans le mot « Banque de France » (il était jeune alors) s'était finalement lancé dans la fabrication de faux passeports avec beaucoup plus de succès. Lorsque Goossens avait besoin d'acquérir une arme pour un client, il envoyait chez l'armurier un petit truand sans travail frais sorti de prison ou un acteur au chômage, muni d'une fausse carte d'identité impeccable.

Il récupérait ensuite la carte d'identité en même temps que l'arme, et retrouvait toujours ses intermédiaires en dehors de chez lui ou dans une voiture garée. De toute son « équipe », seuls le pickpocket et le faussaire connaissaient sa véritable identité. Elle était également connue d'un petit nombre de ses clients, en particulier les caïds de la pègre belge, qui non seulement le laissaient exercer ses activités en paix, mais lui assuraient une certaine protection en refusant, s'ils étaient arrêtés, de révéler l'origine de leurs armes, simplement parce qu'il leur rendait d'aussi grands services. Les clients étrangers lui étaient en général présentés par un membre de la confrérie des criminels belges qu'il connaissait déjà personnellement et qui pouvait garantir la discrétion du client.

Cela n'empêchait pas la police belge d'être au courant d'une partie de ses activités, mais cela l'empêchait de le prendre la main dans le sac ou d'obtenir les témoignages qui auraient pu le faire condamner devant un tribunal. Elle connaissait l'existence de la forge et de l'atelier exigus mais magnifiquement équipés qu'il avait installés dans son garage et qui lui inspiraient les plus vifs soupçons, mais des descentes de police répétées n'avaient permis de découvrir que tout le bric-à-brac avec lequel il fabriquait des médaillons en fer forgé et des souvenirs représentant les statues de Bruxelles. A la dernière visite des policiers, il avait solennellement offert à l'inspecteur en chef une effigie du Manneken Piss en gage de son estime pour les forces de l'ordre.

Il n'éprouvait aucune appréhension tandis qu'il attendait, le matin du 21 juillet 1963, l'Anglais qui lui avait été recommandé au téléphone par un de ses meilleurs clients, un ancien mercenaire qui s'était battu pour le Katanga de 1960 à 1962 et qui avait depuis mis au point un racket de protection dans tous les bordels de la capitale belge.

Le visiteur arriva à midi, comme promis, et M. Goossens l'introduisit dans le petit bureau donnant sur le couloir.

— Voudriez-vous avoir l'obligeance d'enlever vos lunettes ? demanda-t-il lorsque son visiteur fut assis, et comme l'Anglais hésitait, il ajouta : Je crois, voyez-vous, qu'il vaut mieux nous faire mutuellement confiance tant que durera notre association. Je peux vous offrir à boire ?

L'homme, qui figurait sur son passeport sous le nom d'Alexandre Duggan, ôta ses lunettes noires et observa avec curiosité le petit armurier en train de servir deux bières. M. Goossens s'assit derrière son bureau, but une gorgée de bière et demanda calmement :

— En quoi puis-je vous être utile, monsieur ?

— Je crois que Louis vous a téléphoné pour vous annoncer ma visite.

— Certainement, acquiesça M. Goossens, sinon vous ne seriez pas ici.

— Il vous a dit quel était mon métier ?

— Non. Simplement qu'il vous avait connu au Katanga, qu'il pouvait garantir votre discrétion, que vous aviez besoin d'une arme à feu et que vous seriez disposé à payer cash, en livres sterling.

L'Anglais opina lentement du bonnet.

— Eh bien, puisque je connais, moi, votre métier, je ne vois pas pourquoi vous ne connaîtriez pas le mien. En outre, j'ai besoin d'une arme très spéciale et conçue en dehors de toutes les normes. Je... disons que je me spécialise dans la liquidation d'hommes ayant des ennemis puissants et riches.

Ces hommes, évidemment, sont eux-mêmes puissants et riches. Ce n'est donc pas toujours facile. Ils peuvent se faire protéger par des spécialistes. Ce genre de travail nécessite une soigneuse mise au point et des armes de qualité exceptionnelle. J'ai un travail de ce genre en vue en ce moment et il me faut un fusil.

M. Goossens but de nouveau une gorgée de bière, et il inclina la tête d'un air approbateur.

— Excellent, excellent. Un spécialiste tout comme moi. J'ai déjà un peu l'impression d'être mis au défi. A quel genre de fusil pensez-vous ?

— Le type de fusil n'est pas tellement important. Mais le travail que j'ai en vue m'impose des limites très strictes et il s'agit donc de trouver une arme qui reste efficace à l'intérieur de ces limites.

Les yeux de M. Goossens brillaient de plaisir.

— Une pièce unique, ronronna-t-il avec délices. Un fusil fait sur mesures pour un homme et un travail donnés dans un cas bien précis et qui ne se renouvellera jamais. Vous avez frappé à la bonne porte, mon cher monsieur. Je suis content de vous voir chez moi.

L'Anglais eut un mince sourire devant l'enthousiasme professionnel du Belge.

— Moi aussi, monsieur.

— Maintenant, dites-moi, quelles sont ces limites ?

— D'abord la question du volume, pas de la longueur mais de la grosseur des différents éléments de l'arme. La chambre et le mécanisme ne devraient pas occuper plus d'espace que ça... (Il leva la main droite, réunissant en cercle le médius

et le pouce pour former un O d'environ quatre ou
cinq centimètres de diamètre.) Autrement dit un
fusil à répétition est exclu. Le mécanisme prendrait
beaucoup trop de place. Il faut donc envisager une
arme à culasse mobile.

M. Goossens écoutait en hochant la tête, les
yeux fixés sur le plafond, s'efforçant d'imaginer
un fusil aussi fin que possible dans ses pièces essen-
tielles.

— Continuez, continuez, murmura-t-il.

— D'un autre côté, le levier de culasse latéral
genre Mauser ou Lee Enfield 303, est également
exclu. Il me faut un levier mobile sans saillie du
fût avec la possibilité de loger la balle directement
dans l'axe du canon. Il me faut aussi une détente
démontable, ajustable au dernier moment.

— Pourquoi donc? demanda le Belge.

— Parce que l'ensemble du mécanisme doit
pouvoir être rangé dans une sorte d'étui tubulaire
pour le transport et sans courir le risque d'attirer
l'attention. Est-ce possible d'avoir une détente
démontable?

— Bien sûr; presque tout est possible. On
pourrait par exemple fabriquer un fusil à un coup
qui se chargerait en cassant l'arme en deux comme
un fusil de chasse. Du même coup, on se passerait
de culasse, mais il faudrait un verrou ce qui prendrait de la place. En plus, cela m'obligerait à partir
de zéro, à tourner un tube d'acier d'une seule pièce
contenant culasse et chambre. Un travail difficile
pour un petit atelier, mais enfin réalisable.

— Et ça prendrait combien de temps?

Le Belge eut un haussement d'épaules en écartant les mains.

— Deux mois, peut-être... ou plus, je le crains.

— Je ne dispose pas de ce temps-là.

— Alors il faut prendre un fusil d'un modèle existant, libre à la vente, et le modifier.

— D'accord. Il faut aussi que ce fusil soit léger. Pas besoin d'un fort calibre. La balle fera son effet. Quant au canon, je le veux court ; quarante-cinq centimètres au plus.

— A quelle distance devez-vous tirer ?

— Je ne sais pas trop... mais disons cent trente mètres au maximum.

— Vous comptez viser la poitrine ou la tête ?

— La tête probablement, c'est plus sûr.

— Plus sûr pour tuer, oui, si vous ajustez bien votre coup, dit le Belge, mais la poitrine offre une cible plus facile. Du moins en utilisant une arme légère avec un canon court et à cette distance-là... Puisque vous ne savez pas encore si vous viserez la tête ou la poitrine, ajouta-t-il, j'en conclus que quelqu'un risque de passer dans la ligne de tir ?

— Oui, c'est possible.

— Aurez-vous le temps de tirer une deuxième fois, étant donné qu'il vous faudra plusieurs secondes pour extraire la douille, et recharger ?

— C'est très peu probable. Je pourrai peut-être tirer une deuxième balle si je me sers d'un silencieux et si la première ne touche personne. Mais même si je fais mouche du premier coup, j'ai besoin d'un silencieux pour gagner les quelques minutes nécessaires pour assurer ma fuite.

Le Belge continuait à opiner du bonnet, et avait maintenant les yeux fixés sur le buvard de son bureau.

— Dans ce cas, il vaut mieux prendre des balles explosives. Je vous en préparerai quelques-unes en même temps que le fusil. Vous savez de quoi je parle ?

L'Anglais acquiesça d'un signe de tête.

— Glycérine ou mercure ?

— Oh, mercure, je crois. C'est tellement plus net et plus propre. Pas d'autres détails concernant ce fusil ?

— Je crains que si. Pour obtenir une arme très mince, il faut éliminer tout le fût sous le canon ; supprimer la crosse, en fait. Pour le tir, je veux une crosse métallique ajourée comme celle du Stengun, en trois tubes métalliques démontables. Enfin, je veux un silencieux d'une parfaite effica-cité et une lunette télescopique, tous deux égale-ment amovibles.

Le Belge réfléchit un long moment, buvant sa bière à petites gorgées jusqu'à ce que son verre fût vide. L'Anglais finit par s'impatienter.

— Alors, pouvez-vous le faire ?

M. Goossens sembla émerger de sa rêverie. Il eut un sourire confus.

— Excusez-moi. Il s'agit d'une commande extrêmement complexe. Mais oui, je peux y arriver. Jusqu'ici j'ai toujours réussi à faire ce qu'on me demandait. En réalité, ce que vous m'avez décrit, c'est une expédition de chasse un peu spéciale au cours de laquelle vous devez pouvoir subir cer-taines vérifications sans que le matériel que vous transportez éveille de soupçons. Je crois avoir une idée assez nette de l'arme qui conviendrait. Il serait facile de se la procurer ici à Bruxelles. Un fusil d'un prix élevé, un instrument de haute pré-

cision, merveilleusement usiné et cependant fin et
léger. On s'en sert beaucoup pour chasser le cha-
mois, le daim, le chevreuil ; mais avec des balles
explosives, il est parfait pour un gibier plus gros.
Dites-moi, le... euh... votre cible avancera lentement, rapidement, ou pas du tout ?

— Elle sera immobile.

— Pas de problème alors. Le montage de la
crosse en trois éléments et de la détente mobile
pose un simple problème d'ajustage mécanique.
Le filetage du canon pour y ajuster le silencieux
et le raccourcissement du canon, je peux m'en
charger facilement. Mais on est forcément moins
précis avec un canon plus court. Dommage, dommage. Vous êtes bon tireur ?

L'Anglais acquiesça.

— Alors ça devrait aller... avec un homme
immobile à cent trente mètres et une bonne lunette
télescopique. Quant au silencieux, je le fabriquerai
moi-même. Il n'est pas facile de s'en procurer,
surtout du modèle extra-long dont vous aurez
besoin. Maintenant, vous avez parlé tout à l'heure
d'une sorte d'étui tubulaire pour transporter le
fusil démonté. A quoi songiez-vous ?

L'Anglais se leva et s'approcha du bureau,
dominant le petit Belge de toute sa hauteur. Il
glissa la main à l'intérieur de sa veste et une lueur
apeurée s'alluma un instant dans les yeux de
l'Armurier. Il venait de remarquer pour la première fois cette sorte de voile grisâtre qui embru-
mait le regard du tueur et lui ôtait toute expression.
Mais l'Anglais ne sortit de sa poche qu'un stylo-
bille d'argent.

Faisant pivoter le calepin de M. Goossens, il

crayonna rapidement dessus pendant quelques
secondes.

— Vous reconnaissez cet objet ? demanda-t-il
en tendant le calepin face à l'Armurier.

— Bien sûr, répondit le Belge après avoir jeté
un coup d'œil au croquis tracé d'une main précise.

— Bon. Parfait. Voyons le détail maintenant.
Il s'agit d'une série de tubes de métal emboîtés ou
vissés. Celui-ci (il tapota de la pointe de son crayon
un point précis du dessin) doit contenir l'un des
montants de la crosse. Celui-là l'autre. Tous deux
sont donc dissimulés à l'intérieur. La plaque
d'épaule du fusil, tout entière, la voilà... ici...
C'est par conséquent la seule partie qui joue un
double rôle sans subir de modification.

« Ici (il désigna un autre point du croquis au
Belge dont les yeux s'arrondissaient de surprise),
dans la partie la plus épaisse, va se loger la partie
du fusil contenant mécanisme et culasse ; l'ensemble ne doit présenter aucune aspérité. Avec la
lunette, cran de mire et guidon sont inutiles. Donc
la pièce entière coulisse facilement dans son étui
une fois les autres éléments dévissés. Les dernières
parties, ici, et ici, contiennent la lunette et le
silencieux. Enfin, il y a la question des balles. Le
mieux serait de les caser dans ce petit renflement,
là, en bas. Quand tout l'appareil est au point, il
doit passer exactement pour ce qu'il est. Une fois
les sept éléments dévissés et rangés à leur place :
balles, silencieux, lunettes, canon et les trois tubes
de la crosse, il faut pouvoir les dégager et les
remonter le plus vite possible.

Pendant quelques secondes, le petit Belge considéra le croquis. Puis lentement il se leva et tendit la main.

— Monsieur, dit-il avec respect, c'est une conception remarquable. Impossible à détecter et pourtant si simple. Comptez sur moi, je vais vous mettre ce fusil au point.

L'Anglais ne manifesta ni satisfaction ni déplaisir.

— Bon, fit-il. La question du temps, maintenant. J'aurai besoin de cette arme dans une quinzaine. Est-ce faisable?

— Oui. Je peux acheter le fusil dans les trois jours. Une semaine de travail devrait suffire à le modifier. L'achat de la lunette télescopique ne présente aucune difficulté. Comptez sur moi pour la choisir au mieux. Vous avez intérêt à effectuer vous-même le réglage du collimateur. Fabriquer le silencieux, modifier les balles et construire l'étui... oui, cela peut être fait dans les délais si je m'y mets d'arrache-pied. Il vaudrait mieux, toutefois, que vous reveniez ici un ou deux jours avant, au cas où il y aurait des détails de dernière minute à mettre au point. Pouvez-vous repasser dans une douzaine de jours?

— D'accord, c'est entendu. Mais quatorze jours est une date limite. Je dois être de retour à Londres le 4 août.

— Vous aurez l'arme entièrement mise au point le matin du 4 si vous pouvez repasser ici le 1er août pour une dernière discussion, monsieur.

— Bon. Maintenant parlons de vos frais... et de votre prix.

Le Belge réfléchit un instant.

— Pour un travail pareil avec toutes les compli-

cations que ça entraîne, et compte tenu de ma
technicité, je dois vous demander mille livres
sterling. C'est un tarif très au-dessus de la normale,
mais il s'agit d'une arme tout à fait spéciale. Ça
doit être une œuvre d'art. Remarquez que certains
fusils de chasse valent encore plus... En outre, je
crois bien être le seul homme en Europe capable
de l'exécuter à la perfection. Comme vous-même,
monsieur, je suis, dans mon domaine, le meilleur.
La qualité se paye. Il faudra ajouter à cette somme
le prix d'achat de l'arme, des balles, des accessoires, du matériel utilisé... disons l'équivalent de
deux cents livres.

L'Anglais le regarda dans les yeux et déclara
d'un ton net :

— C'est d'accord.

Glissant de nouveau la main dans sa poche poitrine, il en sortit une liasse de coupures de cinq
livres, reliées par paquets de vingt. Il compta cinq
paquets de vingt billets chacun.

— Je vous propose, comme preuve de ma bonne
foi, poursuivit-il d'un ton uni, de vous verser une
avance de cinq cents livres. Je vous apporterai le
reste à ma prochaine visite, dans onze jours. Ça
vous va ?

— Monsieur, répondit le Belge en empochant
les billets d'un geste adroit, c'est un plaisir de
travailler pour un client qui est à la fois un professionnel et un gentleman.

— Un dernier détail, poursuivit son visiteur
comme s'il n'avait pas été interrompu. Vous
n'essaierez pas de contacter à nouveau Louis, de
lui demander, à lui ou à quelqu'un d'autre, qui je
suis et quelle est ma véritable identité. Vous ne

chercherez pas non plus à savoir pour qui je travaille, ni contre qui. Si jamais l'idée vous venait
de vous renseigner, je le saurais. Auquel cas, je
ne vous le cache pas, vous êtes mort. Est-ce bien
clair ?

M. Goossens fut peiné. Debout dans le couloir,
il leva les yeux vers l'Anglais et un spasme de
peur lui tordit les entrailles. Il avait eu affaire à
bien des durs de la pègre belge qui venaient lui
demander des armes spéciales, inhabituelles, ou
même un simple Colt à canon court. Des hommes
peu rassurants, des truands coriaces. Mais il se
dégageait de ce visiteur d'Outre-Manche une
impression de froideur implacable qui vous paralysait, vous figeait le sang.

Un instant, l'Armurier songea à protester ou à
s'expliquer, puis il se ravisa.

— Monsieur, répliqua-t-il avec calme, je ne
veux rien savoir de vous. Le fusil que vous recevrez
ne portera aucun numéro de série. D'ailleurs,
vous devez bien comprendre que, pour moi, le
plus important, c'est qu'on ne puisse pas remonter
jusqu'à moi, retrouver ma trace à partir de cette
arme. Pour cette seule raison, je n'ai aucune envie
d'être renseigné sur vous... Au revoir, monsieur.

Le Chacal s'éloigna sous le soleil éclatant et
deux rues plus loin trouva un taxi en maraude
qui le ramena vers le centre de la ville et l'hôtel
Amigo.

Il se doutait que Goossens, quand il voulait
acquérir des armes, faisait appel aux services d'un
faussaire, mais il préférait quant à lui en trouver

un lui-même. Ce fut encore une fois Louis, l'ancien
du Katanga, qui lui vint en aide. Non que ce fût
difficile d'ailleurs. Bruxelles est depuis longtemps,
par tradition, le centre de l'industrie des faux
papiers et nombre d'étrangers apprécient la facilité
avec laquelle on peut obtenir satisfaction dans ce
domaine. Au début des années 60, Bruxelles était
également devenu la base de recrutement des
mercenaires. Avec la chute du Katanga, plus de
trois cents « conseillers militaires » en chômage de
l'ancien régime Tshombé traînaient dans les bars
des bas quartiers, avec en poche, pour la plupart,
plusieurs jeux de faux papiers.

Le Chacal trouva dans un bar, à proximité de
la rue Neuve, l'homme avec lequel Louis lui avait
pris rendez-vous. Les deux hommes se retirèrent
dans un box. Le Chacal sortit son permis de
conduire où figurait son vrai nom, qui lui avait été
délivré par le County Council de Londres deux
ans plus tôt et était encore valide pendant quelques
mois.

— Ceci, expliqua-t-il au Belge, appartenait à
un homme qui est maintenant mort. Comme on
m'a suspendu mon permis en Angleterre j'ai
besoin d'une première page neuve à mon nom.

Il posa le passeport au nom de Duggan devant
le faussaire. L'homme assis en face de lui effleura
le document du regard, constata qu'il était flambant neuf et posa sur l'Anglais un regard calcula-
teur.

— En effet, murmura-t-il, puis d'un geste
prompt il ouvrit le permis de conduire.

Au bout de quelques minutes, il leva les yeux.

— Rien de difficile, monsieur. Les autorités

anglaises sont pleines de compréhension. L'idée que des documents officiels puissent être fabriqués de toutes pièces ne semble pas les effleurer et, par conséquent, ils prennent peu de précautions. Ce papier... — il indiqua d'une pichenette la petite feuille collée sur le premier volet du permis, où figuraient le numéro et le nom du détenteur — pourrait être fabriqué avec un matériel d'imprimerie pour enfants. Le filigrane ne pose pas de problème. C'est tout ce que vous vouliez ?

— Non, il me faut deux autres documents.

— Ah. Si vous me permettez une observation, je trouvais curieux que vous me contactiez pour un travail aussi simple. A Londres, vous devez avoir des spécialistes qui s'en chargeraient en quelques heures. Quels sont les autres papiers ?

Chacal lui en fournit une description précise. Le Belge réfléchit un instant, les yeux plissés. Il sortit de sa poche un paquet de Bastos, le tendit à l'Anglais qui refusa d'un signe de tête, et alluma une cigarette pour lui-même.

— Ça, c'est moins facile. Pour la carte d'identité française, passe encore. Il en circule suffisamment pour travailler dessus. Mais l'autre... Je ne crois pas en avoir jamais vu. C'est une demande tout à fait inhabituelle.

Il observa une pause pendant que le Chacal commandait une deuxième tournée à un garçon qui passait. Une fois le serveur reparti, il poursuivit.

— Et puis la photo. Ce ne sera pas facile. Vous dites qu'il doit y avoir une différence d'âge, de couleur et de longueur de cheveux. En général, ceux qui veulent des faux papiers fournissent des photos d'eux aussi récentes que possible... Tandis que le truquage d'un cliché, comme vous en réclamez un, ça, c'est une autre paire de manches.

Il vida la moitié de sa chope de bière, sans cesser d'examiner l'Anglais assis en face de lui.

— Il y a un problème de maquillage délicat à résoudre pour la photo... Un maquillage que vous devrez reconstituer quand vous utiliserez ce document...

Le Chacal réprima un mouvement d'impatience.

— Il m'est déjà arrivé de me grimer, figurez-vous, dit-il d'un ton neutre.

— Bien sûr, bien sûr, dit le Belge. Mais il faut que ce soit parfait et ce travail va me prendre du temps. Vous comptez rester à Bruxelles ?

— Non. Je vais repartir bientôt, mais je reviendrai le 1er août. Je passerai alors trois jours ici. Il faut que je sois à Londres le 4.

Le Belge réfléchit de nouveau un moment, les yeux fixés sur la photo du passeport posé devant lui. Puis il referma le document et le rendit à l'Anglais après avoir copié sur un bout de papier le nom, Alexander James Quentin Duggan. Il empocha le bout de papier et le permis de conduire.

— Pour le permis, il me faut de bonnes photos de vous tel que vous êtes en ce moment, face et profil. Nous allons faire ça dans mon studio. Mais pour la deuxième carte, il va sans doute falloir que je monte une opération en France même avec un collègue casseur pour me procurer ce document spécial que vous me demandez.... Et ça entraînera des frais...

— Combien ? coupa l'Anglais.

— Eh bien... vingt mille francs belges.

Le Chacal réfléchit un moment.

— Autrement dit, environ cent cinquante livres. D'accord. Je vous donne cent livres d'avance et le reste à la livraison.

Le Belge se leva.

— Allons prendre ces photos tout de suite. Le plus tôt sera le mieux.

Après un trajet de dix minutes, un taxi les déposa dans une petite rue devant une construction sans étage à la façade décrépite. Quelques marches de ciment descendaient en contre-bas du trottoir jusqu'à une porte à la peinture grise écaillée sur laquelle une pancarte de guingois spécifiait que la maison était spécialisée dans la photo d'identité instantanée. Au niveau du trottoir, derrière un long panneau vitré constellé de chiures de mouches s'alignaient quelques-uns des chefs-d'œuvre qui avaient apparemment jalonné la carrière de l'artiste opérant sur les lieux, deux portraits de filles minaudantes hideusement retouchés, le cliché d'un couple de mariés d'une laideur désolante et deux bébés joufflus à plat ventre sur des coussins.

Le Belge descendit les marches, sortit une clef de sa poche, ouvrit la porte et fit entrer son visiteur. L'atelier, mal éclairé, était d'aspect crasseux et misérable. Un drap douteux pendait le long d'une cloison en guise d'écran. Deux appareils sur pied voilés de drap noir se faisaient vis-à-vis. Dans le fond, une petite porte devait donner accès au laboratoire. Dans un renfoncement, près d'une table peinte en noir qui supportait un agrandisseur, se trouvait une grande malle à couvercle arrondi. Le Belge alla l'ouvrir aussitôt entré et invita le

Chacal à en regarder le contenu. Dans un compartiment étaient rangés divers appareils de professionnel, japonais ou allemands, avec des flashes et plusieurs téléobjectifs. Dans un autre formant coffre s'empilaient un grand choix d'accessoires de maquillage : teintures, toupets, perruques, lunettes de modèles variés et une trousse complète de fards et de cosmétiques de théâtre.

Non sans une certaine irritation, le Chacal se laissa grimer par le photographe. L'opération lui prit près d'une demi-heure. Après quoi, il s'écarta de deux pas pour contempler son œuvre d'un œil satisfait. Le Chacal restait impassible sur sa chaise. Brusquement, le Belge alla se plonger dans la malle et en sortit une perruque.

— Qu'est-ce que vous pensez de ça ? demanda-t-il.

C'était un postiche de nuance gris fer aux cheveux raides et taillés en brosse.

— En vous coupant les cheveux et avec une teinture correspondante, pensez-vous que cette coiffure vous irait ?

Le Chacal prit la perruque et l'examina.

— On peut faire un essai et voir ce que ça donne sur la photo, dit-il.

Le résultat fut positif. Après s'être enfermé une demi-heure dans la chambre noire, le Belge en ressortit, tenant plusieurs clichés à la main. Ils les examinèrent ensemble. Les photos étaient celles d'un homme vieillissant, fatigué, un homme aux yeux cernés, usé par la vie, avec un teint que l'on devinait cendreux. Au bas mot, on ne pouvait lui donner moins de cinquante-cinq ans.

— Ça devrait coller, qu'en pensez-vous ? s'enquit le Belge.

Le Chacal émit un vague grognement affir-
matif.

— Le problème, ajouta-t-il, c'est que vous avez
passé un temps fou à me grimer. Et en plus, il y a
la perruque. Je n'arriverai jamais à ce résultat
tout seul. Et ici nous sommes à la lumière électrique, alors que si je dois montrer ces papiers, ce
sera sans doute au grand jour.

— C'est sans importance, répliqua le faussaire.
Pensez à la façon dont fonctionne l'esprit d'un
homme qui examine des papiers. Il regarde
d'abord le visage et étudie seulement ensuite la
photo d'identité. Il a déjà, fixée dans son esprit,
l'image de l'homme qu'il contrôle. Ce qui affecte
son jugement. Ce qu'il cherche, ce sont des points
de ressemblance, et non pas le contraire. Ensuite,
le format de la photo sera très réduit. Cette épreuve
fait 18×24. Sur la carte, elle n'a que 3×4.
Enfin, mieux vaut éviter une ressemblance trop
exacte. Il y a toujours un certain décalage entre
la photo et son modèle. Et puis, un détail. Veillez
à ne pas porter les mêmes vêtements, la même
chemise, par exemple, que sur la photo. Portez
une cravate, ou une écharpe, ou un col roulé.
Quant au maquillage, si vous avez déjà des notions, ça ne devrait pas être bien compliqué.
L'important, c'est que les coiffures correspondent
le mieux possible. Pour accentuer le vieillissement,
laissez donc pousser votre barbe pendant deux ou
trois jours. Puis rasez-vous avec un rasoir-sabre,
mais maladroitement, en vous coupant à un ou
deux endroits, comme font souvent les vieux.
Quant au teint, il ne faut pas le négliger. Blafard,
grisâtre, il vous donnera aussi pas mal d'années

de plus. Pouvez-vous vous procurer quelques morceaux de cordite ?

Le Chacal avait écouté le faussaire photographe avec attention. Pour la deuxième fois de la journée, il avait affaire à un professionnel qui connaissait son métier. Une fois le boulot terminé, il ne faudrait pas oublier de témoigner à Louis sa reconnaissance.

— C'est faisable, répondit-il, circonspect.

— Deux ou trois petites parcelles de cordite, mâchées et avalées, déclenchent dans la demi-heure qui suit une sensation de nausée, très pénible mais supportable. Et surtout, on devient verdâtre et on pique une suée. C'était un truc courant dans l'armée pour se faire porter pâle.

— Merci du renseignement. Et pour le reste, pensez-vous pouvoir me fournir les documents en temps voulu ?

— Du point de vue technique, très certainement. Le seul problème à résoudre, c'est de se procurer un original du deuxième document français. Je vais m'en occuper tout de suite. Si vous revenez dans les premiers jours d'août, je pense que tout sera prêt. Est-ce que vous n'aviez pas... euh... parlé d'une avance sur frais...

L'Anglais glissa la main dans sa poche intérieure et en tira une liasse de vingt coupures de cinq livres qu'il tendit au Belge.

— Comment est-ce que je vous contacterai ? demanda-t-il.

— Comme ce soir, si vous voulez bien.

— Trop risqué. Mon correspondant peut être introuvable, en voyage par exemple. Et dans ce cas, comment vous retrouverais-je ?

Le Belge réfléchit un instant.

— Alors, je vous attendrai dans le bar où nous étions tout à l'heure, tous les soirs de six à sept pendant les trois premiers jours d'août. Si je ne vous vois pas, j'en déduirai que l'affaire est tombée à l'eau.

L'Anglais avait enlevé la perruque et se nettoyait le visage avec un coton imbibé de démaquillant. Rapidement, il renoua sa cravate et passa son veston puis il se tourna vers le Belge.

— Maintenant, il y a certains points que je tiens à préciser, dit-il d'un ton aussi froid que son regard. Une fois votre travail terminé, il est bien entendu que vous me remettrez le nouveau permis de conduire et la page ôtée de celui que vous avez entre les mains... Ainsi que les négatifs et tous les clichés des photos que vous venez de prendre. Vous oublierez le nom de Duggan et du détenteur du permis de conduire. Quant au nom qui figurera sur les deux documents français que vous allez fabriquer, vous pouvez le choisir vous-même, à condition que ce soit un nom simple et courant en France. Après m'avoir remis les papiers, vous oublierez également ce nom. Vous ne parlerez jamais à personne de cette commande. Au cas où vous ne respecteriez pas ces consignes, c'est la mort pour vous. Est-ce bien compris ?

Le Belge dévisagea son visiteur pendant quelques instants. Au cours des trois heures qui venaient de s'écouler, il en était arrivé à considérer l'Anglais comme un client banal, simplement désireux de conduire une voiture en Grande-Bretagne et, pour des raisons personnelles, de se faire passer en France pour un homme d'un certain âge. Un contrebandier peut-être, faisant le trafic de la

drogue ou des diamants ; mais dans l'ensemble
un brave type, sans histoires. En une seconde, il
eut changé d'avis.

— C'est compris, monsieur.

Quelques instants plus tard, l'Anglais avait
disparu dans la nuit. Il parcourut cinq blocs à
pied avant de prendre un taxi pour regagner
l'hôtel Amigo où il arriva vers minuit. Il se fit
monter dans sa chambre un demi-poulet froid et
une bouteille de vin de Moselle, se lava soigneusement la figure pour faire disparaître les dernières
traces de maquillage, prit un bain et se coucha.

Le lendemain matin, il quittait l'hôtel et prenait
le Brabant Express pour Paris. On était le 22 juillet.

Le matin de ce même jour, le chef du service
Action du S. D. E. C. E., assis derrière son bureau,
examinait les deux documents posés devant lui.
Chacun était le double d'un rapport de routine
envoyé par les agents d'autres services. En tête
de chaque feuille de papier pelure bleu se trouvait
la liste de tous les chefs de service appelés à recevoir une copie du rapport. Son propre nom était
coché. Les deux rapports étaient arrivés ce matin-
là et si le cours des événements avait été normal,
le colonel Rolland se serait contenté de les parcourir rapidement, puis de les faire classer après avoir
enregistré dans sa redoutable mémoire les renseignements communiqués. Mais il y avait un mot
qui revenait dans chacun des rapports, un mot
qui l'intriguait.

Le premier rapport était un mémo inter-services
envoyé par le R 3 (Europe occidentale), contenant

le résumé d'une dépêche reçue du bureau permanent de Rome. Cette dépêche signalait que Chazanet, Montclair et Casson étaient toujours terrés
dans l'appartement qu'ils avaient loué au dernier
étage d'un hôtel et que leur protection était toujours assurée par huit gardiens. Ils n'étaient même
pas sortis de l'établissement depuis le 18 juin. Du
personnel de renfort du R 3 avait été amené de
Paris à Rome pour participer à la surveillance
exercée sur l'hôtel vingt-quatre heures sur vingt-
quatre. Les instructions de Paris demeuraient
inchangées : n'établir aucun contact, mais ouvrir
l'œil. Les hommes installés dans l'hôtel avaient
mis au point une méthode pour communiquer
avec le monde extérieur trois semaines auparavant
(voir le rapport du R 3 de Rome du 30 juin) et
cette routine était maintenue. Le courrier demeu-
rait Viktor Kowalski. Fin du message.

Le colonel Rolland ouvrit le dossier posé sur
son bureau à côté de la douille tronquée de
105 mm qui, en dépit de son diamètre, débordait
déjà de mégots de Disques bleus. Il relut le rapport
du R 3 de Rome du 30 juin jusqu'à ce qu'il eût
trouvé le paragraphe qui l'intéressait.

Chaque jour, disait ce paragraphe, un des gardes
quitte l'hôtel et se rend à pied à la poste principale
de Rome, où un casier de la poste restante est
réservé au nom d'un certain Poitiers. L'O. A. S.
n'a pas loué de boîte postale munie d'une clef,
de crainte apparemment qu'elle ne soit forcée.
Tout le courrier destiné aux responsables de
l'O. A. S. était adressé à Poitiers et gardé par
l'employé de service au guichet de la poste restante. Une tentative pour acheter cet employé

et l'inciter à remettre le courrier à un agent du
R 3 avait échoué. L'homme avait signalé l'incident à ses supérieurs qui l'avaient remplacé par
un postier plus âgé. Peut-être le courrier adressé
à Poitiers était-il maintenant examiné par les
services de sécurité italienne, mais le R 3 avait
reçu comme instructions de ne pas demander aux
Italiens leur coopération. La tentative de corrup-
tion avait donc échoué, mais cette initiative n'avait
pas été inutile. Chaque jour le courrier arrivant à
la poste pendant la nuit était remis au garde, qui
avait été identifié comme étant Viktor Kowalski,
ex-caporal de la Légion étrangère et ancien de la
compagnie de Chazanet en Indochine. Kowalski,
semblait-il, possédait des faux papiers au nom de
Poitiers, ou alors une procuration en règle lui
permettant de prendre le courrier. Si Kowalski
avait des lettres à poster, il attendait près de la
boîte à l'intérieur du bâtiment, puis, cinq minutes
avant que le courrier fût relevé, il postait ses
lettres et attendait la fin de la levée pour s'en
aller. Des tentatives pour intercepter le courrier
destiné aux chefs de l'O. A. S. ou envoyé par eux
auraient nécessité des actes de violence, et Paris
les avait interdits. De temps à autre, Kowalski
donnait un coup de téléphone sur l'Inter, mais
là encore, il n'avait pas été possible de savoir les
numéros demandés ni de surprendre les conversations. Fin de message.

Le colonel Rolland referma le dossier et prit le
deuxième des deux rapports qui lui étaient parvenus ce matin. Adressé par la police judiciaire de
Metz, il exposait qu'un homme, interrogé au cours
d'une rafle dans un bar, avait à moitié tué deux

policiers dans la lutte qui s'était ensuivie. Plus
tard, au commissariat, ses empreintes digitales
avaient permis de l'identifier. C'était un déserteur
de la Légion étrangère du nom de Sandor Kovacs,
Hongrois d'origine et réfugié de Budapest en
1956. Kovacs, ajoutait une note de la P. J. de
Paris au bas du rapport de Metz, était un tueur
notoire de l'O. A. S. recherché depuis longtemps
pour le rôle qu'il avait joué dans toute une série de
meurtres de notables loyalistes dans les régions de
Bône et de Constantine en 1961. A cette époque, il
opérait en compagnie d'un autre tueur de l'O. A. S.,
toujours en liberté, l'ancien caporal de la Légion
étrangère, Viktor Kowalski. Fin du message.

Rolland se remit à réfléchir aux liens qui existaient entre les deux personnages, comme il le
faisait depuis une heure. Enfin, il abaissa la manette de l'intercom devant lui et au « Oui, mon
colonel » qui en sortit, il répliqua :

— Apportez-moi le dossier personnel de Viktor
Kowalski immédiatement.

Dix minutes plus tard, il était plongé dans la
lecture du document. Un paragraphe retint particulièrement son attention et il le parcourut à plusieurs reprises. Tandis que les autres Parisiens
exerçant des métiers moins astreignants se hâtaient
vers leur déjeuner, le colonel Rolland convoqua
dans son bureau son secrétaire personnel, un gra-
phologue du service de documentation et deux
gorilles de sa propre garde prétorienne.

— Messieurs, leur annonça-t-il, avec le concours
involontaire mais indispensable d'une personne
qui n'est pas présente ici, nous allons rédiger,
écrire et envoyer une lettre.

6

Le Chacal sortit de la gare du Nord vers midi. Il prit un taxi et se fit conduire rue de Surène, à proximité de la place de la Madeleine, où il descendit dans un hôtel petit mais confortable. Cet établissement n'avait pas la classe de l'hôtel d'Angleterre à Copenhague ou de l'Amigo à Bruxelles, mais le Chacal avait ses raisons de choisir un lieu de résidence discret durant son séjour à Paris. Tout d'abord, il allait y rester plus longtemps que dans les deux autres capitales, et il préférait restreindre ses dépenses. En outre, il voulait réduire au minimum le risque de rencontres intempestives qui lui semblait nettement plus grand à Paris qu'à Copenhague ou à Bruxelles. Il veillait d'ailleurs dans la rue à porter constamment des lunettes noires, que pouvait justifier le soleil éclatant de ce mois de juillet.

Non pas qu'il se livrât à des activités susceptibles d'attirer l'attention. Il menait une vie calme, prenait dans sa chambre son petit déjeuner composé de café, de croissants et de marmelade d'oranges anglaise qu'il s'était donné la peine d'acheter à l'épicerie fine en face de l'hôtel pour remplacer la médiocre confiture fournie par la maison.

Il se montrait courtois et réservé envers le personnel, ne prononçait que quelques mots de français avec un atroce accent anglais, et souriait poliment quand on lui adressait la parole. Il répondit
à la direction, qui lui demandait avec sollicitude
si rien ne clochait dans le service, que tout était
parfait et qu'il était tout à fait satisfait.

— M. Duggan, déclarait volontiers la propriétaire de l'hôtel, est un homme charmant. Un vrai
gentleman.

Personne ne songea jamais à soutenir le contraire.

Le Chacal passait ses journées hors de l'hôtel à
jouer les touristes. Le premier jour, il acheta un
plan de Paris sur lequel il marqua d'une croix
certains sites qui l'intéressaient particulièrement
et dont il avait établi la liste sur un petit calepin.
Il entreprit ensuite de les visiter et de les étudier
avec une attention tout à fait remarquable, s'intéressant soit aux détails d'architecture, soit aux
particularités d'ordre historique.

Trois jours durant, il flâna autour de l'Arc de
triomphe ou encore, assis à la terrasse d'un café
des Champs-Élysées, il examina longuement le
monument et les toits des grands immeubles cou-
ronnant la place de l'Étoile. Nul observateur ne
se serait douté que ce touriste anglais calme et
élégant, qui sirotait son café et contemplait le nez
levé les façades et les toits, était en train de cal-
culer des angles de tir, les distances séparant différents toits de la flamme du Soldat Inconnu, et
les chances qu'avait un homme de s'enfuir par
une échelle d'incendie et de se perdre sans avoir
été remarqué dans la foule.

Au bout de trois jours, il abandonna l'Étoile

et visita l'ossuaire des héros de la Résistance française au mont Valérien. Il y arriva avec un bou-
quet de fleurs et le guide, touché par le geste de
cet Anglais envers ses anciens compagnons de
résistance, lui fit faire une visite complète du
mausolée, accompagnée d'un commentaire élo-
quent. Il ne pouvait guère se rendre compte que
les yeux du visiteur ne cessaient de s'écarter de
l'entrée de l'ossuaire pour se porter vers les hauts
murs de la prison qui empêchaient de plonger directement dans la cour depuis les toits des immeubles
avoisinants. Au bout de deux heures, il partit en
remerciant poliment le guide et en lui laissant un
généreux pourboire.

Le Chacal rendit visite également à la place
des Invalides. Il s'intéressa particulièrement au
côté ouest de l'esplanade, longé par la rue Fabert
et passa toute une matinée assis au café du coin
à l'angle où la rue Fabert rejoint le minuscule
triangle de la place Santiago du Chili. Du septième
ou du huitième étage de l'immeuble au-dessus de
lui, le 146 de la rue de Grenelle, où cette rue rejoint
la rue Fabert à angle droit, un tireur, lui sembla-
t-il, devait disposer d'un champ de vision englobant
les Invalides, l'entrée de la cour principale, la
majeure partie de la place et l'amorce de deux ou
trois rues. L'endroit était cependant mal choisi
pour un attentat. Tout d'abord, la distance entre
les fenêtres les plus hautes et l'allée empierrée
conduisant du palais des Invalides à l'endroit où
les voitures s'arrêteraient au bas des marches
entre les deux tanks devait dépasser deux cents
mètres. En outre, la vue plongeante depuis les
fenêtres du numéro 146 risquait d'être partielle-

ment masquée par les plus hautes branches des
énormes tilleuls qui poussaient sur la place Santiago du Chili et d'où les pigeons lâchaient leurs
tributs irrespectueux sur la stoïque statue de
Vauban. A regret, il régla son Vittel-menthe et
partit.

Il passa toute une journée aux alentours de la
cathédrale de Notre-Dame. Là, dans les méandres
de l'île de la Cité, abondent les escaliers de service, les ruelles, les étroits passages, mais l'entrée
de la cathédrale était séparée de quelques mètres
seulement des voitures garées au bas des marches,
les toits entourant la place du Parvis étaient trop
éloignés ; en revanche ceux, trop proches, du petit
square Charlemagne, seraient à coup sûr truffés
de membres des services de sécurité.

Sa dernière visite fut pour la place située à
l'extrémité sud de la rue de Rennes. Il y arriva
le 28 juillet. Autrefois appelée place de Rennes,
elle avait été rebaptisée, lorsque les gaullistes
prirent le pouvoir à l'Hôtel de Ville, place du
18-Juin-1940. Les yeux du Chacal dévièrent vers
la nouvelle plaque toute neuve fixée au mur de
l'immeuble et s'y attardèrent. Un détail de ce
qu'il avait lu le mois précédent lui revint en
mémoire. 18 juin 1940, le jour où l'orgueilleux
et solitaire exilé de Londres avait pris le micro
pour annoncer aux Français que s'ils avaient
perdu une bataille, ils n'avaient pas perdu la guerre.

Lentement, il laissa errer son regard sur la large
étendue de macadam, sillonnée par le flot des voitures qui descendaient le boulevard Montparnasse
ou débouchaient de la rue d'Odessa et de la rue de
Rennes. Il se tourna ensuite vers les hauts immeu-

bles étroits qui formaient les angles de la rue de
Rennes. Sans hâte, il fit le tour de la place pour
aller jeter un coup d'œil à travers les barreaux de
la grille dans la cour de la gare. Puis, le dos à la
grille, il regarda en direction de la rue de Rennes.
Sur cette place du 18-Juin qui s'étendait devant
lui, le président de la République viendrait, une
dernière fois, au jour prévu. Il en avait la certitude. D'ici peu de temps, la gare Montparnasse
aurait disparu, les colonnes témoins de tant d'événements seraient fondues et la cour d'entrée qui
avait vu Berlin humilié et Paris sauvé ne serait
plus qu'un bloc de verre et de béton comme tant
d'autres. Mais d'ici là l'homme au képi kaki orné
de deux étoiles d'or reviendrait une fois de plus.
Et la distance entre le dernier étage de la maison
du coin sur le trottoir ouest de la rue de Rennes et
le centre de la cour était approximativement de
cent trente mètres.

Le Chacal examinait l'ensemble du décor d'un
œil expert. Les deux immeubles à l'angle de la rue
de Rennes offraient la solution évidente à son problème. Depuis les trois constructions suivantes
dans la rue, l'angle de tir vers la place se réduisait
sensiblement. Au-delà, il devenait trop aigu. Il
en était de même pour les trois premières maisons
du boulevard Montparnasse à partir de la place.
Plus loin, les angles de tir étaient complètement
fermés et les distances trop grandes. Quant à la
gare elle-même, elle serait certainement interdite
au public, surveillée de partout et dans ses moindres recoins.

Pour mieux observer les immeubles qui l'intéressaient le plus, le Chacal alla s'installer à la ter-

rasse du café de la Duchesse-Anne qui faisait l'angle de la place. Il y resta deux bonnes heures à
regarder et à réfléchir, puis il alla déjeuner en
face, à la brasserie alsacienne Hansi, d'où il étudia
les façades du côté est.

Au cours de l'après-midi, il continua à déambu-
ler dans le quartier, inspectant les entrées et les
porches des immeubles avoisinant la place.

Le lendemain, il était de retour sur les lieux. Du
même pas de promeneur, il fit le tour de la place
et traversa la rue de Rennes pour aller s'installer
sur un banc. Là, au-dessus d'un journal déployé,
il examina encore une fois les façades qui lui faisaient face. Son choix s'était finalement limité à
ces deux immeubles du côté ouest de la rue. Hautes
de cinq ou six étages, les façades des immeubles
butaient à leur sommet sur des linteaux de pierre
en encorbellement que longeaient les gouttières.
Au-dessus s'encadraient à des niveaux sensiblement identiques dans les toits d'ardoise presque
verticaux les fenêtres des mansardes.

Ce jour-là, les toits seraient certainement surveillés. Peut-être même aussi les mansardes. Mais
de toute façon, l'avant-dernier étage devait être
assez élevé pour offrir une vue plongeante parfaitement dégagée vers la place. Le moment de tirer
se situerait vraisemblablement dans l'après-midi
et il était primordial qu'à l'instant où il viserait
sa cible, la fenêtre se trouvât dans l'ombre. D'abord
il ne voulait pas courir le risque d'être ébloui ou
même gêné par un rayon de soleil ; en outre, les
guetteurs éventuels auraient moins de chances
de remarquer sa présence au fond d'une pièce
plongée dans une demi-pénombre.

Le lendemain, comme il effectuait une nouvelle visite d'inspection, il remarqua la concierge d'un des deux immeubles qui tricotait devant la fenêtre ouverte de sa loge au rez-de-chaussée. Il alla s'asseoir sur un banc tout proche et, faisant toujours mine de lire le journal, se mit à surveiller la fenêtre du coin de l'œil. Le serveur d'un café voisin s'approcha de la fenêtre pour bavarder avec la concierge. Il tendit l'oreille.

— Bonjour, madame Berthe, dit le garçon. Vos canaris vont bien ?

Touchante scène de rue. Il faisait chaud, le soleil brillait haut dans le ciel au-dessus de la gare et ses rayons éclairaient encore l'intérieur du porche de l'immeuble.

La concierge semblait une vieille femme d'un naturel aimable, à en juger par l'accueil souriant qu'elle avait fait au serveur et par le ton sur lequel elle s'adressa un peu plus tard à l'un de ses locataires.

Peu avant quatre heures, elle roula son tricot, le glissa dans une des vastes poches de son tablier, ferma sa fenêtre, sortit sous le porche et, traînant ses pieds chaussés de charentaises, se dirigea vers la boulangerie située un peu plus bas le long de la rue. Calmement, le Chacal se leva et pénétra dans l'immeuble. Un escalier s'amorçait à côté de l'ascenseur. Sans bruit, d'un pas souple et rapide, il se mit à gravir les marches. A chaque palier, sur l'arrière de l'immeuble, une petite porte donnait accès à un escalier de service. Au sixième et dernier étage, avant les combles, il ouvrit la porte de service et jeta un coup d'œil vers le bas. L'escalier desservait une cour commune aux deux immeubles contigus. Au bout de la cour s'ouvrait un étroit passage en direction du nord.

Le Chacal referma la porte sans bruit, repoussa le verrou et grimpa la dernière volée de marches montant aux combles.

Un couloir partant du palier desservait deux portes de part et d'autre. D'un côté, les logements devaient donner sur la rue de Rennes, de l'autre vers la cour intérieure.

Le Chacal s'approcha des portes côté rue. Une carte près d'une sonnette portait le nom « Mlle Béranger » ; à côté, une plaque de cuivre ternie indiquait « M. et Mme Charrier ». Le Chacal écouta un instant. Aucun bruit ne parvenait de l'un ou l'autre appartement. Il examina les serrures ; toutes deux, encastrées dans le panneau de bois d'apparence robuste, étaient d'un modèle relativement perfectionné. Les clefs lui simplifieraient considérablement la tâche, pensa-t-il, mais il se rasséréna aussitôt. Mme Berthe gardait sûrement les doubles des clefs de l'immeuble.

Quelques instants plus tard, il dévalait l'escalier d'un pas léger. Son inspection n'avait pas duré plus de cinq minutes. La concierge était de retour dans sa loge. Il aperçut sa silhouette au passage à travers le petit rideau de tulle derrière la porte vitrée. Rapidement, il s'engouffra sous le porche et sortit au-dehors.

Dans la rue de Rennes, il tourna à gauche, longea deux immeubles, puis la façade d'un bureau de poste qui faisait l'angle d'une petite rue, la rue Littré. Il s'y engagea, suivant toujours le mur de la poste. A l'extrémité du bâtiment s'ouvrait un étroit passage couvert. Le Chacal s'immobilisa

pour allumer une cigarette et en profita pour observer le bout de ce passage. Il donnait accès à l'entrée
du personnel de la poste et débouchait sur une
cour encore éclairée par le soleil. Au fond de la
cour, le Chacal reconnut les dernières marches de
l'escalier de service extérieur qu'il venait d'examiner à sa partie supérieure. Il tira une longue
bouffée de sa cigarette et poursuivit sa marche.
Maintenant pour lui la voie de retraite, une fois le
coup fait, était assurée et son choix définitivement
arrêté.

Au bout de la rue Littré, il tourna de nouveau
à gauche dans la rue de Vaugirard. Il venait d'atteindre le boulevard Montparnasse et cherchait
des yeux un taxi lorsqu'un motard de la police
déboucha devant lui, s'immobilisa au centre du
carrefour, hissa sa machine sur ses béquilles et
entreprit d'arrêter la circulation. A coups de sifflet
strident, il immobilisa toutes les voitures débouchant de la rue de Vaugirard, ainsi que celles qui
roulaient sur le boulevard, venant de la gare.
Quant à celles qui remontaient depuis Duroc, elles
étaient repoussées à gestes impérieux vers le côté
droit de la rue. Un instant plus tard, un hululu-
ment de sirènes s'éleva du côté de Duroc.

Planté au coin du boulevard Montparnasse, le
Chacal vit un cortège déboucher à vive allure au
carrefour Duroc et rouler dans sa direction.

Deux motards vêtus de cuir noir, leurs casques
blancs étincelant sous le soleil, ouvraient la marche,
toutes sirènes hurlantes. Derrière eux apparurent
les nez de requin de deux DS 19 roulant à la suite.
Le motard posté devant le Chacal se raidit, le bras
gauche tendu vers l'avenue du Maine, le bras

droit replié en travers de la poitrine, la main tournée vers le bas, assurant la liberté de passage du
convoi.

Obliquant vers la droite, les deux motards s'engouffrèrent dans l'avenue du Maine, suivis des
deux limousines. A l'arrière de la première, derrière le chauffeur et l'aide de camp, le buste rigide,
regardant droit devant elle, se trouvait une haute
silhouette en complet gris anthracite. Chacal entrevit fugitivement la tête haut dressée et le nez si
caractéristique, puis le convoi disparut à ses yeux.

La prochaine fois que je verrai ce visage, songea-
t-il, ce sera de très près dans le collimateur d'une
lunette télescopique.

Il arrêta un taxi et se fit ramener à son hôtel.

Un peu plus loin, près de la sortie du métro Duroc
d'où elle venait d'émerger, une autre personne
avait regardé passer le Président avec un intérêt
inhabituel. Elle s'apprêtait à traverser la rue lorsqu'un policier l'avait refoulée. Quelques secondes
plus tard, le convoi avait surgi du boulevard des
Invalides pour s'engager dans le boulevard Montparnasse. Elle avait aussi entrevu à l'arrière de
la première DS le profil si reconnaissable, et une
lueur passionnée s'était allumée dans son regard.
Même une fois les voitures hors de vue, elle avait
continué à regarder dans la direction qu'elles
avaient prise. Puis soudain, elle s'était aperçue
qu'un policier l'observait d'un air curieux et avait
hâtivement traversé la rue.

Jacqueline Dumas avait alors vingt-six ans.
Très jolie fille, elle travaillait comme esthéticienne dans un luxueux institut de beauté voisin
des Champs-Élysées. Le soir du 20 juillet, elle se

hâtait de regagner son petit appartement près de
la place Breteuil afin de se préparer pour son rendez-vous. D'ici quelques heures, elle savait qu'elle
se retrouverait dans les bras d'un homme qu'elle
haïssait, et elle tenait à se montrer à son avantage.

Le télégramme du ministre des Armées était
arrivé un jour au petit déjeuner, quelques années
plus tôt, vers la fin de 1959. Le texte disait que le
ministre avait le grand regret d'annoncer à M. et
Mme Armand Dumas la mort de leur fils Jean-
Claude, soldat au Premier Régiment colonial aéro-
porté. Ses effets personnels seraient renvoyés le
plus vite possible à sa famille.

Pour Jacqueline, le monde s'était brusquement
comme désintégré. Plus rien n'avait de sens, ni
l'atmosphère de paisible sécurité de la maison du
Vésinet, ni la sollicitude de parents affectueux et
unis, ni le bavardage des autres filles du salon de
beauté discutant du charme d'Yves Montand ou
de la dernière danse en vogue importée d'Amérique, le rock.

Un seul fait l'obsédait sans trêve : la mort de
Jean-Claude, ce petit frère qu'elle aimait tant, si
doux et vulnérable, qui détestait la guerre et la
violence, qui voulait seulement qu'on le laisse en
paix avec ses livres et qui avait été abattu au
cours d'une bataille dans un trou perdu d'Algérie.
Elle apprit la haine. Pour elle, les responsables,
c'étaient les Arabes, ces êtres cruels, ces révoltés
assoiffés de carnage.

Et puis François vint. Il arriva à l'improviste
par un dimanche d'hiver, alors que son père et sa
mère étaient partis rendre visite à des parents. Il
y avait de la neige dans les rues, des traces de

verglas le long de l'allée du jardin. La plupart des gens étaient pâles avec des traits tirés, mais François, avec son visage hâlé, semblait en pleine forme. Il demanda s'il pouvait parler à Mlle Jacqueline. « C'est moi », répondit-elle. Il expliqua qu'il commandait la compagnie dont faisait partie Jean-Claude Dumas quand il avait été tué et qu'il avait une lettre à lui remettre. Elle le fit entrer.

Cette lettre, écrite quelques semaines avant sa mort, il la portait sur lui quand, au cours d'un accrochage à l'aube avec un bataillon de l'A. L. N., Jean-Claude avait reçu une balle dans le poumon.

Jacqueline lut la lettre et pleura un peu. Son frère y parlait simplement de sa vie quotidienne, évoquait l'atmosphère de la caserne de Constantine, les exercices de crapahutage et la discipline. Elle apprit le reste de la bouche de François : la retraite à travers le maquis sur six kilomètres, cernés par l'A. L. N. qui se rapprochait, les appels répétés à la radio pour demander des renforts aériens, et à huit heures, l'arrivée des chasseurs-bombardiers dans le rugissement de leurs moteurs et le tonnerre de leurs rockets. Et comment son frère, engagé volontaire dans un régiment d'élite, était mort sans une plainte en crachant le sang sur les genoux d'un caporal à l'abri d'un rocher.

François s'était montré plein de tact et de prévenance avec elle. Sensible à sa gentillesse lorsqu'il lui avait proposé de l'emmener dîner à Paris, elle accepta. Elle craignait en outre les révélations de François pour ses parents. Pourquoi raviver en eux un chagrin qui commençait à s'atténuer ? Et pendant le dîner, elle fit jurer au lieutenant qu'il ne leur dirait rien.

Mais une étrange curiosité s'était emparée d'elle. Elle voulait tout savoir sur la guerre d'Algérie. Un témoin direct des événements, un homme qui avait participé sur place à l'action était à ses yeux le plus digne de confiance. Au mois de janvier précédent, de Gaulle avait été élu à la présidence. On voyait en lui l'homme capable à la fois de mettre fin à la guerre et de conserver l'Algérie française. Ce fut François qui le premier traita l'homme que son père admirait tant de traître à la France.

Ils passèrent ensemble la permission de François qu'elle retrouvait chaque soir en sortant de l'institut de beauté où elle avait été engagée après avoir obtenu son diplôme d'esthéticienne. Il lui parlait des défections de l'armée française, des négociations secrètes du gouvernement de Paris avec Ben Bella, alors en prison, et de l'abandon imminent de l'Algérie par les Français. Durant la deuxième quinzaine de janvier, il était retourné au combat et elle avait passé une brève période seule avec lui lorsqu'il avait réussi à obtenir une semaine de permission à Marseille au mois d'août. Il avait pris dans sa vie une place grandissante et, tout au long de l'automne et de l'hiver 1960, elle l'avait attendu avec sa photo sur sa table de chevet, une photo que certains soirs d'insomnie elle tirait de son support de métal pour se la plaquer à même la peau.

Au cours de sa dernière permission, au printemps de 1961, il était revenu à Paris et lorsqu'ils se promenaient sur les boulevards, lui en uniforme, elle vêtue de sa plus jolie robe, elle pensait que c'était le plus fort, le plus large d'épaules, le plus bel homme de la ville. Une des filles de l'institut de beauté les avait vus ensemble et le lendemain on

ne parlait plus dans le salon que du beau « para »
de Jacky. Elle n'était pas là pour entendre ; elle
avait pris son congé annuel pour le passer avec lui.

Et puis François avait été pris d'une grande
excitation. Il y avait quelque chose dans l'air. La
nouvelle des pourparlers avec le F. L. N. était
maintenant de notoriété publique. L'Armée, la
vraie, n'allait pas supporter cette situation beaucoup plus longtemps, il pouvait le lui promettre.
Que l'Algérie dût demeurer française, c'était pour
tous les deux, lui l'officier de vingt-sept ans durci
par les combats, et elle la jeune fille de vingt-trois
ans éperdue d'adoration et qui attendait un enfant
de lui, un acte de foi.

François ne sut jamais rien de ce futur bébé. Il
rentra en Algérie en mars 1961 et le 21 avril plusieurs unités de l'armée française se mutinaient
contre le gouvernement de la métropole. Le
Premier Régiment colonial de paras se rangea dans
sa quasi-totalité du côté de la rébellion. Seul un
groupe d'appelés s'enfuit des casernes et se donna
rendez-vous au bureau du préfet. Les professionnels les laissèrent partir. Moins d'une semaine
plus tard, des escarmouches se produisaient entre
les mutinés et les régiments demeurés loyaux. Au
début du mois de mai, François était abattu au
cours d'un de ces accrochages.

Jacqueline apprit la nouvelle en juillet. Elle loua
un appartement dans une banlieue pauvre de Paris
et essaya de s'asphyxier au gaz. Cette tentative
échoua parce que la pièce était mal calfeutrée, mais
elle perdit le bébé. Ses parents l'emmenèrent avec
eux pour leurs vacances du mois d'août et, à leur
retour, elle semblait à peu près remise. En dé-

cembre, elle devenait membre actif de l'O. A. S.

Ses mobiles étaient simples : Jean-Claude, et après lui François. Ils devaient être vengés, par n'importe quel moyen, à n'importe quel prix pour elle ou pour les autres. Hormis cette obsession, elle n'avait aucune autre ambition au monde. Ce qu'elle déplorait seulement, c'était d'être limitée à jouer les agents de liaison, à porter des messages, ou à l'occasion un pain de plastique dissimulé au fond de son sac à provisions.

Après l'attentat du Petit-Clamart, un des conjurés s'était caché pendant trois nuits chez elle près de la place Breteuil. Ça avait été un grand moment pour elle, mais il était ensuite reparti. Un mois plus tard, il avait été pris, mais n'avait pas soufflé mot de son passage chez elle. Peut-être avait-il oublié. Mais pour ne pas prendre de risques inutiles, son chef de cellule lui avait ordonné de ne plus rien faire pour l'O. A. S. pendant quelques mois, jusqu'à ce que l'affaire se fût tassée. Ce fut en janvier 1963 qu'elle recommença à porter des messages.

Et puis en juillet, un homme vint la trouver. Il était accompagné par le chef de cellule de la jeune femme, qui le traitait avec la plus grande déférence. Il n'avait pas de nom. Était-elle prête à entreprendre une mission spéciale pour l'organisation ? Bien sûr. Une mission dangereuse peut-être, et certainement pénible. Peu importait.

Trois jours plus tard, d'une voiture en stationnement, on lui désignait un homme sortant d'un immeuble. On lui expliqua qui était cet homme, les fonctions qu'il occupait et ce qu'on attendait d'elle.

Vers la mi-juillet, ils faisaient connaissance, apparemment par hasard. Assise au restaurant à côté de l'homme à une table voisine de la sienne, elle lui avait souri timidement en lui demandant la salière. Il en avait profité pour entamer la conversation, elle s'était montrée réservée, modeste. Sa simplicité avait séduit son voisin. Insensiblement, le dialogue se noua, se fit plus intime. Moins de dix jours plus tard, il était amoureux d'elle.

Elle en savait assez long sur les hommes pour manœuvrer celui-là sans difficulté. Il avait l'habitude des femmes expérimentées, des conquêtes faciles. Elle joua les timides, attentive mais pleine de pudeur tout en laissant deviner qu'elle n'était pas inaccessible, que son corps à elle aussi avait des exigences. Tout se passa sans surprise. Bientôt, l'homme n'eut plus qu'une idée : obtenir enfin ses faveurs.

A la fin du mois de juillet, le chef de cellule de Jacqueline lui déclara que leur liaison devait s'amorcer bientôt ; qu'elle devrait même s'arranger pour cohabiter avec cet homme.

Le seul problème, c'est qu'il avait une femme et deux enfants, mais la proximité des vacances en fournit la solution. Tous trois partirent en effet le 29 juillet pour la maison de campagne familiale dans la vallée de la Loire, alors que l'homme était retenu à Paris par son travail. A peine sa femme avait-elle quitté Paris qu'il appelait l'institut de beauté et demandait avec insistance à Jacqueline de venir dîner chez lui le soir même en tête à tête.

Rentrée chez elle, Jacqueline Dumas jeta un coup d'œil à sa montre. Elle avait trois heures pour se préparer ; il ne lui en fallait pas tant. Elle

se déshabilla et prit une douche, puis s'essuya
devant le grand miroir qui garnissait la porte intérieure de sa penderie, regardant avec détachement
la serviette frotter son corps, tendant haut les bras
pour soulever ses seins épanouis sans éprouver
cette sensation de plaisir anticipé qui l'envahissait
quand elle savait que bientôt les mains chaudes de
François les pétriraient avec douceur.

Morose, elle évoqua la nuit à venir et réprima
une sorte de frisson. Mais elle irait jusqu'au bout,
se promit-elle, elle irait jusqu'au bout ; elle ne se
déroberait pas aux obligations qu'elle avait assu-
mées. D'un tiroir de sa commode, elle sortit la
photo de François. Sur ses lèvres flottait ce petit
sourire tendrement ironique qu'il avait toujours
eu quand il la voyait s'élancer vers lui du bout du
quai de la gare. Elle s'étendit sur le lit et tint la
photo de François au-dessus de sa tête, la regardant intensément, comme il la regardait, lui, quand
ils faisaient l'amour.

— François, souffla-t-elle, aide-moi, je t'en prie,
aide-moi ce soir.

Le dernier jour du mois fut une journée très
occupée pour le Chacal. Il passa sa matinée au
Marché aux Puces, errant d'un stand à l'autre, un
fourre-tout bon marché à la main. Il acheta un
béret noir graisseux, une paire de chaussures
éculées, un pantalon d'une propreté douteuse et,
après de longues recherches, une longue capote militaire d'autrefois. Il l'aurait préférée d'un tissu
plus léger, mais jamais l'armée n'avait prévu de
modèle estival en ce domaine. Du moins ce lourd

vêtement lui arrivait-il très en dessous du genou,
et c'était l'essentiel.

Au moment où il repartait, il eut le regard attiré
par une vitrine remplie de médailles militaires,
la plupart ternies par le temps. Il en acheta toute
une collection, ainsi qu'une brochure à demi dé-
chirée sur les décorations françaises, avec des photos
en couleurs et toutes les indications sur les conditions dans lesquelles elles étaient décernées.

Après un déjeuner léger au Queenie de la rue
Royale, il tourna le coin pour regagner son hôtel,
paya sa note et fit ses bagages. Ses nouvelles emplettes furent empilées au fond de l'une de ses
deux luxueuses valises. Avec la collection de médailles et grâce aux indications de la brochure, il
confectionna une brochette de décorations où figuraient dans l'ordre de préséance Médaille militaire,
Médaille de la Résistance, puis cinq autres décorations correspondant aux batailles et aux campagnes
des Forces françaises libres durant la deuxième
guerre mondiale : Bir Hakeim, Lybie, Tunisie,
débarquement et Division Leclerc.

Discrètement, le long du boulevard Malesherbes,
il jeta séparément dans les corbeilles à papier
fixées aux réverbères le reste des médailles et la
brochure. Le réceptionniste de l'hôtel lui apprit
qu'il y avait un excellent train pour Bruxelles,
l'Étoile du Nord, qui partait de la gare du Nord à
cinq heures un quart. Durant les dernières heures
du mois de juillet, il descendait à la gare de
Bruxelles.

7

Le lettre adressée à Viktor Kowalski arriva à Rome le lendemain matin. Le colosse qui, comme chaque jour, était allé à la poste chercher le courrier, traversait le hall de l'hôtel lorsqu'un des garçons l'appela :

— *Signor, per favore...*

Il se retourna, avec son habituelle mine renfrognée. Ce Rital-là, il ne le reconnaissait pas, mais ça n'avait rien d'étonnant. Il ne remarquait même pas sa présence quand il se dirigeait de son pas pesant vers l'ascenseur. Le jeune homme s'approcha de Kowalski, une lettre à la main.

— *È una lettera, signor. Per un signor Kowalski... non conosco questo signor... È forse un francese...*

Kowalski ne comprit pas un mot de ce flot de paroles en italien, mais il reconnut son propre nom, aussi écorché fût-il. Arrachant la lettre de la main du jeune homme, il examina le nom et l'adresse griffonnée sur l'enveloppe. Il était enregistré sous un autre nom, et comme il ne lisait jamais rien, il ignorait qu'un journal de Paris avait passé un scoop cinq jours plus tôt annonçant que trois des

principaux responsables de l'O. A. S. se terraient
maintenant au dernier étage de l'hôtel.

De son point de vue, personne ne pouvait savoir
où il était. La lettre cependant l'intriguait. Il
n'en recevait pas souvent, et comme pour la plupart des gens simples, l'arrivée d'une lettre constituait un événement important. Des propos de
l'Italien qui levait maintenant vers lui un regard
d'épagneul confiant comme si lui, Kowalski, était
seul capable de résoudre ce problème, il avait
conclu que nul dans le personnel de l'hôtel ne
connaissait de client sous ce nom et qu'on s'adressait à lui en désespoir de cause.

Kowalski baissa les yeux sur lui.

— Bon, je vais demander, déclara-t-il d'un ton
rogue.

Le front de l'Italien demeura plissé de perplexité.

— Demander, demander, répéta Kowalski en
indiquant le plafond.

— *Ah, sí*, fit l'Italien, rasséréné. *Prego, Signor.
Tante grazie.*

Kowalski s'éloigna de l'Italien qui lui manifes-
tait sa gratitude à grand renfort de gestes et monta
dans l'ascenseur. Lorsqu'il en sortit au septième,
il se trouva face à face avec le garde de service dans
le couloir, debout devant sa petite table, son automatique armé à la main. Pendant une seconde,
les deux hommes se dévisagèrent. Puis le garde
rabattit le cran de sûreté et rempocha son arme.
Il avait pu constater que Kowalski était seul dans
la cabine. Le même processus se déroulait chaque
fois que le voyant au-dessus de la porte de l'ascenseur indiquait que la cabine montait vers le septième
étage.

Outre ce premier garde, il y en avait un autre posté devant la porte de l'escalier de secours au bout du couloir et un troisième en haut de la cage de l'escalier. Ces deux escaliers étaient piégés, l'un et l'autre, encore que la direction de l'hôtel ne fût pas au courant, et les pièges ne pouvaient être désamorcés qu'en actionnant un interrupteur disposé sous la table du premier garde chargé de surveiller l'ascenseur.

Le quatrième homme de l'équipe de jour se tenait sur le toit au-dessus du neuvième étage où habitaient les chefs, mais en cas d'attaque, il y en avait trois autres qui dormaient dans leurs chambres après avoir assuré le service de nuit mais qui pouvaient être alertés et prêts à agir en quelques secondes en cas d'urgence. Au huitième étage, les portes de l'ascenseur avaient été bloquées de l'extérieur, mais il aurait suffi que le voyant indiquât que la cabine montait directement au dernier étage pour déclencher une alerte générale. Cet incident ne s'était produit qu'une fois, un chasseur, avec un plateau de consommations, ayant appuyé, par erreur, sur le bouton du neuvième. Il avait été énergiquement découragé de répéter ce genre d'impair.

La première sentinelle téléphona à l'étage au-dessus pour annoncer l'arrivée du courrier, puis fit signe à Kowalski de monter. L'ex-caporal avait déjà glissé la lettre qui lui était adressée dans sa poche intérieure alors que le courrier destiné à ses chefs était dans une sorte d'étui métallique relié par une chaînette à son poignet gauche. La chaîne et l'étui étaient tous deux munis d'une serrure dont seul Chazanet avait la clef. Quelques instants

plus tard, le colonel de l'O. A. S. ouvrait les deux
serrures et Kowalski gagnait sa chambre pour y
faire un somme avant de relever le garde de l'ascenseur en fin d'après-midi.

Aussitôt enfermé chez lui, il s'assit sur son lit
et ouvrit sa lettre. Il alla d'abord à la signature.
Avec étonnement, il déchiffra le nom de Kovacs.
Que pouvait bien lui vouloir Kovacs qu'il n'avait
pas vu depuis un an et qui avait autant de mal à
écrire que lui-même à lire ? Non sans peine, il
s'attela à la lecture de la lettre.

Kovacs expliquait tout d'abord qu'il avait appris
le jour même par un article de journal, qu'un ami
lui avait lu à haute voix, que Chazanet, Montclair
et Casson se cachaient dans cet hôtel à Rome.
Supposant que son vieux copain Kowalski se trouvait avec eux, il écrivait à tout hasard dans l'espoir que cette lettre lui arriverait.

Suivaient deux ou trois paragraphes concernant
la situation en France, la multiplication des
contrôles de police, les risques croissants que représentaient les missions... spéciales, autrement dit
les diverses formes de cambriolage.

Enfin, Kovacs disait avoir rencontré Michel
quelques années auparavant ; Michel avait rencontré Jojo, qui lui avait annoncé que la petite
Sylvie avait la lecé... quelque chose ; enfin une
maladie qui avait à voir avec le sang, mais lui,
Kovacs, espérait qu'elle guérirait bientôt et Viktor
ne devait pas s'inquiéter.

Mais Kowalski s'inquiétait. Il était même terriblement inquiet à l'idée que la petite Sylvie était
malade. Bien peu de choses avaient réussi à toucher
le cœur de Viktor Kowalski au cours de ses trente-

six années de vie marquées par la violence. Il
avait douze ans lorsque les Allemands avaient
envahi la Pologne et un an de plus quand ses
parents avaient été emmenés dans un wagon noir.
Et déjà il savait ce que faisait sa sœur dans le
grand hôtel occupé par les Allemands derrière la
cathédrale. Il était alors en âge de rejoindre les
partisans. A quinze ans, il avait tué son premier
Allemand. Deux ans plus tard arrivaient les Russes,
mais ses parents les avaient toujours craints et
haïs et lui avaient raconté de terribles histoires sur
ce qu'ils faisaient aux Polonais ; aussi avait-il
abandonné son groupe de partisans qui avaient été
par la suite exécutés sur ordre du commissaire et,
tel un animal traqué, il s'était enfui vers l'ouest en
direction de la Tchécoslovaquie.

Ç'avait été ensuite l'Autriche puis un camp de
personnes déplacées. Et l'adolescent efflanqué qui
ne parlait que le polonais était presque devenu une
de ces pauvres épaves sans défense comme il y en
avait tant dans l'Europe de l'après-guerre. Grâce
à la nourriture américaine, il avait retrouvé ses
forces. Une nuit de printemps, en 1946, il s'évada
du camp, gagna l'Italie en stop, et de là la France
en compagnie d'un autre Polonais rencontré au
camp et qui parlait français. A Marseille, il s'introduisit dans un magasin une nuit, tua le propriétaire qui l'avait surpris et dut de nouveau prendre
la fuite. Son compagnon le quitta, après lui avoir
affirmé que sa seule chance était de s'engager dans
la Légion étrangère. Il signa son engagement le
lendemain matin et se retrouva à Sidi-bel-Abbès
avant même que la police eût vraiment déclenché
son enquête à Marseille. Le port était encore un

important centre de transit de vivres expédiés
d'Amérique et les meurtres commis pour s'appro-
prier ces vivres étaient monnaie courante. Aucun
suspect n'ayant été découvert dans les quelques
jours qui suivirent, l'affaire fut classée. Mais quand
il l'apprit, Kowalski était déjà légionnaire.

Il avait dix-neuf ans et au début les vieux de
la vieille, en dépit de sa haute taille, l'appelaient
« petit bonhomme ». Mais il leur montra comment
il pouvait tuer, et ils l'appelèrent Kowalski.

Six ans d'Indochine avaient achevé de détruire
en lui les dernières traces d'équilibre moral. Il
devait ensuite être expédié en Algérie. Mais, entre-
temps, il avait suivi dans un camp près de Marseille un stage d'instruction d'armement qui avait
duré six mois. C'était à ce moment qu'il avait
fait la connaissance, dans un bar du quartier des
docks, de Julie, une prostituée minuscule de taille
mais intraitable, qui avait des ennuis avec son
souteneur. Kowalski d'un seul coup de poing avait
expédié à l'autre bout du bar long de six mètres
le mac qui était resté sans connaissance pendant
dix heures, la mâchoire inférieure fracassée.

Le gigantesque légionnaire avait plu à Julie et
pendant plusieurs mois, il fut son protecteur de
nuit, la raccompagnant après son travail jusqu'à
son logement sous les toits du vieux port. Julie
constata un jour qu'elle était enceinte et affirma à
Kowalski que l'enfant était de lui.

Peut-être la crut-il parce qu'il en avait envie.
Elle lui déclara également qu'elle ne voulait pas
du bébé et connaissait une vieille qui se chargerait
de l'en débarrasser. Kowalski lui flanqua une volée
et la menaça de la tuer si elle se faisait avorter.

Il devait regagner l'Algérie trois mois plus tard. Entre-temps, il s'était lié avec un ancien de la Légion, également polonais, Josef Grzybowski, connu sous le nom de Jojo le Polak, qui, revenu invalide d'Indochine, s'était mis en ménage avec une veuve joyeuse chargée d'un buffet roulant sur les quais de la gare. Le soir, quand il ne travaillait pas, Jojo fréquentait les bars hantés par les légionnaires des casernes voisines pour parler avec eux du bon vieux temps. La plupart étaient des jeunes, recrutés après son départ de Tourane, en Indochine ; puis un soir il fit la connaissance de Kowalski.

Ce fut vers Jojo que Kowalski se tourna pour lui demander conseil au sujet du bébé. Jojo était du même avis que lui. Ils avaient tous deux été à la messe dans le temps.

— Elle veut faire sauter le gosse, dit Viktor.

— La salope, dit Jojo.

— Une vraie garce, appuya Viktor.

Ils continuèrent à boire, fixant d'un regard sombre le miroir derrière le bar.

— C'est pas juste pour ce pauvre môme, dit Viktor.

— Tu parles, approuva Jojo.

— J'ai jamais eu de gosse, ajouta Viktor après un instant de réflexion.

— Moi non plus, répliqua Jojo.

Au petit jour, complètement ivres, ils tombèrent d'accord sur un plan et arrosèrent la décision qu'ils venaient de prendre avec une solennité d'ivrognes. Le lendemain matin, Jojo se rappela ses engagements, mais il ne voyait vraiment pas comment il pouvait annoncer la nouvelle à son épouse. Il lui

fallut trois jours pour y parvenir. Après une ou
deux allusions circonspectes, il finit par tout lui
dire une fois au lit avec elle. A sa grande surprise,
sa femme fut ravie. Ils prirent donc les dispositions
nécessaires.

Son stage terminé, Viktor retourna en Algérie,
pour rejoindre le commandant Chazanet qui,
avec un galon de plus, entamait une nouvelle
guerre. A Marseille, Jojo et sa femme, combinant
menaces et cajoleries, entreprirent de surveiller
Julie. Au départ de Viktor, elle était déjà enceinte
de quatre mois et il était trop tard pour qu'elle
se fasse avorter.

Julie accoucha fin 55 d'une petite fille aux yeux
bleus et aux cheveux dorés. Les formalités d'adoption furent dûment remplies par Jojo et sa femme,
avec le concours de Julie. Julie retourna à sa vie
d'autrefois. Jojo et sa femme écrivirent à Viktor
qu'ils avaient maintenant une fille et Kowalski,
dans sa caserne, en éprouva une joie étrange. Mais
il n'en parla à personne. Tout ce qu'il avait pu
posséder jusque-là, on le lui avait enlevé.

Néanmoins, trois ans plus tard, avant une longue
mission de ratissage dans les djebels, l'aumônier
lui avait demandé s'il n'aimerait pas faire un testament. Jamais une idée pareille ne l'avait effleuré.
Lui qui ne possédait rien, qui dépensait tout son
prêt dans les bars et les bordels des villes au cours
de ses rares permissions, devant l'insistance de
l'aumônier et avec son aide, il se décida à rédiger
un testament, précisant qu'il léguait tout ce qu'il
possédait à la fille d'un certain Josef Grzybowski,
ancien légionnaire résidant à Marseille. Un double
de ce document, avec tout le reste de son dossier,

finit par aboutir dans les archives du ministère
des Forces armées à Paris. Lorsque les agents du
service de sécurité tombèrent sur le nom de
Kowalski au cours de leurs enquêtes sur la vague
de terrorisme qui sévissait à Bône et Constantine,
ce dossier fut ressorti en même temps que bien
d'autres et attira l'attention du colonel Rolland,
chef du service Action à la porte des Lilas. On alla
rendre visite aux Grzybowski qui racontèrent toute
l'histoire. Kowalski n'en sut jamais rien.

Il vit sa fille deux fois dans sa vie, une fois en
1957 après avoir reçu dans la cuisse une balle qui
lui avait valu une convalescence à Marseille, et
une autre fois en 1960 lorsqu'il revint dans cette
ville pour y escorter le lieutenant-colonel Chazanet qui devait déposer comme témoin devant une
cour martiale. La première fois, la petite fille avait
deux ans, la deuxième quatre ans et demi. Kowalski
arriva les bras chargés de cadeaux pour Jojo et sa
femme, et de jouets pour Sylvie. L'enfant et son
gigantesque oncle Viktor s'entendaient très bien.
Mais jamais il ne mentionna son existence à qui
que ce fût, pas même à Chazanet...

Et maintenant elle avait attrapé la lecé... quelque chose et Kowalski ne pouvait rien contre cette
sourde anxiété qui le tenaillait... Après le déjeuner,
il monta au neuvième se faire fixer au poignet le
petit étui métallique pour le courrier. Chazanet
attendait de France une lettre importante contenant un supplément d'information sur la somme
totale amassée grâce aux cambriolages effectués
par les truands de Casson au cours du mois précédent, et il voulait que Kowalski retourne à la
poste pour l'arrivée du courrier de l'après-midi.

— Qu'est-ce que c'est la lecé... je sais pas quoi ?
lâcha soudain le caporal.

Chazanet, qui était en train de lui fixer la chaîne
au poignet, leva la tête, surpris.

— De quoi parles-tu ? demanda-t-il.

— C'est une grave maladie du sang, expliqua
Kowalski.

De l'autre côté de la pièce où il lisait un magazine, Casson se mit à rire.

— La leucémie, tu veux dire.

— Eh bien, qu'est-ce que c'est, monsieur ?

— C'est un cancer, expliqua Casson, le cancer
du sang.

Kowalski regarda Chazanet qui se trouvait
devant lui. Il ne faisait pas confiance aux civils.

— Ils peuvent guérir ça, les toubibs, mon colonel ?

— Non, Kowalski, on en meurt. C'est incurable.
Pourquoi ?

— Oh rien, marmonna Kowalski, un truc que
j'ai lu quelque part.

Et il s'en alla. Si Chazanet fut surpris que son
garde du corps qui ne lisait jamais rien d'autre
que les ordres du jour ait pu tomber sur ce mot
dans un livre, il n'en laissa rien paraître, et l'incident lui sortit rapidement de l'esprit. Car le
courrier de l'après-midi contenait la lettre qu'il
attendait, lui annonçant que les différents comptes
en banque que l'O. A. S. avait ouverts en Suisse
contenaient maintenant la somme globale de
250 000 dollars.

Chazanet, fort satisfait, s'assit pour écrire aux
différents banquiers et leur donner comme instructions de transférer cette somme sur le compte de

son tueur à gages. Pour le solde, il ne se faisait pas
d'inquiétude. Une fois de Gaulle supprimé, les
industriels et les banquiers d'extrême-droite, qui
avaient financé l'O. A. S. à ses débuts, se hâte-
raient de fournir le complément de la somme.

Lorsqu'il eut fini de rédiger ses directives aux
banquiers, il en soumit le texte à Casson qui aussitôt souleva des objections. Il fit remarquer qu'ils
s'étaient engagés tous les trois à fournir à leur
Anglais un contact à Paris capable de lui assurer
en permanence le maximum de renseignements
sur les déplacements du Président et sur les modi-
fications éventuelles dans les mesures de sécurité
qui l'entouraient. Cette source d'information pouvait être, serait vraisemblablement, d'une importance vitale pour l'assassin. En l'informant du
transfert de l'argent à ce stade, on risquait de
l'encourager à agir trop tôt. Il choisirait lui-même
le moment où il voulait frapper, c'était entendu,
mais quelques jours de plus ne changeraient pas
grand-chose à la situation. Certaines lacunes dans
les informations communiquées au tueur risque-
raient en revanche de faire échouer définitivement
le plan. Lui, Casson, avait appris le matin même
par une lettre que son principal correspondant à
Paris avait réussi à placer un agent en contact
étroit avec un des hommes appartenant à l'entourage immédiat de De Gaulle. Il faudrait encore
attendre quelques jours avant que l'agent pût
recueillir des renseignements valables. Ne valait-il
pas mieux, en conséquence, ajourner de quelques
jours les instructions aux banquiers jusqu'à ce
que Casson fût en mesure de fournir à l'assassin
un numéro de téléphone à Paris où il pourrait

obtenir des renseignements essentiels à la réussite
de sa mission ?

Après avoir longuement réfléchi, Chazanet se
rendit aux arguments de Casson.

Mais en fait ce débat, ce souci de ne rien laisser
au hasard, ces précautions venaient trop tard.
Rien n'aurait pu maintenant modifier le programme du Chacal. Déjà il avait choisi son jour
et procédait à ses préparatifs avec une précision
toute mathématique.

Assis sur le toit dans l'étouffante nuit romaine,
sa silhouette massive se confondant avec l'ombre
plus soutenue de la cheminée de ventilation du
climatiseur, la main négligemment posée sur son
Colt 45, Kowalski se tourmentait pour une petite
fille couchée dans son lit à Marseille, avec la lecé...
quelque chose dans le sang. Peu avant l'aube, une
idée lui vint. Il se rappela que la dernière fois qu'il
avait vu Jojo, l'ancien légionnaire avait parlé de
se faire installer le téléphone.

Le matin où Kowalski recevait cette lettre, le
Chacal quittait l'hôtel Amigo à Bruxelles. Un taxi
le déposa au coin de la rue où habitait M. Goossens.
Il avait téléphoné à l'Armurier à l'heure du petit
déjeuner et avait pris rendez-vous avec lui à onze
heures. Par prudence, il inspecta la rue pendant quelques instants, puis alla sonner à la
porte.

Goossens vint lui ouvrir lui-même, referma la
porte avec soin, posa la barre de sécurité et conduisit son visiteur dans son petit bureau.

— Alors, pas de problèmes ? s'enquit le Chacal.

L'Armurier parut embarrassé. L'assassin posa sur lui un regard froid.

— Vous m'avez dit que le fusil serait prêt pour le 4 août.

— C'est exact, et croyez-moi, ce n'est pas l'arme qui me pose des problèmes. En fait, ce fusil est même terminé, et entre nous, je le considère comme un de mes chefs-d'œuvre. Ce qui me tracasse, c'est l'autre pièce qu'il m'a fallu naturellement fabriquer de A à Z. Je vais vous montrer.

Sur le comptoir était posée une sorte de valise plate d'environ soixante centimètres de long sur quarante-cinq, et de dix centimètres d'épaisseur. M. Goossens l'ouvrit en deux et les deux panneaux de la valise se rabattirent, formant comme un plateau divisé en plusieurs compartiments qui correspondaient exactement à chacune des parties du fusil.

— Ce n'est pas l'étui original, vous comprenez, expliqua M. Goossens. Il aurait été beaucoup trop long. Celui-là, j'ai dû le faire moi-même. Tout s'y case parfaitement...

Contre le bord du plateau ouvert se trouvaient le canon et la culasse dont la longueur ne dépassait pas quarante-cinq centimètres. Le Chacal le souleva et l'examina. Il était ultra léger et ressemblait plutôt au canon d'une mitraillette. La culasse comportait un levier garni en arrière d'un tenon arrondi dans l'axe de la pièce. Le Chacal le saisit entre le pouce et l'index de la main droite et le fit pivoter rapidement de droite à gauche. Le levier coulissa dans sa gorge et la culasse ouverte laissa apparaître la chambre luisante où devait être logé le projectile. Juste au-dessous du levier en

retrait avait été habilement soudée sur le mécanisme une cuvette permettant le libre jeu de la
culasse. Sur l'arrière de cette cuvette avait été
ménagé un orifice fileté.

— C'est là que vient se loger le fût, expliqua
Goossens.

Le Chacal tourna le fusil à l'envers et en examina
le dessous. D'une mince encoche ouverte sur la
partie inférieure de la culasse saillait l'amorce
tronquée de la détente à laquelle était soudée
une minuscule pièce de métal également forée d'un
trou fileté. Sans un mot, Goossens tendit au Chacal
une sorte de virgule d'acier avec un filetage à son
extrémité de deux à trois centimètres de long.

D'un rapide mouvement du pouce, le Chacal
vissa cette virgule métallique dans l'orifice. Ainsi
se montait la détente de l'arme en saillie sous la
culasse.

A côté de lui, l'Armurier prit dans le plateau
une tige d'acier avec un pas de vis à un bout.

— Le premier élément de la crosse, dit-il.

Le Chacal vissa solidement la tige à l'arrière
du mécanisme avec lequel elle formait un angle
d'environ trente degrés. A quelques centimètres
du mécanisme un autre trou avait été ménagé
pour recevoir le montant supérieur de la crosse.
Ces deux pièces une fois ajustées, Goossens tendit
la base au Chacal. C'était une plaque incurvée
d'une dizaine de centimètres de long garnie d'un
épais rembourrage de cuir noir. Aux deux extrémités avaient été prévus des trous correspondant
aux montants de la crosse.

— Là, pas besoin de visser, dit l'Armurier. La
pièce s'encastre d'une simple pression.

Le Chacal mit la plaque d'épaule en place et
d'un coup sec l'emboîta dans les tiges des montants
de la crosse.

L'ensemble avait maintenant presque l'air d'un
fusil normal. D'un geste expert, le Chacal mit le
fusil en joue, l'index droit sur la détente, l'œil
gauche fermé, visa le mur en face de lui et pressa
la détente. Il y eut un petit déclic dans le mécanisme. Il se tourna vers le Belge qui tenait un
tube noir d'environ vingt-cinq centimètres de
long à chaque main.

— Le silencieux, dit le Chacal en prenant le
tube qui lui était tendu.

Rapidement, il le vissa avec soin à l'extrémité
du canon. L'autre tube que tenait Goossens était
la lunette télescopique. Sur le dessus du canon,
une série de rainures doubles avaient été creusées
dans le métal. Elles servaient à fixer cette lunette
télescopique en lui assurant un parallélisme rigou-
reux avec le canon. Sur la droite et le dessus du
télescope des petites vis sans tête permettaient
de régler le collimateur à l'intérieur de la lunette.

A nouveau, le Chacal porta le fusil à son épaule.
Il évoquait un peu le style d'un élégant gentleman
essayant une nouvelle arme de tir dans une boutique de Piccadilly. Mais ce qui, quelques instants
plus tôt, pouvait passer pour les pièces détachées
d'une carabine quelconque, était maintenant la
dangereuse arme de haute précision d'un tueur à
gages. Le Chacal reposa le fusil et se tourna vers
l'Armurier, l'air satisfait.

— Bien, dit-il. Très bien. Je vous félicite. Du
très beau travail.

M. Goossens eut un large sourire.

— Il ne reste que la question de la correction de la hausse et du tir d'entraînement.

Du tiroir de son bureau, l'Armurier sortit une boîte de cent cartouches. La boîte était ouverte et six projectiles manquaient dans la première rangée.

— Voilà pour l'entraînement, dit-il. J'en ai pris six autres pour les transformer en balles explosives.

Le Chacal prit une poignée de cartouches et les considéra au creux de sa main. Elles semblaient d'un calibre bien réduit pour l'objectif auquel il les destinait ; du moins étaient-elles du format extra long qui conférait au projectile une vitesse initiale foudroyante.

— Où sont les vraies cartouches ? s'enquit l'Anglais.

M. Goossens retourna vers son bureau d'où il sortit un petit paquet fait de papier de soie.

— En général, bien entendu, je les mets en lieu sûr, expliqua-t-il, mais comme je savais que vous veniez, je les ai sorties.

Il défit le rouleau de papier et en laissa glisser le contenu sur son buvard blanc. Au premier coup d'œil, les balles ressemblaient à celles que le Chacal était en train de remettre dans la boîte de carton. Mais au second examen, on pouvait remarquer que les têtes coniques des projectiles d'entraînement en cupro-nickel avaient été abrasées pour exposer la masse de plomb. Cette masse émoussée à son extrémité avait été creusée d'un trou minuscule au fond duquel Goossens avait logé une goutte de mercure avant de le reboucher avec du plomb liquide. Une fois le plomb durci, la balle, modelée et poncée, avait retrouvé son aspect normal.

Le Chacal connaissait ces balles sans les avoir jamais vues. Interdite par la Convention de Genève, beaucoup plus meurtrière que les simples dumdum, la balle explosive éclatait comme une grenade en atteignant sa cible humaine. Au départ, la gouttelette de mercure se trouvait écrasée au fond de sa cavité par la force centrifuge et en touchant l'objectif, projetée en avant avec une telle violence que la masse de plomb se trouvait propulsée en avant, volatilisée en étoile comme les pétales d'une fleur brusquement épanouie. Tous les éclats de plomb ainsi dispersés déchiquetaient les chairs, broyaient les os, déchiraient les tissus dans un rayon équivalent à celui d'une soucoupe. Pénétrant dans un crâne, une telle balle le réduisait instantanément en bouillie.

Le Chacal reposa délicatement la cartouche sur le papier de soie. Derrière lui, le petit armurier le considérait d'un regard interrogateur.

— Ça m'a l'air parfait, dit le Chacal. Vous êtes un expert, monsieur Goossens, pas d'erreur. Alors, quel est le problème ?

— C'est la question des tubes, monsieur. Ils ont été beaucoup plus difficiles à fabriquer que je ne l'avais pensé. D'abord, j'ai utilisé l'aluminium comme vous le suggériez. Mais il ne faut pas oublier que j'ai commencé par acheter et perfectionner l'arme. Et je ne me suis occupé du reste que depuis quelques jours. Pour réduire ces tubes au diamètre minimum, j'ai pris du métal très mince. Mais une fois travaillé, c'était devenu du papier à cigarettes. Il se pliait au plus petit

effort. Pour pouvoir rester dans les normes, j'ai
donc pris de l'acier inoxydable, beaucoup plus ré-
sistant mais naturellement bien plus dur à travailler. En fait, j'ai commencé hier à...

— Je comprends, je comprends. Maintenant,
la seule question qui se pose, c'est : quand?

L'Armurier haussa les épaules.

— Difficile à préciser. J'ai tous les éléments
nécessaires sous la main ; à moins d'imprévu...
ce qui m'étonnerait. Je suis persuadé que les derniers problèmes techniques sont résolus. Cinq
jours, six. Une semaine peut-être...

L'Anglais ne laissa rien percer de son irritation.
Le visage impassible, il observait le Belge qui
terminait ses explications. Lorsque Goossens se
tut, l'Anglais réfléchissait toujours.

— Très bien, dit-il enfin. Cela va peut-être
m'obliger à modifier mes projets de voyage. Mais
ça n'est peut-être pas aussi grave que je le pensais
à mon dernier passage. Cela dépend dans une
certaine mesure d'un coup de téléphone que je
dois donner. De toute façon, il faut que je me
familiarise avec cette arme, et autant le faire en
Belgique même. Mais j'aurai besoin du fusil et
des cartouches normales, plus une des cartouches
modifiées. Il me faut également un endroit tranquille où je puisse m'exercer. Où peut-on aller
dans ce pays pour essayer un fusil en étant sûr
de ne pas être repéré? De cent trente à cent cinquante mètres en plein air?

— Dans la forêt d'Ardenne, répondit Goossens.
Vous y trouverez facilement des coins où on ne
voit jamais personne du matin au soir. L'aller et
retour vous prendra à peine une journée. Nous

sommes aujourd'hui jeudi, le week-end commence demain et vous risquez tout de même de rencontrer des promeneurs. Allez-y plutôt lundi, le 5. D'ici mardi ou mercredi, j'espère avoir terminé mon travail.

L'Anglais acquiesça, satisfait.

— Très bien. Je crois que je vais prendre le fusil et les munitions tout de suite. Je vous contacterai de nouveau mardi ou mercredi, la semaine prochaine.

L'Armurier s'apprêtait à protester, mais son client prit les devants.

— Sauf erreur, je vous dois encore sept cents livres environ. En voilà — il laissa tomber quelques liasses sur le buvard — encore cinq cents. Je vous donnerai les deux cents autres quand je viendrai chercher le reste du matériel.

— Merci, monsieur, dit l'Armurier en raflant les cinq liasses contenant chacune vingt coupures de cinq livres.

Il démonta le fusil pièce par pièce, plaçant chacune d'elles avec soin dans le compartiment doublé de feutrine de l'étui. Quant à la balle explosive, il l'enveloppa à part dans un bout de papier et la casa avec le chiffon de nettoyage et les brosses. L'Anglais glissa les cartouches dans sa poche et prit l'étui par la poignée. Il avait l'air d'un représentant portant une mallette d'échantillons. M. Goossens le raccompagna poliment jusqu'à la porte.

Rentré à l'hôtel, le Chacal alla ranger l'étui au fond de sa penderie. Il en ferma la porte à double tour et empocha la clef. Après un déjeuner tardif, il se rendit à la poste centrale et demanda

un numéro à Zurich. Il dut attendre la communication une demi-heure, puis obtint Herr
Meier au bout du fil. L'Anglais se présenta en
donnant un numéro, puis son nom.

Herr Meier le pria de l'excuser et revint deux
minutes plus tard. Il avait maintenant perdu son
ton circonspect. Les clients dont les comptes en
dollars et en francs suisses grossissent régulièrement méritent d'être traités courtoisement.
L'homme de Bruxelles posa une question et de
nouveau le banquier suisse le pria de l'excuser,
mais reprit la ligne cette fois moins de trente
secondes plus tard. De toute évidence, il s'était
fait apporter le relevé du compte de son client
et l'examinait.

— Non, mein Herr, grésilla la voix dans l'appareil. Nous avons ici votre lettre nous demandant
de vous informer par lettre exprès de tout verse-
ment à votre compte, mais il n'y en a eu aucun
pendant la période que vous mentionnez.

— Je me posais simplement la question, Herr
Meier, parce que je suis parti de Londres depuis
deux semaines et votre lettre aurait pu arriver
en mon absence.

— Non, il n'y a rien eu. Dès que votre compte
sera crédité, nous vous en informerons aussitôt.

Coupant court aux formules de politesse dont
l'abreuvait Herr Meier, le Chacal raccrocha, régla
la communication et partit.

Il retrouva le faussaire dans le bar de la rue
Neuve ce soir-là, peu après six heures. L'homme
était déjà là, accoudé au comptoir. L'Anglais
repéra une banquette libre dans un coin, fit signe
au Belge de le rejoindre.

— Alors, vous avez fini ? demanda-t-il.

— J'ai fini, oui. Et c'est du beau travail, je peux vous le dire.

L'Anglais tendit la main.

— Montrez.

Le Belge alluma une de ses Bastos et secoua la tête.

— Je vous en prie, monsieur, comprenez-moi, cet endroit est vraiment trop public. En plus il faut une bonne lumière pour les examiner, surtout les cartes françaises. Elles sont au studio.

Chacal l'étudia un moment d'un regard froid, puis il acquiesça d'un signe de tête.

— Très bien, allons voir ça.

Quelques minutes plus tard, ils sortaient du bar et arrêtaient un taxi. Le soleil brillait encore haut dans le ciel en cette fin d'après-midi d'été, mais dans le studio en sous-sol où flottait un mélange de relents chimiques et d'odeur de moisi, régnait une demi-pénombre qui permettait à peine de distinguer le mobilier.

Le faussaire écarta un rideau en velours, alluma un plafonnier, tira de sa poche une enveloppe dont il fit glisser le contenu sur un petit guéridon d'acajou. Puis il amena le guéridon au milieu de la pièce, juste à l'aplomb du plafonnier.

— Je vous en prie, monsieur.

Avec un large sourire, il indiqua les trois cartes posées sur la table. L'Anglais en prit une qu'il examina à la lumière. C'était son permis de conduire, sur la première page duquel une carte était collée. Cette carte annonçait que M. Alexander James Quentin Duggan était autorisé à conduire des véhicules à moteur des groupes 1a,

1*b*, 2, 3, 11, 12 et 13 du 10 décembre 1960 au
9 décembre 1963 inclus. Au-dessus figurait un
numéro, fictif, et les mots : « Conseil général du
comté de Londres » et « Règlement du trafic routier 1960 ». Puis, en gros, PERMIS DE CONDUIRE,
et « Taxe perçue ». A première vue, c'était un
faux absolument parfait, et qui en tout cas suffisait amplement au Chacal pour ce qu'il voulait
en faire.

Le deuxième document était une simple carte
d'identité française, une carte défraîchie et cornée,
une vraie carte de travailleur, au nom d'André
Martin, âgé de cinquante-trois ans, né à Colmar
et résidant à Paris. Dans l'angle du document,
sur son visage vieilli de vingt ans, avec ses cheveux
gris fer coupés en brosse, se lisait une expression
de lassitude morose.

Mais c'était le troisième document qui l'intéressait le plus. La photo qui y était collée différait
légèrement de celle de la photo d'identité. Le
faussaire avait pris soin de respecter un écart
de plusieurs mois entre les dates de délivrance des
deux documents et grâce à d'habiles retouches
de détail, il était visible qu'il s'agissait du même
homme, mais à des périodes bien distinctes de son
existence. Dans les deux cas, le faussaire avait
fait preuve d'un remarquable talent. Chacal leva
les yeux et empocha les documents.

— Parfait, dit-il. Exactement ce que je voulais.
Je vous félicite. Je vous dois encore cinquante
livres, je crois.

— C'est exact, monsieur. Merci.

L'Anglais tira de sa poche une liasse de dix
coupures de cinq livres et les tendit au faussaire

qui attendait. Sans lâcher la liasse qu'il tenait
encore entre le pouce et l'index, le Chacal ajouta :

— Il manque quelque chose, il me semble.

Le Belge fit mine de ne pas comprendre.

— Monsieur?

— La première page d'origine du permis de
conduire. Je vous ai dit que je tenais à la récupérer.

Le faussaire, sourcils haussés, affecta la surprise,
lâcha la liasse de billets et se détourna, mains
derrière le dos. Puis il pivota sur ses talons et
revint vers le Chacal.

— J'ai pensé que nous pourrions avoir une
petite conversation au sujet de ce bout de papier,
monsieur.

— Ah oui? fit le Chacal d'un ton neutre, où
perçait à peine l'interrogation.

— Le fait est, monsieur, que ce papier... n'est
pas ici. Je l'ai... mis en lieu sûr dans un coffre
privé à la banque. Comprenez-le, monsieur, avec
le métier que je fais il faut bien prendre certaines
précautions... une sorte d'assurance... si vous
préférez.

— Que voulez-vous?

— Eh bien, cher monsieur, je pensais que vous
seriez disposé à échanger ce document contre
une somme un peu supérieure au chiffre de cent
cinquante livres dont nous avions convenu.

L'Anglais poussa un léger soupir, comme déçu
par l'attitude de certains de ses semblables qui
avaient la manie de lui compliquer inutilement
la vie sur cette terre.

— Qu'en pensez-vous? demanda le faussaire
d'un ton insinuant.

— J'ai déjà eu affaire à des maîtres-chanteurs, dit l'Anglais.

Ça n'était pas une accusation, une simple affirmation énoncée d'une voix sans timbre. Le Belge parut choqué.

— Ah, monsieur, je vous en prie! Ne prononcez pas ce mot-là. Je vous propose simplement un... échange. J'ai dans mon coffre l'original de votre permis de conduire, les plaques développées et tous les négatifs des photos que j'ai prises, et aussi, je le crains... — il eut une petite moue pour montrer à quel point il était au regret — une autre photo de vous prise rapidement pendant que vous vous teniez sous les projecteurs sans maquillage. Ces documents, mis en certaines mains, pourraient, je le pense, vous attirer quelques ennuis. Et de toute évidence, vous êtes un homme habitué à payer pour éviter les ennuis...

— Combien?

— Mille livres.

Le Chacal fit mine de réfléchir, hochant la tête à petits coups.

— La récupération de ces documents vaut en effet cette somme, admit-il.

Le Belge eut un sourire triomphant.

— Je suis ravi de vous l'entendre dire, monsieur.

— Mais je refuse, enchaîna l'Anglais sur le même ton.

Les yeux du Belge se rétrécirent.

— Ah... là, je ne vous suis plus, dit-il. Pourquoi... refusez-vous?

— Pour deux raisons, répliqua l'autre avec calme. Rien ne me prouve que vous n'ayez pas conservé d'autres négatifs et d'autres épreuves.

Rien ne me prouve non plus que vous n'ayez pas confié les documents à un ami qui, quand on les lui demandera, exigera lui aussi mille livres pour les rendre.

Le Belge prit un air soulagé.

— Non, non, rassurez-vous, dit-il, ce genre de combine ne serait pas dans mon intérêt. Ces papiers sont dans mon coffre et je suis seul à en disposer. D'autre part, si je devais vous harceler de demandes d'argent répétées, vous auriez, vous, tout intérêt à vous débarrasser de ces cartes et à vous en faire fabriquer un nouveau jeu par un autre faussaire.

— Alors pourquoi ne pas me décider tout de suite puisqu'un autre jeu de faux papiers ne me coûtera pas plus de cent cinquante livres ?

Le Belge écarta les mains.

— Je suppose que vous êtes pressé par le temps... Vous comptez sur ces papiers au nom d'André Martin et sur mon silence. De plus, les faux que je vous ai fabriqués sont parfaits. Qui vous dit que d'autres les vaudraient ? Donc, il vous faut ces papiers d'une part et de l'autre disons que mon silence vaut mille livres.

— Bon. Admettons. Mais où prenez-vous que je dispose comme ça de mille livres ici même en Belgique ?

Le faussaire eut un sourire tolérant, comme quelqu'un qui connaît toutes les réponses, mais ne voit pas d'inconvénient à les dévoiler pour satisfaire les caprices d'un ami.

— Monsieur, vous êtes un gentleman anglais. Ça va de soi. Et vous vous livrez très probablement à un trafic quelconque... un trafic sûrement fruc-

tueux... Drogue... Diamants... Ravitaillement... Je
ne sais pas. Mais les activités que vous exercez
sont rentables. Les milords anglais ne perdent pas
leur temps à jouer les pickpockets sur les champs de
courses. Je vous en prie, monsieur, cessons de
jouer au plus fin, hein ? De toute façon, vous n'avez
qu'à passer un coup de fil pour vous faire transférer
télégraphiquement par des amis, des associés, la
somme à la banque.

L'Anglais se remit à hocher la tête, avec un air
vaguement rêveur, puis un mince sourire lui étira
les lèvres. C'était la première fois que le faussaire
voyait son client perdre son impassibilité et il en
éprouva une sorte de soulagement. Le riche Anglais
s'était fait tirer l'oreille, mais il avait fini par
céder.

— Bon, je suis d'accord, dit le Chacal. Je peux
en effet me procurer mille livres d'ici demain matin.
Mais à une condition.

— Une condition ? répéta le Belge, de nouveau
sur ses gardes.

— Nous ne nous retrouverons pas ici.

Le faussaire fut déconcerté.

— Qu'est-ce que vous reprochez à cet endroit ?
C'est calme, discret...

— Discret, oui, après tout, reprit l'Anglais.

Son sourire s'était légèrement accentué. Brusquement, il se leva, fit un pas en avant, saisit le
Belge par le haut des bras, l'immobilisant avec
une poigne de fer et détendit le genou. Le Belge
grimaçait encore un sourire lorsqu'il eut l'impression de recevoir un coup de bélier dans les parties.

Sa tête se rabattit en avant, ses mains plon-
gèrent vers son bas ventre et un râle étouffé

s'étrangla dans sa gorge. A demi inconscient, plié en deux, il s'écroula sur les genoux.

Le Chacal le laissa glisser sur le sol, enjamba le corps prostré et se mit à califourchon sur son dos. Rapidement, il passa le bras droit sous le menton du faussaire et agrippa de la main son biceps gauche. Puis la main gauche plaquée sur la nuque du faussaire, il lui imprima une secousse brutale, lui rabattant la tête en arrière et de côté.

Les vertèbres cervicales se rompirent avec un claquement qui ne fut probablement pas très bruyant, mais qui, dans le silence du studio, retentit presque comme la détonation d'un petit pistolet. Le corps du faussaire eut une dernière contraction, puis s'affaissa, inerte. Le Chacal maintint sa prise un instant et laissa retomber le cadavre à plat ventre. Vivement, il alla à la fenêtre pour s'assurer que les rideaux étaient bien tirés et revint vers le corps.

Il le tourna sur le dos, fouilla ses vêtements et finit par trouver les clefs dans la poche du pantalon. Avec la quatrième clef du trousseau, il ouvrit le couvercle de la grande malle qu'il passa dix minutes à vider, en éparpillant le contenu autour de lui. Diverses paires de gants faisaient partie du lot ; il en choisit une paire à peu près à sa taille, les ajusta avec soin, alla soulever par les aisselles le corps encore tiède et flasque, le tira vers la malle et le fit basculer à l'intérieur. Replié sur lui-même, le mort y tenait à l'aise. D'ici quelques heures, la rigidité cadavérique surviendrait, le figeant dans la position qu'il avait prise au fond de la malle.

Il entreprit ensuite de remettre en place tous

les accessoires qu'il avait sortis. Perruques, dessous
féminins, postiches et tout ce qui était souple et
de volume réduit fut tassé dans les espaces libres
entre les membres du cadavre. Par-dessus, il posa
plusieurs coffrets pleins de pinceaux, de brosses
et de tubes de crème. Et pour finir, en vrac, ce qui
restait de pots de crème, deux déshabillés, des
pull-overs et des blue-jeans, une robe de chambre
et plusieurs paires de bas résille noirs. La malle
était maintenant pleine à ras bord et le cadavre
totalement enfoui sous des couches superposées
de vêtements et d'accessoires. Il dut même peser
avec force sur le couvercle pour réussir à le fermer.
Une fois la malle fermée à clef, il tira son mouchoir
et méthodiquement essuya la serrure et toutes les
surfaces extérieures de la malle. Il empocha les
billets de cinq livres toujours posés sur le guéridon,
qu'il remit en place après l'avoir également essuyé.
Enfin, il éteignit le plafonnier et alla s'asseoir sur
une chaise pour attendre la tombée de la nuit.

Sans doute finirait-on par remarquer la disparition du faussaire, mais un homme qui se livrait
à ce genre d'activités devait être parfois appelé à
se planquer pendant une certaine période, à partir
pour se mettre au vert. Si l'un de ses amis consta-
tait sa soudaine absence, sans doute aboutirait-il
à ces conclusions. Ceux qui, connaissant l'existence
du studio, se hasarderaient à y pénétrer, devraient
encore fouiller les lieux de fond en comble, forcer
la serrure de la malle et la vider avant de trouver
le cadavre.

En outre, un individu plus ou moins apparenté
à la pègre, si jamais il découvrait le crime, se garderait de donner l'alarme, pensant que le faussaire

avait été liquidé par un chef de bande. En admettant même que la police fût enfin mise au courant et qu'une photo parût dans les journaux, il faudrait encore que le barman se souvînt d'avoir vu le faussaire en compagnie d'un grand type blond en complet à carreaux et portant des lunettes noires et qu'il pût en fournir un signalement valable.

De toute façon, et en mettant les choses au pire, la police n'apporterait sans doute qu'un zèle médiocre à ses recherches, et si l'enquête les amenait par hasard jusqu'à Alexander Duggan, le chemin à parcourir serait encore long pour arriver au Chacal. En bref, il devait disposer au moins d'un bon mois, plus qu'il ne lui en fallait.

Le Chacal se leva, s'étira, alla jeter un coup d'œil au-dehors derrière les photos alignées à la vitre. Il était neuf heures et demie et l'obscurité régnait dans la rue étroite. Sans bruit, il sortit du studio dont il boucla la porte derrière lui. Personne ne le croisa tandis qu'il descendait la rue d'un pas rapide. Cinq cents mètres plus loin, il jetait les clefs dans une bouche d'égout.

Un quart d'heure plus tard, il était à l'hôtel devant un dîner tardif dans une salle à manger presque déserte.

Le lendemain vendredi, il alla faire ses courses dans un des faubourgs ouvriers de Bruxelles. Dans un magasin spécialisé en matériel de camping, il acheta une paire de baskets montantes, des chaussettes de laine, un blue-jean, une chemise de laine à carreaux et un sac à dos. Parmi ses autres emplettes figuraient plusieurs feuilles de mince caoutchouc mousse, un filet à provisions, une pelote de ficelle, un couteau de chasse, un pinceau fin et

une petite boîte de laque blanche. Il songea à
acheter une grosse pastèque à un étal dans la rue,
mais y renonça, songeant qu'elle risquait de pourrir
pendant le week-end.

De retour à l'hôtel, utilisant le permis de conduire au nom d'Alexander Duggan, comme son
passeport, il demanda une voiture de location
pour le lendemain matin et il pria le chef de la
réception de lui louer une chambre avec salle de
bains pour le week-end dans l'une des stations bal-
néaires le long de la côte. Malgré l'affluence des
vacanciers du mois d'août, le réceptionniste réussit
à lui dénicher une chambre dans un petit hôtel
donnant sur le pittoresque port de pêche de Zeebrugge, et il lui souhaita un bon week-end au
bord de la mer.

8

Pendant que le Chacal faisait ses courses à
Bruxelles, Viktor Kowalski se débattait au milieu
des inextricables complications qu'entraîne la
demande d'un numéro à l'étranger par le service
de renseignements de la poste centrale de Rome.

Ne parlant pas italien, il avait fait appel aux
employés des guichets et l'un d'entre eux avait
fini par déclarer qu'il parlait un peu français.
Laborieusement, Kowalski lui expliqua qu'il voulait téléphoner à un ami à Marseille, en France,
mais qu'il ne connaissait pas son numéro.

Oui, il connaissait le nom et l'adresse. L'homme
s'appelait Grzybowski. L'Italien, ahuri, demanda
à Kowalski de lui écrire ce nom. Kowalski, non
sans peine, s'exécuta, mais l'Italien, ne pouvant
admettre qu'un nom pût commencer par GRZ et
croyant à une faute d'orthographe de ce géant
manifestement peu évolué, épela au standard les
trois premières lettres GRI. Aucun Gribowski ne
figurait dans l'annuaire de Marseille, annonça la
standardiste à l'Italien à l'autre bout du fil.
L'employé se tourna vers Kowalski et lui transmit
le renseignement.

Toutefois, en homme consciencieux et désireux de venir en aide à un étranger, l'employé répéta le nom qu'il avait demandé.

— Ça n'existe pas, monsieur. Voyons... G,R,I...

— Non, G, R, Z, gronda Kowalski.

L'employé parut perplexe.

— Excusez-moi, monsieur. G,R,Z...?

— Oui, insista Kowalski, G.R.Z.Y.B.O.W.S.K.I.

L'employé haussa les épaules et appela de nouveau la standardiste.

— Passez-moi les renseignements internationaux, s'il vous plaît.

A dater de cet instant, le général de Gaulle était destiné à survivre, encore que ce fût uniquement grâce à une série de coïncidences confinant au miracle.

Dix minutes plus tard, Kowalski obtenait le numéro de téléphone de Jojo qu'on lui passa une demi-heure plus tard. A l'autre bout du fil, la voix de l'ancien légionnaire était déformée par les parasites. Il semblait hésiter à confirmer les mauvaises nouvelles contenues dans la lettre de Kovacs. Oui, il était content que Kowalski ait appelé, ça faisait trois mois qu'il essayait de retrouver sa trace.

Malheureusement, oui, c'était vrai que la petite Sylvie était malade. Elle n'avait cessé de s'affaiblir et de maigrir et quand enfin un médecin avait diagnostiqué la maladie, elle était déjà condamnée à garder le lit. Elle se trouvait dans la pièce voisine de l'appartement où se trouvait Jojo. Non, ce n'était pas le même appartement, ils avaient déménagé dans un autre, plus grand et plus neuf. Quoi? l'adresse? Jojo la lui donna, lentement, et

Kowalski, tirant la langue d'application, la nota avec la même lenteur.

— Combien qu'ils lui donnent, ces pourris ? hurla-t-il dans l'appareil.

A la quatrième tentative seulement, Jojo comprit le sens de sa question. Une longue pause s'ensuivit.

— Allô, allô ? vociféra Kowalski, n'obtenant pas de réponse.

La voix de Jojo revint au bout du fil.

— Une semaine, deux ou trois peut-être, répondit-il.

Kowalski fixa d'un regard incrédule l'appareil qu'il tenait à la main. Sans un mot, il raccrocha et sortit en vacillant de la cabine. Après avoir payé sa communication, il alla chercher le courrier, boucla l'étui en métal fixé à son poignet et regagna l'hôtel. Pour la première fois depuis de nombreuses années, son cerveau était en ébullition et il n'avait personne vers qui se tourner pour recevoir des ordres permettant de résoudre le problème par la violence.

Dans son appartement de Marseille, celui qu'il n'avait jamais quitté, Jojo reposa aussi l'appareil lorsqu'il se rendit compte que Kowalski avait raccroché. Il se retourna et trouva les deux agents du service Action au même endroit, tenant tous les deux leur Colt 45 spécial à la main. L'un était braqué sur Jojo, l'autre sur sa femme qui était assise, le visage blême, dans un coin du divan.

— Salauds, fit Jojo d'un ton venimeux. Fumiers !

— Il vient ? demanda l'un des hommes.

— Il a rien dit. Il m'a raccroché au nez, répondit le Polonais.

Le Corse le dévisagea de ses yeux noirs et froids.

— Il faut qu'il vienne. Ce sont les ordres.

— Eh ben, vous avez entendu. J'ai dit ce que vous vouliez. Il a dû recevoir un choc. Il a simplement raccroché. Je pouvais pas l'en empêcher.

— Il vaudrait mieux pour toi qu'il vienne, Jojo, répéta le Corse.

— Il viendra, fit Jojo d'un ton résigné. S'il peut, il viendra. Pour la petite.

— Bon. Alors tu as joué ton rôle.

— Eh ben, foutez le camp d'ici, hurla Jojo. Laissez-nous tranquilles!

Le Corse se leva, son pistolet toujours à la main. L'autre demeura assis, observant la femme.

— Nous partons, dit le Corse, mais vous venez avec nous, tous les deux. On peut pas se permettre de te laisser bavarder dans le coin, ou d'appeler Rome, pas vrai, Jojo?

— Où vous allez nous emmener?

— Dans un joli petit hôtel à la montagne. Pour prendre des vacances. Du soleil, de l'air frais. Très bon pour toi, Jojo.

— Combien de temps? demanda le Polonais d'un ton morne.

— Aussi longtemps qu'il faudra.

Le Polonais jeta un coup d'œil par la fenêtre au labyrinthe des ruelles et aux étals de poissonniers qui s'alignaient derrière le Vieux Port.

— On est en pleine saison touristique. Les trains sont pleins en ce moment. On gagne plus en août que pendant tout l'hiver. On va être ruinés pour plusieurs années.

Le Corse se mit à rire comme si cette idée l'amusait.

— Dis-toi que c'est un gain plutôt qu'une perte, Jojo. Après tout, c'est pour la France, ta patrie d'adoption.

Le Polonais pivota sur lui-même.

— Je me fous pas mal de la politique! Qu'est-ce que ça peut me faire, qui est au pouvoir ou quel parti veut tout chambarder? Mais les gens de votre espèce, je les connais. J'en ai rencontré toute ma vie. Les gars comme vous, ça sert n'importe qui, Hitler, Mussolini, l'O. A. S... Les régimes peuvent changer, mais les salopards de votre espèce, eux, ils ne changent jamais...

Il vociférait maintenant et se dirigeait en traînant la jambe vers l'homme dont le pistolet braqué n'avait pas bougé d'un millimètre.

— Jojo! hurla la femme sur le divan. Jojo, je t'en prie, laisse-le!

Le Polonais s'immobilisa et regarda fixement sa femme, comme s'il avait oublié sa présence. Il jeta ensuite un regard circulaire sur la pièce et ceux qui s'y trouvaient. Tous le regardaient, sa femme d'un air implorant, les deux durs du service secret d'un air neutre. Ils avaient l'habitude d'être insultés. Le chef des deux indiqua la chambre à coucher d'un signe de tête.

— Va faire tes bagages. Toi d'abord, ensuite ta femme.

— Et Sylvie, alors? Elle va rentrer de l'école à quatre heures. Qui va s'occuper d'elle? demanda la femme.

Le Corse observait toujours le mari.

— On la prendra au passage à la sortie de l'école. C'est prévu au programme. La maîtresse a été prévenue que sa grand-mère était mourante et que toute la famille se rendait à son chevet. Nous savons être discrets. Allez, vas-y.

Jojo haussa les épaules, jeta un dernier coup d'œil à sa femme et entra dans la chambre, suivi du Corse. Sa femme continuait à tordre son mouchoir entre ses mains. Au bout d'un moment, elle leva la tête vers l'autre agent assis au bout du divan. C'était un Gascon, plus jeune que le Corse.

— Qu'est... qu'est-ce qu'ils vont lui faire ?

— A Kowalski ?

— Viktor, oui.

— Il y a des messieurs qui veulent lui parler, c'est tout.

Une heure plus tard, toute la famille était à l'arrière d'un break Citroën, les deux agents devant, et la voiture filait vers un hôtel isolé dans le massif du Vercors.

Le Chacal passa la journée du samedi à prendre des bains de soleil sur la plage de Zeebrugge, à nager dans la mer du Nord glaciale, à se promener dans le petit port et le long de la jetée où marins et soldats britanniques s'étaient si durement battus durant la première guerre mondiale. Certains des vieillards moustachus assis le long de la digue en train de pêcher le bar au lancer auraient pu évoquer leurs souvenirs vieux de quarante-six ans, s'il le leur avait demandé, mais il n'y songea pas. Sur les plages, quelques familles de Belges et d'Anglais installés sous des parasols qui les protégeaient plus du vent que du soleil, surveillaient leurs enfants qui jouaient dans les vagues ou construisaient des châteaux de sable.

A la longue, déprimé par le spectacle, par les criailleries des gosses, par les rafales de vent, le Chacal regagna son hôtel.

Le dimanche matin, il plia bagage et traversa sans se presser la campagne flamande, s'arrêtant pour flâner dans les rues étroites de Gand et de Bruges. Il déjeuna au restaurant Siphon de Damm d'une grillade au feu de bois, et vers le milieu de l'après-midi remit le cap sur Bruxelles. Avant de monter se coucher, il demanda à être réveillé tôt le lendemain matin avec un repas pique-nique en plus de son petit déjeuner. Il voulait, expliqua-t-il, se rendre dans les Ardennes sur la tombe de son frère aîné tué au cours de la bataille de Bastogne. Le réceptionniste, déférent, promit qu'on ne manquerait pas de le réveiller à temps pour qu'il pût accomplir son pèlerinage.

A Rome, le week-end de Viktor Kowalski s'écoula dans un climat beaucoup moins détendu. Il prit régulièrement ses tours de garde, soit dans le couloir du huitième étage, soit sur le toit la nuit. Pendant ses périodes de repos, il ne dormit guère, étendu sur son lit au huitième étage, à ruminer et à boire le gros rouge râpeux que l'on fournissait par bonbonnes de quatre litres et qui constituait l'ordinaire des huit légionnaires chargés du service de garde. S'il n'avait pas reçu d'ordres d'un supérieur, Kowalski flottait en général dans le doute et l'indécision, mais quand vint le lundi matin, sa résolution était prise.

Il ne serait pas longtemps absent, une journée peut-être, ou deux à la rigueur suivant les horaires

d'avion. De toute façon, il n'avait pas le choix.
Il expliquerait les choses au patron après coup.
Il comprendrait sûrement, le patron, même s'il
était furieux. L'idée lui vint d'exposer son problème au colonel et de lui demander quarante-huit
heures de permission. Mais le colonel, tout bon
chef qu'il était pour ses hommes, refuserait de le
lâcher, c'était couru d'avance. Pour Sylvie, il ne
comprendrait pas et Kowalski savait qu'il ne pourrait pas lui expliquer. Jamais il n'avait su se
servir des mots pour s'exprimer. Avec un profond
soupir, il se leva pour aller prendre son tour de
garde. Il était profondément troublé à l'idée que
pour la première fois de sa vie, il allait s'absenter
sans permission.

Le Chacal se leva à la même heure et se prépara
méticuleusement. Douché, rasé, après avoir savouré
un excellent petit déjeuner, il sortit de la penderie
l'étui qui contenait le fusil, enveloppa et ficela
avec soin chaque élément d'une feuille de caoutchouc mousse, et rangea ces divers paquets au
fond de son sac à dos. Par-dessus, il empila le pot
de peinture et le pinceau, le blue-jean et la chemise
à carreaux, les chaussettes et les baskets. Puis
il casa le filet à provisions dans une des poches
extérieures et la boîte de munitions dans l'autre.
Il endossa une de ses habituelles chemises à
rayures, un léger complet gris pâle et chaussa de
fins mocassins en cuir noir de chez Gucci. Une
cravate tricotée en soie noire vint compléter sa
tenue. Tenant le sac à dos à la main, il descendit
à sa voiture, garée dans le parking de l'hôtel.

Après avoir bouclé le sac dans le coffre, il regagna
le hall où on lui remit un repas froid tout préparé
et salua d'un signe de tête le réceptionniste qui
lui souhaitait bon voyage. A neuf heures, il sortait de Bruxelles par la route E. 40 et filait en direction de Namur. Un soleil déjà chaud baignait le
pays plat, laissant présager une journée étouffante.
Il s'arrêta un instant pour consulter la carte routière et constata qu'il se trouvait à environ cent
quarante kilomètres de Bastogne. A midi, songea-
t-il, il aurait facilement accompli le trajet et il
redémarra, lançant son Aronde de location sur
la route rectiligne à travers la plaine wallone.

Avant même que le soleil fût au sommet de sa
courbe il avait dépassé Namur et Marche. Bientôt,
il atteignit Bastogne. Après avoir traversé la
petite ville qu'avaient écrasée au cours de l'hiver
de 1944 les chars Tigres de Manteuffel, il s'engagea
sur la route qui grimpait dans les collines vers
le sud. Le long de la route en lacets, la forêt
se faisait de plus en plus dense, les rayons du soleil
ne perçaient que de loin en loin l'écran serré des
feuillages.

A sept kilomètres au-delà de Bastogne, le Chacal repéra un étroit chemin de terre qui s'enfonçait
dans le sous-bois. Il y engagea la voiture et
quinze cents mètres plus loin, tourna dans une
autre sente à peine carrossable. Quelques dizaines
de mètres au-delà il garait la voiture derrière un
épais buisson. Il attendit un moment dans la pénombre fraîche de la forêt, fumant une cigarette, écou-
tant les cliquetis du bloc moteur qui se refroidis-
sait, le murmure du vent dans les cimes des arbres,
les roucoulements lointains d'un ramier.

Sans hâte, il descendit du véhicule, ouvrit la malle et en sortit le sac à dos qu'il posa sur le capot. Il se changea de la tête aux pieds et plia soigneusement l'impeccable complet gris pâle sur la banquette arrière de l'Aronde avant d'enfiler le blue-jean. Il troqua sa chemise de popeline contre la chemise de sport à carreaux et remplaça ses mocassins de luxe par les baskets bleues et blanches.

Un par un, il déballa les éléments du fusil et les ajusta avec minutie, puis glissa le silencieux dans une poche de son pantalon, la lunette télescopique dans l'autre. De la boîte de munitions, il fit tomber vingt cartouches dans une des poches poitrine de sa chemise, et dans l'autre glissa l'unique balle explosive, toujours enveloppée de papier de soie.

Délicatement il posa le fusil monté sur le capot et retourna prendre dans le coffre ce qu'il avait acheté la veille au soir au marché de Bruxelles avant de regagner l'hôtel et qui était resté toute la nuit dans le coffre. C'était une pastèque. Il referma le coffre, mit le melon dans le sac à dos avec le pot de peinture, le pinceau et le couteau de chasse, ferma la voiture à clef et s'enfonça dans les bois. Un quart d'heure plus tard, il débouchait dans une longue clairière étroite. Posant le fusil contre un arbre et comptant ses pas, il avança de cent cinquante grandes enjambées et s'approcha d'un arbre d'où il voyait clairement le point où il avait laissé son fusil. Il renversa sur le sol le contenu du sac à dos, ouvrit le petit pot de peinture, cala la pastèque entre ses genoux et, le pinceau à la main, se mit au travail. Quelques minutes plus tard, sur le fond vert foncé du melon

d'eau se détachaient vivement en blanc la ligne
d'un front, deux yeux, un nez et une large bouche.

Plantant le couteau au sommet du fruit pour
éviter de se barbouiller les doigts de peinture,
le Chacal plaça délicatement la pastèque à l'intérieur du filet à provisions dont les larges mailles
laissaient clairement apparaître les traits du visage
grossièrement tracés à la peinture blanche.

Enfin, il ficha solidement le couteau dans le
tronc de l'arbre à environ deux mètres du sol et
accrocha le filet au manche par sa double poignée.

Tandis que le gros fruit ovale, tête grotesque
privée de corps, oscillait doucement sur son support, le Chacal recula de trois pas pour contempler
son œuvre. A cent cinquante mètres, l'illusion serait
parfaite. Il referma la boîte de peinture, la lança
avec force dans les buissons en lisière de la clairière où elle disparut. Quant au pinceau, il le ficha
en terre et l'enfonça à coups de talon jusqu'à ce
qu'il n'en restât plus trace visible. Puis il ramassa
son sac à dos et retourna près du fusil.

A gestes experts, il ajusta le silencieux et la
lunette. Il actionna le levier de culasse et glissa
une cartouche dans la chambre. Puis il mit en
joue. Dans l'oculaire de la lunette, à l'autre bout
de la clairière, la cible surgit toute proche, si nette
qu'il distinguait sans peine les bavures de la peinture fraîche, les mailles entrecroisées du filet contre
la peau sombre et vernissée du melon d'eau.

Changeant légèrement de position, il s'adossa
contre un tronc d'arbre pour affermir ses gestes
et coucha la cible en joue. Les fils en croix du collimateur lui parurent légèrement décentrés. Actionnant du bout des doigts les vis micrométriques,

il régla par petits coups l'appareil de visée. Puis, satisfait, il épaula à nouveau, et très vite pressa la détente.

Le recul fut beaucoup moins fort qu'il ne s'y attendait et le « plouf » étouffé du silencieux aurait à peine été entendu d'un trottoir à l'autre dans une rue tranquille. Le fusil sous le bras, il traversa la clairière pour aller examiner la pastèque. Le pro jectile avait labouré la peau du fruit en haut à gauche et s'était enfoncé dans l'arbre après avoir rompu un croisillon du filet à provisions. Il revint sur ses pas et tira une deuxième fois, sans modifier le réglage de la lunette.

Le résultat fut le même, à un centimètre près. Il tira encore quatre projectiles dans les mêmes conditions, jusqu'à ce qu'il fût convaincu qu'il visait juste mais que l'arme tirait légèrement en haut et à gauche. Alors il fit un nouveau réglage.

Cette fois, le fusil semblait tirer vers le bas et à gauche. Pour en avoir le cœur net, il traversa la clairière et alla examiner l'impact. La balle avait pénétré à l'angle inférieur gauche de la bouche. Il refit trois essais et les trois balles se logèrent au même endroit. Il modifia de façon infime la position du collimateur.

La neuvième balle atteignit la cible exactement où il avait visé, en plein front. Il retourna une troisième fois au bout de la clairière, sortit une craie de sa poche et entoura d'un cercle les trois zones touchées par les balles.

Il logea alors successivement une balle dans cha que œil, l'axe du nez, la bouche et le menton.

Satisfait de la précision de son arme et pour s'assurer que le réglage resterait définitif, il tira de sa poche un petit tube de colle synthétique ultra-rapide et déposa une goutte de liquide visqueux sur les têtes des deux vis micrométriques. Un quart d'heure après, la colle avait durci. Le fusil était prêt à tirer dans les conditions prévues par le Chacal avec le maximum d'efficacité.

Une dernière fois, le tueur actionna la culasse, sortit de la poche de sa chemise la balle explosive, la déballa, la logea dans la chambre. Puis, visant avec un soin tout particulier le centre de la pastèque, il tira.

Comme la dernière volute de fumée bleue s'envolait du silencieux, le Chacal posa le fusil contre un arbre et se dirigea vers l'autre bout de la clairière. Le filet pendait, presque vide, contre le tronc labouré de l'arbre, des bribes de chair rosâtre accrochées à ses mailles. Le fruit qui avait encaissé une quinzaine de projectiles sans se déchirer s'était soudain désintégré. La pulpe était éparpillée sur l'herbe, l'écorce déchiquetée dégoulinait de jus et de pépins. Le Chacal arracha d'un coup sec le couteau du tronc et jeta le filet dans un buisson. Puis il alla ramasser son fusil et regagna sans se presser sa voiture.

Le fusil démonté, il enveloppa soigneusement chaque pièce dans les feuilles de caoutchouc mousse et les remit dans le sac à dos, avec ses baskets, ses chaussettes, sa chemise et son blue-jean. Après avoir revêtu sa tenue citadine, il boucla le sac dans le coffre et mastiqua tranquillement les sandwiches préparés par la cuisine de l'hôtel.

Quelques instants plus tard, il rejoignait la grand-route et roulait vers Bastogne. Peu après

six heures, il était de retour à l'hôtel. Il commença
par monter le sac dans sa chambre, redescendit
régler au bureau de la réception le prix de la location de la voiture, regagna sa chambre, passa une
bonne heure à nettoyer avec soin chaque pièce
du fusil et à en graisser le mécanisme, les remit
dans leur étui et l'enferma dans la penderie. Plus
tard dans la soirée, il jeta dans une poubelle muni-
cipale le sac à dos, la pelote de ficelle et plusieurs
bandes de caoutchouc mousse, puis il expédia
les quinze douilles des balles qu'il avait tirées dans
le canal.

Ce même lundi matin, 5 août, Viktor Kowalski
était de retour à la poste centrale à la recherche
d'un interprète français bénévole. Cette fois, il
pria l'employé de téléphoner à la compagnie
aérienne Alitalia pour demander les horaires d'avion
Rome-Marseille et retour. Il apprit ainsi qu'il
avait manqué l'avion du matin qui décollait de
Ciampino une heure plus tard, ce qui ne lui laissait pas le temps d'arriver à l'aérodrome. Le prochain vol avait lieu le mercredi. Non, il n'y avait
pas d'autres compagnies assurant la liaison directe
avec Marseille. Il y avait des vols indirects. Est-ce
que cela intéressait le signor ? Non ? Le vol de
mercredi alors ? Certainement, départ à onze heures
quinze, et arrivée à Marignane peu après midi.
Le retour était prévu pour le lendemain. Une
seule réservation ? Aller simple ou aller et retour ?
D'accord, et à quel nom ? Kowalski donna celui
qui figurait sur les papiers qu'il avait dans sa
poche. Le passeport n'était plus obligatoire dans

les pays du Marché commun, où l'on pouvait
circuler sur simple présentation de la carte d'identité nationale.

On lui demanda de se présenter à l'aéroport
de Ciampino une heure avant le départ mercredi.
Lorsque l'employé eut raccroché le téléphone,
Kowalski ramassa le courrier du jour et regagna
l'hôtel.

Le lendemain matin, le Chacal rencontrait pour
la dernière fois M. Goossens. Il l'avait appelé vers
neuf heures et l'Armurier lui avait répondu que
tout était prêt. Si M. Duggan voulait bien passer
à onze heures ? Et apporter les accessoires nécessaires pour un dernier réglage.

Il arriva sur les lieux avec un quart d'heure
d'avance, tenant à la main une valise en fibre
achetée une heure plus tôt et dans laquelle il avait
placé la mallette rigide contenant le fusil.

Après avoir observé attentivement la rue et
les approches de la maison de l'armurier, il alla
sonner à la porte d'entrée. M. Goossens vint lui
ouvrir, verrouilla la porte derrière lui et le rejoi-
gnit dans son bureau.

— Pas d'autres problèmes ? demanda l'Anglais.

— Non, cette fois, je crois que ça y est.

Le Belge prit derrière son bureau plusieurs rou-
leaux de toile à sac qu'il posa sur la table. Puis,
les développant un à un, il en sortit une série de
tubes d'acier, d'un polissage si parfait qu'on eût
dit de l'aluminium. Le Chacal lui remit la mallette
que l'Armurier ouvrit devant lui. Les éléments du
fusil s'ajustaient étroitement à l'intérieur des tubes.

— Et vos essais de tir, ça a marché? s'enquit Goossens sans lever les yeux de son travail.

— Très bien.

Comme il saisissait pour finir la lunette télescopique, l'Armurier remarqua les traces de colle sur les vis de réglage.

— Vous n'avez pas eu trop de mal? demanda-t-il. J'ai été obligé de choisir des vis d'un très petit format ; sinon, avec le système d'origine, jamais la lunette n'aurait tenu dans le tube.

Une fois tous les éléments introduits dans leurs gaines tubulaires, Goossens ramassa la virgule d'acier qui constituait la détente et les cinq balles explosives qui restaient.

— Ces pièces-là, voyez-vous, j'ai dû les caser ailleurs, expliqua-t-il.

Il prit la crosse du fusil, montra à son client une fente imperceptible pratiquée au rasoir dans le bourrelet de cuir noir, y inséra la détente et colla sur l'incision un bout de chatterton noir. La cachette était pratiquement indécelable. D'un tiroir de son bureau, il sortit une sorte de bouchon en caoutchouc noir d'environ quatre centimètres de diamètre sur six de long. A l'une des extrémités s'amorçait un embout d'acier fileté.

— Il s'adapte au bout du dernier tube, expliqua Goossens.

Autour de l'anneau fileté, cinq orifices avaient été creusés dans le caoutchouc. L'un après l'autre, l'Armurier y introduisit jusqu'au fond cinq projectiles. Une fois bien en place, on n'en distinguait plus que les capsules de cuivre.

— Alors, qu'est-ce que vous pensez de ça? demanda Goossens avec une trace d'anxiété dans la voix. Il me semble que c'était indispensable pour la vraisemblance...

Sans un mot, l'Anglais prit les tubes, les examina, les secoua. Il n'y eut aucun bruit, aucun ballottement à l'intérieur. Goossens avait pris soin de les tapisser de feutrine pour amortir à la fois les chocs et les vibrations.

Le Chacal reposa côte à côte sur le bureau toutes les pièces de l'arme dans leurs gaines d'acier.

— Eh bien, c'est parfait, déclara-t-il. C'est exactement ce que je voulais.

M. Goossens rosit légèrement, avec un large sourire de satisfaction. Cet hommage d'un expert à un autre expert chatouillait agréablement son amour-propre.

Le Chacal ramassa les tubes, les enroula dans leurs enveloppes de toile et les rangea dans la valise de fibre. Puis il tendit la mallette à l'Armurier.

— Voulez-vous garder ça? Je n'en ai plus besoin. Le fusil va rester là-dedans jusqu'à ce que j'aie l'occasion de m'en servir.

De sa poche intérieure, il sortit deux cents livres qu'il devait encore au Belge et les posa sur la table.

— Je crois que notre transaction est terminée, monsieur Goossens.

Le Belge empocha l'argent.

— Oui, monsieur, à moins que vous n'ayez autre chose à me demander.

— Une seule, répliqua l'Anglais. Vous seriez gentil de ne pas oublier mes avertissements sur la nécessité de vous taire.

— Je n'ai pas oublié et je n'oublierai pas, mon-

sieur, répondit l'Armurier en s'efforçant de garder
son calme. Mais ses traits un peu tendus trahis-
saient malgré lui son angoisse. Ce tueur à la
voix douce pour lequel il avait si consciencieuse-
ment travaillé allait-il essayer de le réduire tout
de suite au silence ?

Le Chacal parut lire dans ses pensées.

— Inutile de vous inquiéter, dit-il avec un bref
sourire. Je n'ai pas l'intention de vous faire de
mal. J'imagine d'ailleurs qu'un homme aussi
intelligent que vous a pris certaines précautions
pour éviter d'être tué par un de ses clients. Un
coup de fil qu'on attend d'ici une heure peut-être ?
Un ami qui arrivera et découvrira le corps s'il ne
reçoit pas ce coup de fil ? Une lettre déposée chez
un avocat, à ouvrir au cas où vous disparaîtriez.
Pour moi, vous supprimer entraînerait bien des
complications.

M. Goossens éprouva un léger choc. Une lettre
était en effet déposée en permanence chez un
avocat, à ouvrir en cas de décès. Elle donnait
comme instructions à la police de fouiller sous une
certaine pierre au fond du jardin. Sous cette pierre
se trouvait une boîte contenant une liste des
clients pour lesquels il avait travaillé et qu'il
tenait régulièrement à jour. Le dernier à y figurer
était un grand Anglais blond athlétique et apparemment fortuné qui se faisait appeler Duggan.

— C'est bien ce que je pensais, reprit tranquillement le Chacal. Mais encore une fois, si
jamais vous aviez l'imprudence de parler de ma
visite, je vous garantis que je reviendrais...

— J'ai parfaitement compris, je vous assure.
Cet accord passé avec vous, je le passe avec tous

mes autres clients. Remarquez que, par ailleurs, j'attends d'eux la même discrétion. C'est pourquoi le numéro de série de votre fusil a été effacé à l'acide sur le canon. Je dois également songer à ma propre protection.

L'Anglais sourit de nouveau.

— Alors, nous nous comprenons parfaitement. Adieu, monsieur Goossens.

L'instant d'après, la porte se refermait sur lui et le Chacal, sans se retourner, s'éloignait d'un pas égal le long de la petite rue. Au bout de dix minutes, sur une artère plus importante, il arrêtait un taxi et se faisait conduire à la gare. Il y déposa sa valise de fibre, s'offrit ensuite un déjeuner choisi au Cygne pour fêter la fin du stade préparatoire de sa mission, puis regagna à pied l'Amigo pour faire ses bagages et payer sa note. Il partit exactement comme il était arrivé, vêtu d'un impeccable complet à carreaux, le nez chaussé de grosses lunettes noires, et suivi d'un porteur chargé de ses deux luxueuses valises. Il était également plus pauvre de seize cents livres, mais son fusil était en sûreté et il avait dans sa poche intérieure ses faux papiers parfaitement en règle...

L'avion quitta Bruxelles pour Londres peu après quatre heures et bien qu'une de ses valises eût été négligemment fouillée à l'aéroport de Londres, rien n'y fut découvert de suspect. A sept heures, il prenait une douche chez lui avant de ressortir pour aller dîner dans le West End.

9

Malheureusement pour Kowalski, il n'y avait pas de coups de téléphone à donner à la poste le mercredi matin et le courrier, dans sa case, attendait M. Poitiers. Il ramassa les cinq enveloppes, les boucla dans l'étui métallique au bout de sa chaîne et se hâta de rentrer à l'hôtel. A neuf heures et demie, débarrassé de l'étui par le colonel Chazanet, il était libre de gagner sa chambre pour y dormir. Son prochain tour de garde, sur le toit, commencerait le soir à sept heures.

Il ne resta dans sa chambre que le temps de prendre son Colt 45 (jamais Chazanet ne lui aurait permis de le porter sur lui dans la rue) qu'il glissa dans son baudrier d'épaule. Seul un œil exercé eût deviné sous son vêtement informe la bosse formée par l'arme et son étui. Il fourra dans une poche le rouleau de sparadrap et le béret qu'il avait achetés la veille et glissa dans une autre une liasse de lires et de francs qui représentaient ses économies des six derniers mois.

En l'entendant s'approcher, le garde de service dans le couloir leva la tête.

— Y veulent que j'aille donner un coup de fil,

expliqua Kowalski en indiquant du pouce le neuvième étage au-dessus.

Le garde sans un mot le regarda monter dans
la cabine de l'ascenseur qui arrivait. Quelques
secondes plus tard, Kowalski était dans la rue.

Au café d'en face, l'homme qui semblait absorbé
dans la lecture d'*Oggi* abaissa légèrement son
magazine, et à travers ses lunettes opaques, observa
Kowalski qui cherchait des yeux un taxi. N'en
trouvant pas, il commença à marcher en direction
du carrefour. L'homme au magazine, abandonnant
la terrasse du café, s'approcha du bord du trottoir. Une petite Fiat garée parmi toute une rangée
de voitures un peu plus loin dans la rue décolla du
trottoir et vint s'arrêter en face de lui. Il y monta
et la Fiat, roulant au pas, entreprit de suivre
Kowalski.

Au coin de la rue, le Polonais repéra un taxi en
maraude et le héla.

— *Fiumicino*, dit-il au chauffeur.

A l'aérodrome, l'agent du S. D. E. C. E. le
suivit discrètement jusqu'au comptoir de l'Alitalia.
Kowalski paya son billet, affirma à l'employée
qu'il n'avait pas de bagages à main. On lui annonça
que les passagers de l'avion de onze heures quinze
pour Marseille seraient appelés une heure plus
tard.

Pour tuer le temps, l'ex-légionnaire alla s'installer à la cafeteria et sirota un express tout en
regardant au-delà des grandes baies vitrées les
avions qui atterrissaient et décollaient. Il adorait
les aérodromes sans avoir jamais compris leur
fonctionnement. Presque toute sa vie, le ronflement
d'un moteur avait signifié pour lui les Messer-

schmitts allemands, les Stormoviks russes ou les
Forteresses volantes américaines. Il avait ensuite
signifié l'appui aérien des B-26 ou des Skyraiders
au Vietnam, des Mystères ou des Fougas dans les
djebels. Mais dans un aéroport civil, il aimait voir
descendre les avions tels d'immenses oiseaux
d'argent, leurs moteurs coupés, suspendus en l'air
comme par des fils invisibles. Bien que peu sociable,
il aimait observer les perpétuelles allées et venues
de la foule dans un aérodrome. Si sa vie s'était
orientée autrement, songeait-il vaguement, il
aurait bien aimé travailler dans un aérodrome. Mais
les jeux étaient faits depuis longtemps et les
retours en arrière impossibles.

Ses pensées se tournèrent vers Sylvie et son
visage s'assombrit. Ce n'était pas juste qu'elle
meure alors que tous ces salauds de Paris continuaient à vivre. Le colonel Chazanet lui avait
parlé d'eux, lui avait expliqué comment ils
avaient trahi la France et l'armée, détruit la
Légion, abandonné l'Indochine. Le colonel Chazanet ne se trompait jamais.

Son vol fut annoncé et il franchit les portes
vitrées pour traverser les cent mètres de ciment
brûlant qui le séparaient de l'avion. De la terrasse
de l'aérogare les deux agents du colonel Rolland
le regardèrent monter la passerelle. Il portait
maintenant son béret noir et une large croix de
sparadrap sur une joue. L'un des agents se tourna
vers l'autre et haussa un sourcil perplexe. Dès
que l'avion eut décollé, les deux hommes quittèrent la terrasse, regagnèrent le hall principal
et s'enfermèrent dans une cabine téléphonique
d'où l'un d'eux appela un numéro à Rome. S'étant

identifié par son prénom à la personne qu'il
obtint au bout du fil, il poursuivit :

— Il est parti, annonça-t-il dans l'appareil.
Alitalia 451. Arrivée à Marignane à midi dix.
Ciao.

Dix minutes plus tard, le message était communiqué à Paris et dix autres minutes après, retransmis à Marseille.

Le Viscount d'Alitalia survola la baie dont les
eaux bleues étincelaient sous le soleil et amorça
un dernier virage pour descendre vers le terrain de
Marignane. La jolie et souriante hôtesse de l'air
romaine, ayant vérifié tout le long de l'allée centrale que les passagers avaient bien attaché leurs
ceintures de sécurité, alla s'installer sur son siège
à l'arrière et ajusta la sienne. Elle remarqua que
le passager assis devant elle regardait fixement le
delta du Rhône qui miroitait au-dessous d'eux
comme s'il le voyait pour la première fois.

C'était le géant qui ne parlait pas un mot d'italien et dont le français se teintait d'un fort accent
slave. Il portait un béret noir, un complet sombre
informe au col poussiéreux et gardait obstinément
des lunettes noires. Une large bande de sparadrap
lui barrait la joue. Sans doute s'était-il coupé en
se rasant. A moins qu'il n'eût un furoncle ?

L'appareil atterrit à l'heure pile et les passagers
se dirigèrent vers les bureaux de la douane. Comme
ils franchissaient en file indienne les portes vitrées,
un petit homme chauve planté derrière l'un des
policiers chargés de vérifier les passeports donna
à ce dernier un léger coup de coude.

— Le grand mec, avec le béret noir et le sparadrap, murmura-t-il entre ses dents, puis il alla vers

l'autre policier posté au second portillon trois mètres plus loin et répéta la même phrase.

La double file des passagers commença à s'écouler lentement aux deux points de contrôle, passeport et carte de débarquement à la main. Lorsque vint le tour de Kowalski, l'homme en veston bleu derrière le portillon lui accorda à peine un regard. Il donna un coup de tampon sur la carte de débarquement, jeta un bref coup d'œil à la carte d'identité, opina du bonnet et fit signe au géant de passer.

Soulagé, Kowalski se dirigea vers les comptoirs de la douane et les longea sans ralentir le pas.

Un chef douanier l'interpella :

— Monsieur, vos bagages.

D'un geste, il indiqua les autres passagers qui attendaient le long du tapis roulant l'apparition de leurs valises que l'on sortait d'une camionnette blanche garée dehors au soleil. Kowalski, de sa lourde démarche, s'approcha du douanier.

— J'ai pas de bagages, fit-il.

Le douanier haussa les sourcils.

— Pas de bagages ? Vous avez quelque chose à déclarer ?

— Non, rien, répondit Kowalski.

Le douanier eut un aimable sourire, qui s'accordait bien avec son fort accent marseillais.

— Ça va, passez, monsieur, fit-il avec un geste en direction de la sortie.

Kowalski opina du bonnet et déboucha au soleil devant les taxis alignés. Peu habitué à dépenser librement son argent, il regarda à droite et à gauche, finit par repérer le car de l'aéroport et monta dedans.

Comme il disparaissait, plusieurs autres douaniers vinrent se grouper autour de leur chef.

— Qu'est-ce qu'ils peuvent bien lui vouloir? dit l'un d'eux.

— Il a pas l'air bavard, le mec, commenta un autre.

— Il le deviendra quand ces vaches-là en auront fini avec lui, dit le troisième avec un signe de tête en direction des bureaux derrière eux.

— Allez, au boulot, intervint le plus âgé. On a fait notre devoir pour la France aujourd'hui.

— Pour Charlot-mes-sous, tu veux dire, rétorqua le premier, et comme les autres se dispersaient, il ajouta à mi-voix : Qu'il crève, celui-là !

Lorsque le car s'arrêta devant les bureaux d'Air France au cœur de la ville, il était midi et Marseille, écrasée par la canicule, somnolait au soleil.

La Cannebière même, cette artère vitale de la cité, semblait plongée dans une semi-léthargie. Les taxis étaient introuvables. Tous les chauffeurs avaient dû se réfugier à l'ombre pour y faire la sieste ou savourer un pastis glacé. Enfin, Kowalski réussit à en dénicher un. L'adresse que lui avait donnée Jojo se trouvait dans les faubourgs sur la route de Cassis. Il demanda au chauffeur de le laisser avenue de la Libération pour faire le reste du trajet à pied.

— Comme vous voudrez, fit d'une voix chantante le chauffeur sans cacher la commisération que lui inspirait un fada qui préférait marcher dans cette chaleur de four alors qu'il avait une voiture à sa disposition.

Kowalski attendit que le taxi eût fait demi-tour en direction de la ville pour se remettre en route. A la terrasse d'un café, un serveur lui

indiqua comment trouver la rue dont il avait noté
le nom sur un bout de papier. L'immeuble semblait
de construction récente. Jojo et sa femme avaient
dû faire de bonnes affaires en poussant leur buffet
roulant, songea Kowalski. Peut-être même avaient-
ils réussi à acheter le kiosque qu'ils guignaient
depuis des années. Et ça vaudrait mieux pour
Sylvie de grandir dans ce quartier plutôt que dans
celui des docks... Brusquement, les propos de Jojo
au téléphone lui revinrent à l'esprit. Kowalski
s'immobilisa au pied de l'escalier. Qu'avait-il dit
au téléphone? Une semaine? Deux peut-être? Non.
Ça n'était pas possible. Il n'y avait vraiment
pas de justice...

Il monta l'escalier en courant et s'arrêta devant
la double rangée de boîtes aux lettres dans l'entrée. Grzybowski, annonçait l'une d'elles, appartement 23.

La porte de l'appartement 23 ressemblait à
toutes les autres. A côté de la sonnette, il y avait
une petite carte avec le nom Grzybowski tapé à la
machine. La porte s'encadrait au fond du couloir
entre le 22 et le 24. Il appuya sur la sonnette. La
porte s'ouvrit et une énorme matraque s'abattit
à toute volée sur son front.

De part et d'autre de Kowalski les portes du
22 et du 24 s'ouvrirent et des hommes en surgirent.
Tout s'était passé en moins d'une seconde. Juste
le temps pour Kowalski de se déchaîner. S'il avait
les réactions les plus lentes dans la plupart des
domaines, le Polonais connaissait au moins une
technique à fond : celle du combat.

Dans l'espace relativement exigu du couloir,
sa taille et sa force lui étaient inutiles. En raison

de sa haute stature, le coup au front n'avait pas atteint son maximum d'efficacité. A travers le sang qui lui ruisselait dans les yeux, il vit qu'il y avait deux hommes sur le pas de la porte devant lui et deux autres de chaque côté. Il lui fallait de la place pour se mouvoir, aussi chargea-t-il en avant.

Sous l'impact, l'homme qui se trouvait juste devant lui fut violemment projeté en arrière ; ceux qui étaient derrière se ruèrent sur lui, les mains tendues pour l'agripper par son col et sa veste. Une fois à l'intérieur de la pièce, il arracha son Colt de son baudrier, pivota sur lui-même et tira vers la porte. Au même instant une autre matraque s'abattit sur son poignet, déviant le projectile vers le bas.

La balle fit sauter la rotule d'un de ses agresseurs qui s'écroula en poussant un cri aigu. Un deuxième coup de matraque lui engourdit l'avant-bras et le pistolet lui échappa. Une seconde plus tard, les cinq hommes se précipitaient sur lui. Le combat dura trois minutes. Un docteur estima par la suite que le Polonais avait dû encaisser une vingtaine de coups de matraque sur le crâne avant de s'évanouir. Il avait une oreille à moitié décollée, le nez cassé et son visage n'était plus qu'un masque boursouflé et sanguinolent.

Lorsqu'il s'effondra finalement à plat ventre, il ne restait plus que trois de ses agresseurs debout.

Le corps gigantesque étalé par terre était complètement immobile ; seul un filet de sang s'écoulant de son crâne fendu indiquait qu'il vivait encore. Les trois survivants reculèrent

d'un pas, haletants. L'homme qui avait reçu une
balle dans la rotule était recroquevillé contre le
mur près de la porte, le visage blafard, ses mains
luisantes de sang crispées sur son genou blessé.
Un autre, à genoux, se balançait lentement
d'avant en arrière comme un Juif en prière devant
le mur des Lamentations, les mains plaquées sur
le bas ventre. Le dernier était couché à plat
ventre sur la moquette, pas très loin du Polonais,
une large ecchymose à la tempe gauche où l'avait
atteint le poing massif de Kowalski.

Le chef du groupe fit basculer Kowalski sur le
dos et retroussa une de ses paupières fermées. Il
se dirigea ensuite vers le téléphone placé près de
la fenêtre, composa un numéro et attendit.

Il avait encore le souffle court. Lorsqu'il eut
quelqu'un au bout du fil, il annonça :

— On l'a. Débattu ?... Naturellement, il s'est
débattu. Il a réussi à tirer une balle. Guerini a
une rotule bouzillée. Capettia récolté un gnon dans
les valseuses et Vissart est dans le cirage... Quoi ?
Oui, le Polonais est vivant, c'était bien les ordres,
non ? Sinon il n'aurait pas fait autant de dégâts...
Ben oui, il n'est pas en tellement bon état. Je
sais pas, il est dans les pommes... Écoute, c'est
pas un panier à salade qu'il nous faut, c'est deux
ambulances. Et vite.

Il raccrocha brutalement. Tout autour de la
pièce, des fragments de meubles brisés attestaient
la violence de la bataille. Persuadés que le Polonais
s'écroulerait tout de suite dans le couloir au-
dehors, ils avaient négligé de ranger le mobilier
qui avait beaucoup gêné leurs évolutions au cours
de la bagarre. Lui-même avait encaissé en pleine

poitrine un fauteuil lancé d'une seule main par Kowalski.

Un quart d'heure plus tard, deux ambulances stoppaient devant l'immeuble. Le docteur monta à l'appartement et passa cinq minutes à examiner Kowalski. Il retroussa finalement la manche de l'homme évanoui et lui fit une intraveineuse. Tandis que les deux infirmiers, vacillant sous le poids, emportaient le Polonais sur une civière, le docteur se tourna vers le blessé qui, assis dans une flaque de sang le long du mur, le considérait d'un air sombre.

Il écarta les mains du blessé qui tenait toujours son genou, jeta un coup d'œil et émit un sifflement.

— Bon. Morphine, et l'hôpital. Je vais vous refiler une dose qui vous fera dormir. Ici, je ne peux rien faire d'autre. De toute façon, mon petit, votre carrière dans ce métier me paraît compromise.

Guerini lui répondit par un flot d'insultes tandis que l'aiguille s'enfonçait dans sa chair.

Vissart, toujours assis par terre, se tenait la tête à deux mains, l'air hébété. Capetti était debout maintenant et, adossé à un mur, hoquetait. Deux de ses collègues, l'empoignant sous les bras, l'aidèrent à gagner le couloir en boitillant. Le chef aida Vissart à se relever tandis que les infirmiers de la deuxième ambulance emportaient le corps inerte de Guerini.

Une fois dans le couloir, le chef se retourna pour jeter un dernier coup d'œil dans la pièce ravagée.

— Une belle mêlée, hein? fit le docteur.

— Le bureau nettoiera, répliqua l'autre. C'est leur appartement, bon Dieu.

Et il referma la porte.

— Pas de voisins ? demanda le docteur.

— Pas de voisins, répondit le Corse. On occupait tout l'étage.

Précédé du docteur, il aida Vissart, toujours hébété, à descendre l'escalier jusqu'aux voitures.

Douze heures plus tard, après une rapide traversée de la France, Kowalski était étendu sur une sorte d'étroite couchette, dans une cellule au sous-sol d'une caserne, aux environs de Paris. La pièce, comme toutes les cellules de prison, avait des murs blanchis à la chaux, sales et moisis, avec çà et là, gravées sur le mur, une obscénité quelconque ou une prière. Il y régnait une atmosphère étouffante, confinée, où flottaient des relents d'acide carbonique, de sueur et d'urine. Les pieds de la couchette aux montants de métal étaient scellés dans le sol en ciment.

Sur la couchette, allongé sur le dos avec une couverture roulée sous la nuque, Kowalski, toujours inconscient, respirait avec peine, sur un rythme irrégulier.

Deux larges courroies de cuir lui maintenaient les chevilles, deux autres les cuisses et les poignets, une autre enfin immobilisait son buste.

Son visage avait été nettoyé de tout le sang qui le maculait ; on lui avait recousu l'oreille et le cuir chevelu. Une bande de sparadrap chevauchait son nez cassé et dans sa bouche entrouverte, d'où s'échappait son souffle râpeux, on pouvait voir les chicots de deux incisives brisées.

Un bandage à son poignet droit était renforcé de ruban adhésif.

L'homme en blouse blanche termina son examen, se redressa et remit son stéthoscope dans son sac. Il se retourna et adressa un signe de tête à l'homme qui se trouvait derrière lui et qui frappa un petit coup à la porte. Le battant pivota et les deux hommes sortirent de la cellule. La porte se referma et le geôlier remit en place les deux énormes barres d'acier qui la maintenaient.

— Vous l'avez passé au rouleau compresseur ? demanda le docteur en s'engageant dans le couloir.

— Il a fallu six hommes pour en venir à bout, répondit le colonel Rolland.

— Eh bien, ils ont fait un assez beau boulot. Ils ont failli le tuer. S'il n'était pas fort comme un taureau ils auraient réussi.

— C'était la seule façon, dit le colonel. Il a démoli trois de mes hommes.

— Ça a dû être une belle bagarre.

— J'imagine. Alors, quels sont les dégâts ?

— En termes de profane : fracture probable du poignet droit — je n'ai pas pu le passer à la radio, n'oubliez pas —, plus l'oreille gauche lacérée, le cuir chevelu fendu et le nez cassé. Coupures et contusions multiples, une légère hémorragie interne, qui, si elle s'aggravait, pourrait le tuer. Il jouit de ce qu'on pourrait appeler une rude santé — ou jouissait, plutôt. Ce qui m'inquiète, c'est la tête. Il a subi une commotion, bien sûr, mais il est difficile de dire si elle a été légère ou forte. Pas trace de fracture du crâne, mais ce n'est vraiment pas la faute de vos hommes. Il a la boîte crânienne solide comme un bloc d'ivoire.

Par exemple, il faudrait le ménager maintenant et le laisser souffler.

— J'ai besoin de lui poser certaines questions, déclara le colonel en observant le bout incandescent de sa cigarette.

Les deux hommes s'immobilisèrent. Le docteur considéra le chef du service Action d'un regard désapprobateur.

— Nous sommes ici dans une prison, dit-il d'un ton calme. D'accord, on y enferme ceux qui attentent à la sûreté de l'État. Mais je reste néanmoins le médecin de la prison. Et à ce titre, je suis seul juge des décisions à prendre concernant la santé des prisonniers. Ce couloir — il indiqua d'un signe de tête la direction d'où ils venaient — est votre domaine. On m'a clairement fait comprendre que ce qui s'y passait ne me regardait pas et que je n'avais pas mon mot à dire. Mais je dirai néanmoins ceci : si vous vous mettez à « interroger » cet homme avant sa guérison, avec vos méthodes, ou bien il vous claquera entre les doigts ou alors il sombrera dans la folie furieuse.

Le colonel Rolland écouta sans ciller les sombres prédictions du médecin.

— Combien de temps ? demanda-t-il.

— Impossible à dire, répondit le médecin en haussant les épaules. Il peut reprendre conscience demain, ou pas avant des jours. Et même s'il revient à lui, il ne sera pas en état — médicalement, en tout cas — de subir un interrogatoire pendant au moins quinze jours, au mieux. Et encore, à supposer que la commotion dont il souffre ne soit pas trop grave.

— Il existe certaines drogues, murmura le colonel.

— Oui, en effet. Et je n'ai pas l'intention de les prescrire. Vous pouvez sans doute vous les procurer. Mais pas auprès de moi. De toute façon, rien de ce qu'il pourrait vous dire actuellement n'aurait le moindre sens. Le penthotal ou toute autre drogue du même genre feraient simplement de lui un idiot, qui ne pourrait plus servir ni à vous ni à personne d'autre. Cela m'étonnerait qu'il ouvre l'œil avant six ou sept jours. Patientez un peu, c'est ce que vous avez de mieux à faire.

Là-dessus, tournant les talons, il retourna dans son service.

Mais le docteur se trompait. Kowalski ouvrit les yeux trois jours plus tard, le 10 août, et le même jour subit son premier et unique interrogatoire.

Après son retour de Bruxelles, le Chacal passa trois jours à parfaire les derniers détails de ses préparatifs pour la mission qui l'attendait en France.

Muni de son nouveau permis de conduire au nom d'Alexander James Quentin Duggan, il se rendit à Fanum House, siège de l'Association automobile et se procura un permis de conduire international au même nom.

Dans une boutique spécialisée en articles de voyage, il avait acheté d'occasion une série de trois valises en cuir. Rentré chez lui, il en prit une, la posa sur une table, s'arma d'une lame de rasoir, fendit avec précaution la doublure et glissa entre les deux feuilles de cuir qui en renforçaient les côtés les deux passeports étrangers qu'il

avait volés. Il y rangea ensuite les vêtements destinés à lui permettre d'usurper l'identité de ces
deux personnages : le pasteur Per Jensen de
Copenhague, et l'étudiant américain, Marty Schulberg.

Par-dessus, il déposa le livre danois sur les
cathédrales françaises, les deux paires de lunettes,
celles du pasteur et celles de l'étudiant, les deux
jeux différents de verres de contact, enveloppés
de papier de soie, et les lotions de teinture ca-
pillaire.

Dans la deuxième valise, il rangea les chaussures, les chaussettes, la chemise et le pantalon
achetés au Marché aux Puces à Paris, ainsi que
la longue capote militaire et le béret noir. Dans
la doublure, grâce au même procédé, il glissa les
faux papiers d'André Martin, Français entre
deux âges. Une collection de tubes d'acier contenant les éléments d'un fusil complet et ses munitions devait compléter ce chargement.

La troisième valise, un peu plus petite, était
réservée aux affaires d'Alexander Duggan : chemises, cravates et trois élégants complets. Dans
la doublure de ce dernier bagage, il glissa par
petites liasses cent coupures de dix livres qu'il
avait prélevées sur son compte en banque à son
retour de Bruxelles.

Quant à son complet gris pâle, revenu du pressing, il l'accrocha avec soin dans la penderie.
Dans les poches se trouvaient son passeport, son
permis de conduire, son permis international et
une enveloppe contenant cent livres en liquide.

Pour finir, il empila dans un élégant sac de
voyage ses affaires de toilette, un pyjama et ses

dernières emplettes : une sorte de gouttière souple
à mailles très fines, une demi-douzaine de rou-
leaux de sparadrap, trois paquets de coton, un
sac de plâtre, une série de bandes de gaze et une
paire de robustes cisailles aux lames arrondies.
Ce sac de voyage, il le garderait avec lui dans ses
déplacements. Il savait par expérience que sur
les aérodromes, les douaniers vérifiaient plus
rarement les petits bagages à main.

Il pouvait maintenant considérer comme terminée la dernière phase de ses préparatifs. Il ne
lui restait plus qu'à attendre les deux lettres qui
lui donneraient le feu vert. L'une contiendrait le
numéro de téléphone de Paris où il obtiendrait
toutes les informations utiles sur les déplacements
éventuels du Président et l'appareil de sécurité
dont il était entouré. L'autre, émanant de Herr
Meier à Zurich, lui annoncerait que 250 000 dollars avaient été déposés à son compte numéroté.
Cette période d'attente, il résolut de la consacrer
à s'exercer à boiter. Durant deux jours, il passa
plusieurs heures à s'entraîner, s'observant et se
corrigeant devant la glace. Après quoi, il claudi-
quait de façon si réaliste que nul n'aurait douté
qu'il relevait d'une fracture de la cheville ou de
la jambe.

La première lettre arriva le matin du 9 août.
Elle venait de Rome et contenait ce bref message :
« Votre ami peut être contacté à Molitor 59 01.
Présentez-vous en disant : Ici Chacal. Il répondra :
Ici Valmy. Bonne chance. »

La lettre de Zurich ne lui parvint que le 11. Il
eut un large sourire en voyant confirmé que si
tout se déroulait sans accroc, il serait maintenant

jusqu'à la fin de ses jours un homme riche. Et plus riche encore si sa mission était couronnée de succès. Il avait d'ailleurs la certitude de réussir. Il n'avait rien laissé au hasard.

Il passa le reste de la matinée à téléphoner pour réserver des places d'avion et fixa son départ au lendemain matin, 12 août.

On n'entendait dans la cave que la respiration contenue des cinq policiers derrière la table, et le souffle rauque, laborieux, de l'homme étroitement assujetti par de larges courroies de cuir à un pesant fauteuil de chêne scellé dans le sol par des pattes de métal.

Une lampe orientable vissée au plateau de la table constituait le seul éclairage de la pièce. Le faisceau de lumière aveuglante concentré par le réflecteur parabolique était braqué sur le prisonnier.

Dans un coin de la table nue s'ouvrait une fente étroite bordée de laiton. Sur l'un des côtés de cette fente s'alignaient des numéros correspondant aux déplacements d'un levier de cuivre que coiffait un bouton de bakélite. Du côté opposé était fixé un interrupteur de courant. La main droite de l'homme assis au bout de la table reposait négligemment à côté du levier de contrôle. Deux fils électriques partant, l'un de l'interrupteur, l'autre du rhéostat, étaient reliés sous la table à un transformateur placé à proximité des pieds du prisonnier. De là partait un câble revêtu de caoutchouc noir branché à la base du mur dans une large prise derrière les policiers.

Dans un coin de la cave, en retrait des cinq hommes, un sixième était assis tout seul à une petite table en bois, face au mur. Un minuscule halo vert brillait devant lui sur un magnétophone aux bobines immobiles.

A part le bruit des respirations, le silence dans la pièce était presque tangible. Tous les hommes étaient en bras de chemise, leurs manches haut relevées au-dessus du coude et trempées de sueur. L'odeur était suffocante, puanteur faite de transpiration, de métal chauffé, de fumée de tabac et de vomissures. Mais toutes ces odeurs étaient dominées par une autre, plus puissante encore, celle de la peur et de la souffrance.

L'homme assis devant le centre de la table prit enfin la parole. Il s'exprimait d'une voix courtoise, douce, cajolante.

— Écoute, mon petit Viktor. Tu vas nous le dire. Pas tout de suite peut-être. Mais tu finiras par nous le dire. Tu es un gars courageux. On le sait. Et on rend hommage à ton courage. Mais même toi tu ne peux pas tenir beaucoup plus longtemps. Alors pourquoi ne pas nous le dire ? Tu crois que le colonel Chazanet te le défendrait s'il était ici ? Mais il te donnerait l'ordre de parler. Il connaît ce genre de choses. Il parlerait lui-même, pour t'éviter de prolonger cette séance. Tu le sais bien, ils finissent toujours par parler. Pas vrai, Viktor ? Tu les as vus parler, hein ? Personne ne peut résister indéfiniment. Alors pourquoi pas maintenant, hein ? Et tu te retrouveras dans ton lit où tu pourras dormir, dormir, dormir... Personne ne viendra te déranger...

L'homme immobilisé sur son siège leva un

visage tuméfié, luisant de sueur, vers la lumière. Ses yeux étaient fermés, que ce fût à la suite des coups de pied reçus à Marseille ou pour se protéger de la lumière, nul ne pouvait le dire. Sa face aveugle était comme tendue vers la table et l'obscurité qui l'entourait ; puis sa bouche s'entrouvrit, essayant d'articuler. Un filet de vomissure jaillit d'entre les lèvres et coula sur la poitrine velue pour aller se mêler à la flaque de vomi sur ses genoux. La tête hirsute retomba en avant, avec une faible oscillation de droite à gauche pour toute réponse. Derrière la table, la voix s'éleva à nouveau.

— Viktor, écoute-moi. Tu es un dur. Nous le savons. Nous le reconnaissons. Tu as déjà battu tous les records d'endurance. Même toi tu ne peux pas continuer. Mais nous, Viktor, on peut. S'il le faut, on peut te garder en vie et conscient pendant des jours, des semaines. On n'a plus la chance de tomber dans les pommes comme autrefois. Il y a des drogues, tu sais. Fini le troisième degré. Alors pourquoi ne pas parler ? Tu veux nous dire, Viktor ? Qu'est-ce qu'ils font dans cet hôtel à Rome ? Qu'est-ce qu'ils attendent ?

De nouveau, le prisonnier, prostré en avant, le menton sur la poitrine, faiblement, fit non de la tête. Le chef eut alors un bref signe à l'adresse de l'homme chargé de l'interrupteur pour lui enjoindre de mettre le courant...

Viktor Kowalski s'effondra à quatre heures dix de l'après-midi et le magnétophone se mit à tourner.

Comme il commençait à parler ou plutôt à balbutier des propos incohérents entrecoupés

de gémissements et de râles, la voix calme de
l'homme derrière la table intervint, claire et inci-
sive, pour le guider dans les méandres de son récit.

— Pourquoi sont-ils là-bas, Viktor... dans cet
hôtel... Chazanet, Montclair et Casson... de quoi
ont-ils peur... où étaient-ils avant... qui ont-ils
vu... pourquoi ne voient-ils plus personne, Viktor...
dis-nous, Viktor... pourquoi Rome... avant Rome...
pourquoi Vienne, Viktor... où à Vienne... dans
quel hôtel... qu'est-ce qu'ils y faisaient, Viktor...

Kowalski se tut finalement au bout de cinquante
minutes. Lorsqu'il sombra dans le silence, la voix
qui l'interrogeait l'incita pendant quelques minutes encore à poursuivre, mais lorsqu'il devint
évident qu'on n'obtiendrait pas d'autres réponses,
le chef donna un ordre à ses subordonnés. La
séance était terminée.

La bande enregistrée fut enlevée du magnétophone et quelques instants plus tard une voiture
rapide l'emportait vers le centre de la ville.

Un crépuscule doré avait succédé à l'après-
midi ensoleillé. A neuf heures, les réverbères s'al-
lumèrent dans les rues de Paris. Le long des quais,
les couples d'amoureux flânaient comme toujours
par les soirs d'été, main dans la main, grisés par
le crépuscule, leur amour et leur jeunesse. Les
terrasses des cafés étaient noires de monde.

Mais dans un petit bureau près de la porte des
Lilas, l'atmosphère n'était pas à l'insouciance.
Trois hommes étaient assis autour d'un magnétophone qui tournait lentement. Ils avaient passé
la fin de l'après-midi et toute la soirée à travailler.
Un des hommes actionnant l'appareil revenait en
arrière pour faire écouter de nouveau certains

passages, sur les indications du deuxième. Celui-ci, une paire d'écouteurs sur la tête, le front plissé par la concentration, essayait de discerner des mots précis parmi les sons indistincts que lui transmettaient les écouteurs. Les yeux rougis par la fumée bleuâtre qui montait de sa cigarette collée à sa lèvre inférieure, il adressait un signe à l'opérateur lorsqu'il voulait réentendre un passage. Lorsqu'il avait enfin déchiffré les syllabes qui lui avaient échappé, il faisait signe à l'opérateur de s'arrêter et dictait ce qu'il avait compris.

Le troisième homme, un blond plus jeune que les deux autres, assis derrière une machine à écrire, tapait le texte comme une interview, les questions précédées de la lettre Q, et les réponses, à la ligne, de la lettre R. Les passages complètement inintelligibles étaient remplacés par une série de points.

Il était presque minuit lorsqu'ils en eurent terminé. Malgré la fenêtre ouverte, l'atmosphère était bleue de fumée. Recrus de fatigue, courbatus, les trois hommes se levèrent et s'étirèrent pour détendre leurs muscles engourdis. L'un d'eux décrocha le téléphone, demanda une ligne directe et composa un numéro. L'homme aux écouteurs se débarrassa de son casque et rembobina la bande. Le dactylographe retira les derniers feuillets du rouleau de sa machine, dégagea les carbones qui les séparaient, et entreprit de classer la transcription des aveux de Kowalski en trois piles séparées. La première était destinée au colonel Rolland, la deuxième aux archives et la troisième serait photocopiée pour obtenir d'autres doubles que le colonel Rolland ferait distribuer aux chefs des différents services s'il le jugeait utile.

Le coup de téléphone parvint au colonel Rolland au restaurant où il dînait avec des amis. Comme à l'accoutumée, l'élégant célibataire s'était montré plein d'esprit et les compliments qu'il avait décochés aux dames présentes avaient été fort appréciés, par elles sinon par leurs maris. Lorsque le garçon l'appela au téléphone, il pria ses amis de l'excuser et se leva de table. Le téléphone était sur le comptoir. Le colonel annonça simplement « Rolland » dans l'appareil et attendit tandis que son correspondant déclinait son identité.

Il glissa ensuite dans la conversation le mot de passe convenu d'avance. Si quelqu'un avait été à l'écoute, il aurait simplement appris que la voiture du colonel, qui était en réparation, était prête et que le colonel pouvait venir la chercher quand bon lui semblerait. Le colonel remercia son correspondant et regagna sa table. Cinq minutes plus tard, il prenait courtoisement congé de ses amis, en expliquant qu'une rude journée de travail l'attendait et qu'il devait rentrer pour ne pas augmenter encore son retard de sommeil.

Seul au volant de sa voiture, prenant le maximum de risques calculés au milieu d'une circulation encore dense, il prit la direction de la porte des Lilas. Lorsqu'il entra dans son bureau, il était près d'une heure du matin. Il ôta son impeccable veston noir, demanda du café et sonna son adjoint.

La déposition de Kowalski arriva en même temps que son filtre. Il parcourut d'abord très vite les vingt-six pages, s'efforçant de saisir la signification des propos parfois incohérents du légionnaire à demi fou. Un détail, vers le milieu, attira son attention : il eut un froncement de sourcils, mais poursuivit sa lecture. Parvenu à la dernière page, il reprit le texte au début, plus lentement, en se concentrant sur chaque paragraphe. A la troisième lecture, il prit un crayon feutre et lut plus attentivement encore, barrant au passage d'un épais trait noir les mots et les phrases ayant trait à Sylvie, lecé... quelque chose, l'Indochine, l'Algérie, Jojo, Kovacs, les Corses, les salauds, la Légion. Tout cela, il le comprenait et ça ne l'intéressait pas.

La plupart des divagations concernaient Sylvie, certaines une nommé Julie, ce qui ne signifiait rien pour Rolland. Une fois tous ces passages éliminés, le texte devait se réduire environ à six pages. Il essaya de saisir clairement le sens de ce qui restait. Il y avait Rome. Les trois chefs de l'O. A. S. étaient à Rome. Eh bien, il le savait de toute façon. Mais pourquoi ? Cette question avait été posée à huit reprises. Dans l'ensemble, la réponse avait été identique chaque fois. Ils ne voulaient pas être kidnappés comme Argoud l'avait été en février. C'était bien naturel, songea Rolland. Avait-il donc perdu son temps avec toute cette opération Kowalski ? Il y avait un mot que le légionnaire avait prononcé, ou plutôt marmonné deux fois, en réponse à ces huit questions identiques. Le mot « secret ». En tant qu'adjectif ? Il n'y avait rien de secret dans leur présence à Rome. Ou en tant que substantif ? Quel secret ?

Rolland poursuivit sa lecture jusqu'au bout pour la dixième fois, puis recommença du début. Les trois chefs de l'O. A. S. étaient à Rome. Ils y

étaient parce qu'ils n'avaient pas envie d'être
kidnappés. Ils ne voulaient pas être kidnappés
parce qu'ils détenaient un secret.

Rolland eut un sourire ironique. Contrairement
au général Guilbaud, il savait bien que ce n'était
pas la peur qui avait poussé Chazanet à se terrer.

Ainsi donc, ils détenaient un secret ? Quel
secret ? Tout semblait partir de quelque chose
à Vienne. Le mot Vienne revenait trois fois, mais
Rolland avait d'abord cru qu'il s'agissait de la
ville située à trente kilomètres au sud de Lyon.
Mais peut-être s'agissait-il en fait de la capitale
autrichienne ?

Ils avaient tenu une réunion à Vienne. Ils
s'étaient ensuite réfugiés à Rome pour éviter d'être
enlevés et de révéler leur secret au cours d'interrogatoires. Le secret devait donc trouver son
origine à Vienne.

Avec le passage des heures s'additionnaient
les filtres et s'accumulaient les mégots dans le
culot d'obus transformé en cendrier. Lorsque les
premières lueurs de l'aube commencèrent à poindre
sur le triste quartier industriel situé à l'est du
boulevard Mortier, le colonel Rolland sut qu'il
était sur le point de comprendre.

Il manquait des pièces maîtresses à son puzzle.
Manquaient-elles vraiment et définitivement ? Ou
bien étaient-elles cachées quelque part dans les
propos incohérents tenus par le géant égaré par
la souffrance juste avant que ses dernières forces
l'abandonnent ? Un coup de fil reçu à trois heures
du matin avait appris à Rolland que Kowalski
ne répondrait plus à aucune question.

Rolland commença à noter certains détails qui

ne lui semblaient pas avoir leur place dans le
contexte. Kleist, un certain Kleist... Ou bien
était-ce un endroit? Il appela le standard et
demanda qu'on fît des recherches dans un annuaire
de Vienne. Existait-il un homme ou un lieu nommé
Kleist? Il obtint la réponse en dix minutes. Il y
avait deux colonnes de Kleist à Vienne, plus deux
endroits portant ce nom : l'école primaire de garçons Ewald Kleist, et la pension Kleist dans la
Brucknerallee. Rolland nota les deux, mais souligna la pension Kleist. Puis il poursuivit sa
lecture.

Plusieurs allusions étaient faites à un étranger
au sujet duquel Kowalski prononçait parfois le
mot « bon », parfois le mot « lueur ». Peu après
cinq heures du matin, le colonel Rolland se fit
apporter un magnétophone et la bande enregistrée
et passa l'heure suivante à l'écouter. Lorsqu'il
éteignit enfin l'appareil, il jura violemment à voix
basse. Prenant un stylo, il fit plusieurs corrections
sur le texte dactylographié.

Kowalski n'avait pas dit « bon » mais « blond »
au sujet de l'étranger. Et le mot sortant des lèvres
tuméfiées et transcrit comme étant « lueur » était
en réalité « tueur ».

A partir de là, il devenait beaucoup plus facile
de donner un sens aux propos décousus de Kowalski. Le mot « chacal » que Rolland avait barré
chaque fois qu'il le trouvait parce qu'il avait cru
que Kowalski insultait ainsi les hommes qui le
torturaient, prenait une tout autre signification.
Il devenait le nom de code du tueur aux cheveux
blonds, qui était un étranger, et que les trois chefs
de l'O. A. S. avaient rencontré à la pension Kleist

à Vienne quelques jours avant d'aller se réfugier dans leur fortin improvisé de Rome.

Rolland comprenait maintenant la vague d'attaques contre les banques et les bijouteries qui avait submergé la France au cours des deux mois précédents. Le blond, quel qu'il fût, exigeait une grosse somme pour exécuter un travail commandé par l'O. A. S. Un seul travail au monde, semblait-il, pouvait justifier le ramassage d'un tel magot. Ce chacal n'avait pas été engagé pour régler une querelle entre bandes rivales.

A sept heures du matin, Rolland appela son service de transmission et donna l'ordre au standardiste d'envoyer un message urgent au bureau du S. D. E. C. E. à Vienne. Il se fit ensuite apporter tous les doubles de la confession de Kowalski et les enferma dans son coffre. Finalement, il s'installa devant une rame de papier blanc pour rédiger un rapport destiné à une seule personne et qui portait en tête « Ultra-confidentiel ».

Il écrivit avec soin, décrivant brièvement toutes les phases de l'opération qu'il avait montée de sa propre initiative pour capturer Kowalski ; le piège tendu au téléphone, le retour de l'ex-légionnaire à Marseille, sa capture mouvementée par les agents du service Action ; il mentionnait sans s'y attarder l'interrogatoire mené par les agents du service. Il ajouta qu'en essayant de résister lors de son arrestation, l'ancien légionnaire avait grièvement blessé deux agents mais qu'il avait ensuite tenté de se suicider et avait dû, une fois réduit à l'impuissance, être hospitalisé. C'était de son lit d'hôpital qu'il avait dicté sa déposition.

Le reste du rapport, de loin plus important,

concernait l'interprétation de cette déposition
à la suite d'une analyse méthodique. Il s'interrompit ensuite pour réfléchir, laissant errer son
regard sur les toits depuis quelques instants frangés
d'or par le soleil levant. Rolland avait la réputation
de ne jamais dramatiser une situation. Il composa
son dernier paragraphe avec soin.

« Une enquête destinée à corroborer l'existence
de ce complot est en cours à l'heure actuelle.
Néanmoins, si cette enquête devait révéler que
les faits exposés ci-dessus sont exacts, le complot
en question constitue à mon avis la menace la plus
grave que les terroristes aient jamais fait peser
sur la vie du Président. Si le complot existe bien
tel qu'il est décrit, et si l'assassin de nationalité
étrangère connu seulement sous son nom de code,
Chacal, a été engagé pour attenter à la vie du
Président, il est de mon devoir de vous informer
qu'à mon point de vue, la situation créée, en fonction de son extrême gravité, exige des mesures
d'urgence à l'échelon national. »

Contrairement à ses habitudes, le colonel Rolland tapa lui-même son rapport, le glissa dans
une enveloppe et y apposa le cachet réservé aux
documents les plus confidentiels des services
secrets. Il brûla ensuite son brouillon, émietta les
cendres dans le petit lavabo installé au fond d'un
cagibi attenant à son bureau et les fit disparaître
en ouvrant le robinet en grand.

Lorsqu'il eut terminé, il se lava les mains et le
visage. Puis, comme il s'essuyait, il jeta un coup
d'œil à son reflet dans la glace au-dessus du lavabo.
Ce visage marqué, songea-t-il avec mélancolie,
avait beaucoup perdu de sa séduction. Trop

d'éprouvantes expériences, une connaissance trop
poussée des abîmes de bestialité dans lesquels
pouvait sombrer l'homme quand il luttait contre
ses semblables afin de survivre avaient prématu-
rément vieilli le chef du service Action.

« A la fin de l'année, se dit-il, il faut vraiment
décrocher. » Il interrogeait ses traits tirés, affaissés,
dans la glace. Qu'exprimaient-ils, au juste ? Incrédulité ou simplement résignation ? Mais il savait
en fait qu'au bout de si longtemps, il était impossible de décrocher. On restait ce qu'on était jusqu'à
la fin de ses jours. De la Résistance à la police de
sécurité, puis au S. D. E. C. E., et pour finir au
service Action. Combien d'hommes sacrifiés, combien de sang versé au cours de toutes ces années ?
Tout cela au service de la France. S'en souciait-
elle seulement, la France ?

Le colonel Rolland demanda qu'on lui envoyât
sur-le-champ un motocycliste à son bureau. Il
commanda également des œufs sur le plat, des
petits pains et du beurre, et un grand café crème.
Il remit l'enveloppe scellée au motard et lui donna
ses instructions. Ses œufs et ses petits pains terminés, il alla s'asseoir sur le bord de la fenêtre
pour boire son café au lait. Il voyait au loin les
tours de Notre-Dame et dans la brume de chaleur
qui montait déjà de la Seine, il distinguait au-delà
les structures effilées de la tour Eiffel. Il était
neuf heures passées en cette matinée du 11 août,
et la ville était déjà en plein travail, maudissant
probablement le motard vêtu de cuir noir qui,
sur son engin rugissant, se faufilait au milieu
du flot des voitures en direction du huitième arron-
dissement.

Selon que la menace évoquée par son rapport serait écartée ou pas, songea Rolland, il occuperait encore ou non un poste qu'il lui serait loisible de quitter en prenant une retraite anticipée.

10

Le ministre de l'Intérieur assis à son bureau en cette fin de matinée considérait d'un œil morose par la fenêtre la cour circulaire inondée de soleil au-dessous de lui. Au-delà du majestueux portail de fer forgé symétriquement orné des armes de la République qui en fermait l'extrémité apparaissait la place Beauvau où, autour d'un agent planté en son centre, s'écoulait le flot sinueux des voitures. Des deux autres artères qui débouchaient sur la place, la rue Miromesnil et la rue des Saussaies, d'autres files de voitures surgissaient, obéissant aux coups de sifflet, pour traverser à leur tour et disparaître au-delà de la place. L'agent donnait l'impression d'imposer sa maîtrise à ces cinq tumultueux courants de la si redoutable circulation parisienne comme un torero impose la sienne au taureau, calmement, avec autant de sûreté que de dignité. Et le ministre de l'Intérieur lui enviait la simplicité méthodique de sa tâche, la parfaite assurance qu'il mettait à l'accomplir.

Aux portes du ministère, deux autres gardes observaient au milieu de la place le numéro de virtuosité de leur collègue.

Avec leurs mitraillettes en bandoulière, ils considéraient, à travers les barreaux du double portail de fer forgé, le monde extérieur, protégés qu'ils étaient des détresses de ce monde, assurés de leur solde mensuelle, de leur avancement, de leur place au soleil, à l'ardent soleil d'août. Le ministre les enviait aussi pour la simplicité sans détours de leurs existences et de leurs ambitions.

Il perçut derrière lui un froissement de papier et fit pivoter son fauteuil tournant pour se retrouver face à son bureau. L'homme qui se tenait de l'autre côté du meuble referma le dossier qu'il avait à la main et le déposa respectueusement devant le ministre. Les deux hommes échangèrent un regard ; un instant le silence ne fut rompu que par le tic-tac de la pendule dorée sur la cheminée à l'opposé de la porte et la rumeur étouffée de la circulation sur la place Beauvau.

— Alors, qu'en dites-vous ?

Le commissaire Jean Ducret, chef du service de sécurité personnelle du président de Gaulle, était l'un des spécialistes les plus réputés de France en matière de sécurité et particulièrement expert de toutes les questions touchant à l'attentat individuel. Telle était la raison pour laquelle il occupait son poste ; telle était aussi la raison pour laquelle six complots échafaudés en vue d'abattre le chef de l'État avaient été soit démantelés en cours d'exécution, soit étouffés dans l'œuf jusqu'à cette date.

— Rolland a raison, déclara-t-il enfin.

Il avait parlé sur un ton plat, impassible, résolu. On aurait pu croire qu'il exprimait son opinion sur l'issue probable d'un match de football.

— Si ce qu'il dit est exact, ce complot présente
un danger exceptionnel. Le fichier complet de tous
les services de sécurité en France, la totalité du
réseau des agents actuellement maintenus en
activité dans les rangs de l'O. A. S., tous sont
réduits à l'impuissance en face d'un étranger, un
outsider, un homme opérant seul, sans amis ni
contacts. Et, par-dessus le marché, un professionnel. Comme le souligne Rolland, c'est (il rabattit du bout du doigt la dernière page du rapport
du chef du service Action et lut à voix haute) « la
plus dangereuse conception de l'opération solitaire qu'on puisse imaginer ».

Le ministre de l'Intérieur passa la main sur sa
courte chevelure gris fer et pivota à nouveau vers
la fenêtre. Ce n'était pas un homme aisément per-
turbable mais en cette matinée du 11 août, il
était bel et bien inquiet. Tout au long des nombreuses années qu'il avait consacrées à servir la
cause de Charles de Gaulle, il s'était fait la réputation d'un personnage particulièrement coriace
derrière l'intelligence et la courtoisie qui l'avaient
élevé au rang de ministre. Ses yeux bleus étin-
celants, qui pouvaient refléter tour à tour une
chaleureuse séduction ou une froideur de glace,
la virilité émanant de son torse massif et de ses
épaules, les traits à la fois harmonieux et cyniques
de son visage n'étaient pas chez lui une façade
pour campagne électorale.

Aux temps héroïques, quand les gaullistes
avaient dû, pour survivre, combattre l'hostilité
américaine, l'indifférence britannique, les ambitions giraudistes et la brutalité communiste, il
avait fait le rude apprentissage de la lutte à mener.

Finalement, ils avaient gagné la partie et par deux fois en dix-huit ans, l'homme qu'ils avaient suivi avait quitté un exil né de la disgrâce pour prendre en France le pouvoir suprême. Au cours des deux dernières années la bataille avait repris, cette fois contre les hommes mêmes qui, à deux reprises, avaient rendu au Général son pouvoir : l'Armée. Quelques instants plus tôt le ministre croyait encore que les dernières escarmouches s'estompaient dans le passé, que l'ennemi, une fois de plus réduit à l'impuissance, était contraint de remâcher ses vaines fureurs.

Maintenant, il savait que ce n'était pas encore fini ; à Rome, un colonel maigre et fanatique avait élaboré un plan susceptible d'entraîner l'effondrement de tout l'édifice grâce à la suppression d'un unique personnage.

Certains pays possédaient des institutions douées d'assez de stabilité pour survivre à la mort d'un président ou à l'abdication d'un roi, comme l'avait démontré la Grande-Bretagne vingt-huit ans plus tôt et comme le démontrerait l'Amérique, avant même que l'année fût achevée. Mais le ministre avait assez clairement conscience de l'état des institutions françaises en 1963 pour n'entretenir aucune illusion : la mort du Président ne pouvait être que le prologue d'un putsch et d'une guerre civile.

— Eh bien, dit-il enfin, regardant toujours du côté de la cour ensoleillée, il faut le prévenir.

Le policier ne répondit pas. Tel était l'avantage d'être un pur technicien ; une fois la tâche accomplie, on laissait à ceux qui recevaient salaire à ce titre le soin d'assumer les décisions capitales. Il n'avait nulle intention de se porter volontaire pour cette mission d'information.

Le ministre se tourna pour lui faire face.

— Bien. Merci, commissaire. Je vais donc demander une audience cet après-midi pour mettre le Général au courant.

Il avait parlé d'un ton sec, énergique. Il était impératif d'agir sans délai.

— Inutile de vous demander d'observer un silence complet sur cette affaire jusqu'à ce que j'aie eu le temps d'expliquer la situation au Général et qu'il ait décidé des suites à donner.

Le commissaire Ducret se leva et sortit pour aller retraverser la place et de là, une centaine de mètres plus loin, regagner les portes de l'Élysée.

Une fois seul, le ministre de l'Intérieur reprit le dossier placé devant lui et, sans hâte, se remit à l'étudier. Sans aucun doute, les déclarations de Rolland étaient exactes et leur confirmation par Ducret ne lui laissait qu'une étroite marge de manœuvre. Le danger était là, un danger sérieux, inévitable et le Président devait être averti.

A contrecœur, il abattit la manette de l'intercom placé devant lui, et se pencha sur la petite grille de plastique d'où s'était aussitôt élevé le bourdonnement de mise en service.

— Demandez-moi le secrétaire général de l'Élysée.

Un moment plus tard sonnait le téléphone rouge placé près de l'interphone. Le ministre décrocha et écouta un instant.

— M. Foccart, je vous prie.

Encore une pause, puis la voix aux onctueuses inflexions si trompeuses de l'un des hommes les plus puissants de France s'éleva au bout du fil.

Le ministre expliqua brièvement ce qu'il voulait et pourquoi.

— Le plus tôt possible, Jacques... Oui, je sais que vous devez vérifier. J'attendrai. Mais, je vous en prie, rappelez-moi dès que vous pourrez.

Moins d'une heure plus tard, il obtenait la communication. Le rendez-vous était fixé à quatre heures de l'après-midi, dès que le Président aurait fini sa sieste. Un instant, le ministre songea à protester en faisant remarquer que le dossier placé sur le bureau sous ses yeux passait en importance n'importe quelle sieste, mais il se contint de justesse. Comme tous ceux qui gravitaient autour du Président, il savait à quel point il pouvait être inopportun de contredire le fonctionnaire à la voix douce qui avait à toute heure l'oreille du Président et disposait d'un fichier privé de renseignements d'ordre personnel d'autant plus redouté qu'il restait entouré d'un inviolable mystère.

A quatre heures moins vingt cet après-midi-là, Chacal sortait du Cunningham, dans Curzon Street, après avoir savouré l'un des repas les plus coûteux et les plus délicieux que pouvaient offrir les restaurants londoniens spécialisés dans les fruits de mer. Après tout, songeait-il tout en tournant dans South Audley Street, c'était sans doute son dernier repas à Londres d'ici longtemps et il avait eu raison de marquer le coup.

Au même moment une DS 19 noire franchissait les portes du ministère de l'Intérieur. L'agent de service au centre de la place Beauvau, prévenu par ses collègues en faction devant les grilles, arrêtait la circulation en provenance de toutes les rues convergentes puis s'immobilisait pour saluer, la main au képi.

Cent mètres plus loin, la Citroën tournait vers le porche de pierre grise donnant accès au palais de l'Élysée. Là aussi, les gardes, alertés, avaient suspendu la circulation pour laisser au véhicule la possibilité de prendre son virage et de s'engager dans le passage sous la voûte particulièrement étroite. Les deux gardes républicains, en faction de part et d'autre du portail devant leurs guérites, présentèrent les armes, leurs mains gantées de blanc au niveau des chargeurs de leurs fusils et le ministre entra dans la cour du Palais.

Une chaîne basse, accrochée en travers de l'entrée à l'extrémité intérieure du porche, obligea la voiture à stopper et l'inspecteur de service, l'un des hommes de Ducret, jeta un coup d'œil dans le véhicule. Il eut un signe de tête à l'adresse du ministre qui lui rendit son salut. Sur un geste de l'inspecteur, la chaîne fut détachée et la Citroën passa sur les maillons. Au-delà d'une esplanade d'une trentaine de mètres couverte de gravier marron s'étendait la façade du palais.

Robert, le chauffeur, engagea la Citroën sur la droite et amorça une courbe vers la gauche pour déposer son patron au pied des six marches de granit qui menaient à la porte d'entrée.

L'un des deux huissiers en complet noir, ornés de leurs chaînes d'argent, vint ouvrir la portière. Le ministre grimpa rapidement le perron et fut accueilli sur le seuil des portes vitrées par l'huissier en chef. Après un échange de politesses, le ministre

suivit l'huissier à l'intérieur. Ils durent attendre
un instant dans le vestibule sous l'immense lustre
qui pendait du lointain plafond voûté au bout de
ses chaînes dorées, tandis que l'huissier donnait
un rapide coup de téléphone de la table de marbre
à gauche de la porte. Puis, tout en raccrochant,
il se tourna vers le ministre, eut un bref sourire et,
de son habituelle démarche majestueuse, se mit
à monter sans hâte l'escalier de granit aux marches
couvertes de moquette sur la gauche.

Au premier étage ils traversèrent le large encorbellement qui dominait le vestibule au-dessous
et s'arrêtèrent lorsque l'huissier frappa discrètement à la porte située sur la gauche du palier.
Un « entrez » étouffé leur parvint de l'intérieur ;
l'huissier ouvrit la porte avec douceur et s'effaça
pour laisser le ministre pénétrer dans le salon des
Ordonnances. La porte se referma sans bruit et du
même pas solennel l'huissier redescendit l'escalier
pour regagner son poste dans le vestibule.

Par les grandes baies donnant au sud de l'autre
côté du salon, le soleil pénétrait à flots, baignant
le tapis de sa chaude lumière. L'une des hautes
portes-fenêtres était ouverte et des jardins du
palais provenait le roucoulement d'un pigeon
parmi les arbres. A près de cinq cents mètres
au-delà sur les Champs-Élysées, la circulation
entièrement masquée par le feuillage des hêtres
et des tilleuls dont, au cœur de l'été, s'épanouis-
saient les frondaisons, se réduisait à une vague
rumeur que suffisait à couvrir le chant même du
pigeon. Comme d'habitude lorsqu'il se trouvait
dans les pièces de l'Élysée orientées au midi, le
ministre, citadin de toutes ses fibres, pouvait

s'imaginer dans quelque château perdu en pleine nature. Le grondement des voitures le long du faubourg Saint-Honoré de l'autre côté du bâtiment n'était plus qu'un souvenir. Le Président, il ne l'ignorait pas, adorait la campagne.

L'officier de jour était le colonel Tesseire. Il se leva de derrière son bureau.

— Monsieur le Ministre...

— Colonel (le ministre eut un signe de tête en direction de la double porte close aux becs de cane dorés du côté gauche de la pièce) je suis attendu.

— Certainement, monsieur le Ministre.

Tesseire traversa le bureau, frappa deux coups brefs au panneau, ouvrit la porte et se planta sur le seuil.

— Le ministre de l'Intérieur, monsieur le Président.

Du fond de la pièce vint un vague acquiescement. Tesseire fit un pas en arrière, sourit au ministre et celui-ci passa devant lui pour pénétrer dans le cabinet privé de Charles de Gaulle. Rien dans cette pièce, il l'avait toujours pensé, qui ne constituât une révélation sur celui qui avait décidé de sa décoration et de son mobilier. Sur la droite s'alignaient trois hautes et élégantes fenêtres qui donnaient accès au jardin comme celles du salon des Ordonnances. Dans le cabinet de travail, également, l'une d'elles était ouverte et le roucoulement du pigeon, un instant inaudible au franchissement de la porte qui séparait les deux pièces, était de nouveau perceptible dans le jardin.

Quelque part sous ces tilleuls et ces hêtres, des hommes tranquilles équipés d'armes automatiques avec lesquelles ils auraient troué le pique

d'un as de pique à vingt pas étaient dissimulés.
Mais malheur à celui d'entre eux qui se serait
laissé voir des fenêtres du premier étage. Dans
une telle éventualité, la fureur de l'homme dont
ils étaient fanatiquement prêts à assurer la défense
était redoutée de tout le personnel du palais. Qu'il
fût mis au courant des mesures prises pour sa
protection, ou que ces mesures empiètent sur sa
vie privée, et elle éclaterait. Telle était l'une des
croix les plus lourdes que Ducret avait à porter
et nul ne lui enviait la tâche de veiller sur la vie
d'un homme pour qui toutes les formes de protection personnelle constituaient une insuppor-
table indignité.

A gauche, devant la cloison où s'encastrait une
bibliothèque vitrée, se trouvait une table Louis XV
sur laquelle était posée une pendule Louis XIV.
Un tapis de la Savonnerie tissé à la Fabrique
royale de Chaillot en 1615 couvrait le plancher.
Dans cet établissement, le Président le lui avait
un jour expliqué, la fabrication du savon avait
précédé celle des tapis d'où le nom dont on avait
continué à baptiser ceux qui en provenaient.

Rien dans cette pièce qui manquât de simplicité,
rien qui manquât de noblesse, de dignité, ou de
goût, et par-dessus tout rien qui ne témoignât
de la grandeur de la France. Et il fallait, aux yeux
du ministre, inclure également comme empreint
des mêmes qualités l'homme assis derrière le
bureau et qui venait de se lever pour l'accueillir
avec son habituelle courtoisie si raffinée.

Le ministre se souvint qu'Harold King, doyen
des journalistes britanniques à Paris et le seul
contemporain anglo-saxon qui fût un ami per-

sonnel de Charles de Gaulle, lui avait un jour fait
observer que dans toutes ses manières et ses façons
d'être, le Président n'était pas un homme du xxe
mais du xviiie siècle. Chaque fois qu'il avait rencontré depuis son chef suprême, le ministre s'était
en vain efforcé d'imaginer cette haute silhouette
vêtue de soie et de brocart et l'accueillant avec
les mêmes démonstrations de cérémonieuse courtoisie. Il concevait d'emblée cette conjonction
mais l'image lui échappait toujours.

De même, il ne pouvait oublier les circonstances
particulières où l'éminent vieil homme, mis hors
de lui par quelque détail qui lui avait déplu, avait
employé un langage de corps de garde d'une telle
crudité que tous ceux de son entourage et de son
cabinet en étaient restés pantois.

Le ministre ne l'ignorait pas, un sujet bien propre
à susciter chez le Général une telle réaction touchait
précisément aux dispositions que le ministre de
l'Intérieur responsable de la sécurité des institutions françaises, que le Président personnifiait
au plus haut point, jugeait indispensable de prendre. Ils n'avaient jamais considéré le problème
du même œil et la plupart des initiatives prises
par le ministre à cet égard l'étaient clandestinement.

A l'idée de ce que contenait le dossier glissé dans
sa serviette et de la démarche qu'il devait accomplir, il en tremblait presque.

Dans son complet gris anthracite, dressé de
toute sa haute taille, le Général avait fait le tour
du vaste bureau derrière lequel il restait géné-
ralement assis, et tendait la main en signe de
bienvenue.

— Mes respects, monsieur le Président.

Au moins, le Vieux semblait de bonne humeur.
Un geste invita le ministre à s'asseoir dans l'un
des fauteuils droits recouverts de tapisserie de
Beauvais du Iᵉʳ Empire devant le bureau. Charles
de Gaulle, ses obligations d'hôte une fois remplies,
retourna s'asseoir le dos au mur. Il se pencha en
arrière et posa les mains sur la table, du bout de
ses dix doigts.

— Il paraît que vous désirez me voir à propos
d'une question urgente. Eh bien, je vous écoute.

Le ministre fit une profonde aspiration et plongea résolument. De façon succincte, il exposa les
motifs de sa visite. Il savait que de Gaulle détestait les longs discours, les siens exceptés et encore
uniquement lorsqu'ils étaient prononcés en public.
En privé, il appréciait fort la brièveté, ainsi que
plusieurs de ses subordonnés trop verbeux l'avaient
appris à leurs dépens.

Tandis que le ministre parlait, il vit son audi-
teur se raidir visiblement. Se penchant de plus
en plus en arrière tout en donnant simultanément
l'impression de grandir peu à peu, le Général
considérait le ministre dans l'axe de son impérieux
appendice nasal comme si quelque répugnante
substance avait été introduite dans son bureau
par un serviteur jusque-là jugé parfaitement sûr.
Le ministre, cependant, n'ignorait pas qu'à cinq
mètres de distance, son visage ne pouvait être
qu'une tache floue aux yeux du Président qui
dissimulait sa myopie chaque fois qu'il apparaissait en public en ne portant pas de lunettes
sauf pour lire ses discours. Le ministre de l'Intérieur acheva son exposé, qui avait duré à peine
plus d'une minute, en faisant mention des commen-

taires de Rolland et de Ducret et il conclut en déclarant :

— J'ai là le rapport de Rolland dans ma serviette.

Sans un mot, la main présidentielle se tendit au-dessus du bureau. Le ministre tira le rapport de la serviette et le remit au Général.

De la poche poitrine de son veston, Charles de Gaulle sortit ses lunettes, les chaussa, ouvrit le dossier devant lui et se mit à lire. Comme s'il avait jugé opportun de se taire, le pigeon avait cessé de roucouler.

Le ministre jeta un coup d'œil vers les arbres du parc, puis sur la lampe de bronze près du buvard sur le bureau. C'était un superbe flambeau de vermeil ouvragé de style Restauration monté en lampe électrique et qui, au cours de cinq années de présidence, avait passé des milliers d'heures à éclairer les documents d'État qui s'étaient succédé sur le buvard près duquel il était posé. Le général de Gaulle lisait très vite. Au bout de trois minutes, il avait achevé le rapport de Rolland. Après l'avoir refermé avec soin devant lui, il croisa les mains en travers et demanda :

— Eh bien, mon cher, qu'attendez-vous de moi ?

Pour la seconde fois, le ministre respira profondément et se lança dans une rapide énumération des mesures qu'il souhaitait prendre. A deux reprises, il utilisa la phrase : « ...Selon moi, monsieur le Président, il sera nécessaire si nous voulons écarter cette menace... » A la trente-troisième seconde de sa tirade, il prononça les mots : « l'intérêt de la France... »

Il n'alla pas plus loin. Le Président le coupa à cet instant, de sa voix sonore conférant au mot France la valeur d'une divinité sur un ton que nulle voix française jusque-là et depuis lors n'avait su trouver.

— L'intérêt de la France, mon cher, c'est qu'on ne voie jamais le président de la République reculer devant la menace d'un misérable tueur à gages et... — il s'interrompit tandis que son mépris pour l'agresseur inconnu s'appesantissait dans la pièce — d'un étranger.

Le ministre comprit alors qu'il avait perdu. Le Général n'explosa pas de fureur comme l'avait craint le ministre. Il se mit à parler à voix claire et précise comme un homme résolu à ne laisser planer aucun doute sur ses intentions. Comme il poursuivait, certaines des phrases qu'il prononçait parvinrent par la fenêtre au colonel Tesseire qui en perçut des bribes.

« ...la France ne saurait accepter... la dignité et la grandeur assujetties aux misérables menaces d'un... d'un Chacal... »

Deux minutes plus tard, le ministre quittait le bureau du Président. Il eut un bref signe de tête à l'adresse du colonel Tesseire, franchit la porte du salon des Ordonnances et redescendit l'escalier jusqu'au vestibule.

Eh bien, songeait l'huissier en chef tout en escortant le ministre jusqu'au bas des marches de pierre où attendait la DS et en regardant la voiture s'éloigner, voilà un homme qui a un sacré problème sur les bras ou je ne m'y connais pas. Qu'est-ce que le Vieux a bien pu lui dire ? Mais en tant qu'huissier en chef, ses traits conservèrent une calme immobilité égale à celle de la façade du palais où il servait depuis vingt ans.

— Non, c'est impossible d'opérer de cette façon. Le Président a été absolument formel là-dessus.

Le ministre se détourna de la fenêtre de son bureau et enveloppa du regard celui à qui il venait d'adresser cette remarque. Quelques minutes après son retour de l'Élysée il avait convoqué son chef de cabinet. Alexandre Sanguinetti était corse, un autre gaulliste acharné. Dans le rôle de celui auquel le ministre de l'Intérieur avait délégué au cours des deux dernières années la plupart des tâches intéressant la gestion des forces de sécurité nationales, Sanguinetti s'était forgé une réputation qui variait du tout au tout selon les tendances politiques ou la conception des droits civiques des observateurs.

Par l'extrême-gauche, il était à la fois haï et redouté pour sa façon de mobiliser sans hésitation les brigades répressives de C. R. S. et la tactique de dissuasion brutale qu'adoptaient ces quarante-cinq mille cogneurs paramilitaires en cas de manifestation de rues, qu'elle fût déclenchée par la gauche ou par la droite.

Les communistes le traitaient de fasciste, peut-être parce que certaines de ses méthodes visant à maintenir l'ordre public rappelaient un peu les moyens employés dans les paradis du prolétariat au-delà du Rideau de Fer. Les gens de l'extrême-droite, également baptisés fascistes par les communistes, professaient un égal mépris à son égard, criant de même à l'étranglement de la démocratie

et des droits civiques, mais sans doute plus parce
que la brutale efficacité de ses méthodes avait
largement contribué à éviter une détérioration
totale de l'ordre public qui aurait contribué à
précipiter un coup d'État d'extrême-droite osten-
siblement fomenté en vue de restaurer ce même
ordre public.

Et l'ensemble de la population ne l'aimait pas
car les draconiens décrets issus de ses services la
touchaient dans son ensemble avec ses barrages
de rues, ses contrôles d'identité à la plupart des
grands carrefours routiers, ses chicanes sur toutes
les routes importantes et les photos largement
diffusées des jeunes manifestants poursuivis et
matraqués par les « bidules » des C. R. S.

La presse, pour sa part, l'avait déjà baptisé
« M. Anti-O. A. S. » et la poignée de journaux gaullistes exceptée, l'insultait sans ménagement. Si
la honte de se trouver l'homme le plus critiqué de
France l'affectait le moins du monde, il n'en laissait
rien paraître. Le dieu qu'honorait son église personnelle était reclus dans un bureau du palais de
l'Élysée et, au sein de cette église, Alexandre
Sanguinetti était le chef de la Curie. Il considéra
d'un œil étincelant de colère le classeur contenant
le rapport Rolland placé devant lui.

— C'est impossible. Impossible!... Il est impossible. Il faut absolument que nous le protégions,
mais il ne veut rien savoir. Je pourrais mettre la
main sur cet homme, ce Chacal. Mais vous dites
que nous ne sommes pas autorisés à prendre de
contre-mesures. Alors que fait-on ? On attend simplement qu'il se décide à frapper ? On se contente
d'attendre sans bouger ?

Le ministre exhala un soupir. Il n'en attendait pas moins de son chef de cabinet mais cela ne lui facilitait nullement la tâche. Il se rassit derrière son bureau.

— Alexandre, écoutez. Tout d'abord, considérez que nous ne sommes pas encore absolument certains de l'exactitude du rapport Rolland. Il contient les déductions personnelles qu'il a tirées des allées et venues de ce... Kowalski, mort depuis. Peut-être Rolland a-t-il tort. Nous poursuivons encore nos enquêtes à Vienne. J'ai pris contact avec Guilbaud et il pense avoir une réponse ce soir. Mais il faut bien admettre qu'à ce stade, lancer une chasse à l'homme à l'échelon national pour un étranger dont nous ne connaissons que le nom de code est une entreprise bien peu réaliste.

« Sur ce point, je dois reconnaître que je partage l'opinion du Président.

« Par ailleurs, voici ses instructions... non... ses ordres absolument formels. Je les répète pour qu'ils soient bien clairs à l'esprit de chacun. Sont exclues toute publicité, toutes recherches, toute allusion à quoi que ce soit hors du cercle restreint dont nous faisons partie. Le Président estime que si le secret était levé, la presse s'en donnerait à cœur joie, que les autres pays en feraient des gorges chaudes, que toute mesure de sécurité supplémentaire serait interprétée ici et hors de France comme une reculade de la part d'un chef d'État s'abaissant jusqu'à se protéger d'un homme seul et, par-dessus le marché, d'un étranger.

« Cela, je le répète, il ne le tolérera pas. En fait — le ministre souligna sa déclaration d'un index pointé — il m'a clairement fait comprendre que si, au cours de notre enquête, les moindres fuites se produisaient, des têtes tomberaient. Croyez-moi, cher ami, je ne l'ai jamais vu si intraitable.

— Mais le programme officiel, protesta Sanguinetti, doit absolument être modifié. Il faut annuler toute apparition en public jusqu'à ce qu'on ait coffré ce type. Il doit sûrement...

— Il n'annulera rien. Rien ne sera décalé ni d'une heure ni d'une minute. Toute l'opération doit s'effectuer dans le secret le plus absolu.

Pour la première fois depuis le démantèlement du complot de l'École militaire en février, avec l'arrestation des conjurés, Alexandre Sanguinetti avait l'impression de se retrouver à son point de départ. Au cours des deux derniers mois, consacrés à enrayer la vague d'attaques de banques et d'agressions à main armée, il s'était cru le droit d'espérer que le pire était passé. Alors que l'appareil de l'O. A. S. s'était effondré sous les assauts conjugués du service Action à l'intérieur de l'organisation et des interventions de la police et des C. R. S. de l'extérieur, il avait vu dans cette recrudescence d'actions criminelles les sursauts d'agonie de l'Armée secrète dont la dernière poignée de voyous qui sévissaient encore s'efforçaient de rafler assez d'argent pour vivre confortablement en exil.

Mais selon la dernière page du rapport de Rolland une chose était claire : les douzaines d'agents doubles, que Rolland avait réussi à injecter jusque parmi les plus hauts responsables de l'O. A. S., étaient restés désarmés devant l'anonymat du tueur, à l'exception de trois hommes impossibles à joindre dans un hôtel de Rome, et il

pouvait constater par lui-même que les énormes
archives de dossiers sur tous ceux qui, de loin
ou de près, avaient été liés à l'O. A. S. et qui
constituaient une mine d'informations précieuses
pour le ministère de l'Intérieur, perdaient toute
utilité pour un simple fait : le Chacal était un
étranger.

— Si nous ne sommes pas libres d'agir, que
peut-on faire ?

— Je n'ai pas dit que nous n'étions pas libres
d'agir, rectifia le ministre. J'ai dit que nous n'étions
pas autorisés à entreprendre une action publique.
Rien ne doit s'ébruiter. Ce qui ne nous laisse
qu'une issue. Une enquête secrète doit nous fournir
l'identité du tueur ; il doit être retrouvé coûte
que coûte en France ou à l'étranger et supprimé
sans hésitation.

« ...et supprimé sans hésitation. Voilà, messieurs,
le seul champ d'action qui nous est ouvert ».

Le ministre de l'Intérieur considéra l'assemblée
réunie autour de la table de la salle des conférences du ministère, pour laisser à chacun le temps
de s'imprégner de sa déclaration.

Ils étaient quatorze dans la pièce, y compris lui-
même. Le ministre occupait un bout de la table.
A sa droite immédiate se tenait son chef de cabinet,
à sa gauche le préfet de police. A la droite de Sanguinetti s'échelonnaient le général Guilbaud, chef
du S. D. E. C. E., le colonel Rolland, chef du
service Action et l'auteur du rapport dont un
exemplaire était placé devant chacun. A la suite
de Rolland venaient le commissaire Ducret, du

Corps de sécurité présidentielle et le colonel Saint-
Clair de Villauban, un officier d'aviation attaché
à l'état-major de l'Élysée, animé d'un gaullisme
fanatique mais, laissait-on entendre dans l'entourage du Président, d'une ambition tout aussi
fanatique. A la gauche de M. Maurice Papon, le
préfet de police, étaient assis M. Maurice Grimaud,
directeur général de la Sûreté nationale et, côte
à côte, les cinq directeurs des services de la Sûreté.

Thème de prédilection des auteurs de romans
policiers qui en font un fléau du crime, la Sûreté
en elle-même n'en est pas moins un très modeste
organisme à personnel réduit coiffant les cinq
branches criminelles, responsables de toutes les
tâches d'exécution. Le rôle de la Sûreté est admi-
nistratif, comme celui de l'Interpol, objet de des-
criptions tout aussi erronées et la Sûreté ne compte
pas un seul policier dans son personnel.

A côté de Maurice Grimaud était assis Max
Fernet, directeur de la Police judiciaire. Mis à
part son important quartier général du quai des
Orfèvres, considérablement plus vaste que celui
de la Sûreté, 11 rue des Saussaies, tout à côté du
ministère de l'Intérieur, la Police judiciaire contrôle 17 quartiers généraux des services régionaux,
correspondant aux 17 régions juridiques de la
France métropolitaine. A l'échelon au-dessous
sont placées les forces de police régionales. 453
sections en tout qui comprennent 74 commissariats centraux, 253 commissariats de quartier
et 126 postes de police. La totalité de ce réseau
couvre 2 000 villes et bourgs de France. Tel est
l'appareil policier français.

Dans les zones rurales et sur les grands axes

routiers, le maintien de l'ordre est assuré par la Gendarmerie nationale et la police de la circulation, les gendarmes mobiles. Dans bien des régions, pour des raisons d'efficacité, les gendarmes et les agents de police disposent des mêmes locaux et du même matériel.

Le nombre total des hommes placés sous les ordres de Max Fernet à la Police judiciaire en 1963 dépassait tout juste vingt mille.

A la gauche de Fernet venaient successivement les chefs des quatre autres services de la Sûreté : le Bureau de Sécurité publique, les Renseignements généraux, la Direction de la Surveillance du Territoire et le Corps républicain de Sécurité.

Le premier de ceux-ci, le B. S. P., était essentiellement chargé d'assurer la protection des immeubles, des communications, du secteur routier et de tous les autres biens d'État contre le sabotage ou les dégradations. Le second, le R. G., ou bureau central des archives, était la mémoire des quatre autres. En son quartier général du Panthéon étaient rassemblés 4 500 000 dossiers personnels sur les individus qui avaient pu se signaler à l'attention de ces services de police depuis leur création. Ils étaient répertoriés le long d'environ huit kilomètres d'étagères par ordre alphabétique et catégories selon le genre d'infraction pour laquelle chacun avait été condamné ou même dont il avait été simplement soupçonné ; les noms des témoins cités devant les tribunaux et ceux des acquittés figuraient également sur ces listes. Bien que le service ne disposât pas encore d'ordinateurs, les archivistes se vantaient de pouvoir en quelques minutes exhumer les détails d'un incendie volontaire perpétré dix ans plus tôt dans un petit village, ou les noms des témoins apparus dans un obscur procès qui n'avait pas même eu les honneurs de la presse. A ces données s'ajoutait le « piano » où figuraient les empreintes de toutes les personnes ayant passé en France par cette formalité, et parmi lesquelles un bon nombre n'avait jamais été identifié. Il y avait également 10 500 000 fiches, y compris celles de tous les touristes ayant franchi les frontières et celles remplies par les résidents de tous les hôtels en dehors de Paris.

Pour de simples questions d'espace, ces fiches devaient être éliminées à intervalles relativement rapprochés pour laisser la place à l'incessant afflux des plus récentes, chaque année. Les seules fiches d'identité établies sur l'ensemble de la France et qui n'étaient pas centralisées par la R. G. étaient celles des hôtels parisiens. Ces dernières étaient dirigées sur la préfecture de Police, boulevard du Palais.

La D. S. T., dont le directeur était assis trois places après Fernet, le service de contre-espionnage français, assure entre autres la surveillance permanente des aérodromes, des ponts et des frontières. Avant de parvenir aux archives, les fiches d'entrée sur le territoire français sont examinées par les officiers de la D. S. T. aux postes frontières pour assurer le filtrage et l'étiquetage des indésirables.

Le dernier homme de la rangée était le chef des C. R. S., cette force de 45 000 hommes à laquelle Alexandre Sanguinetti, en provoquant son intervention au cours des deux années précédentes, avait déjà valu une notoriété égale à son impopularité.

Entre le chef des C. R. S. placé à l'autre bout de la table, en face du ministre et le colonel Saint-Clair de Villauban, restait un dernier fauteuil. Il était occupé par un homme solide et de haute taille dont les bouffées qu'il tirait de sa pipe agaçaient visiblement le distingué colonel à sa gauche. Le ministre avait instamment prié Max Fernet de l'amener à cette réunion. C'était le commissaire Maurice Bouvier, chef de la brigade criminelle de la P. J.

— Voilà donc où nous en sommes, messieurs, déclara le ministre. Vous avez tous lu le rapport du colonel Rolland qui se trouve devant chacun d'entre vous. Je vous ai mis au courant des considérables restrictions que le Président, dans l'intérêt de la dignité de la France, a estimé nécessaire de nous imposer dans nos efforts en vue de détourner la menace dirigée contre sa personne. Je le soulignerai encore une fois : le secret le plus total doit être observé dans la conduite de l'enquête ou dans toute autre initiative que nous serions amenés à prendre. Vous vous engagez tous sur l'honneur, cela va sans dire, à garder sur l'affaire un silence absolu et à n'en parler à qui que ce soit hors de cette pièce, sinon à d'autres personnes préalablement mises dans le secret.

« Je vous ai tous réunis parce que, selon moi, quoi que nous fassions, les ressources de tous les services ici représentés devront tôt ou tard être réunies ; j'attire en outre l'attention de tous les chefs de ces services sur la priorité absolue qu'ils doivent réserver à cette affaire. Elle doit, en

toutes circonstances, retenir sans délai tous leurs
soins. Toute délégation de pouvoirs à des subalternes est proscrite à moins qu'il ne s'agisse de
missions dont les motifs réels n'apparaissent à
aucun degré. »

Le ministre fit une nouvelle pause. Des deux
côtés de la table, il y eut quelques discrets hoche-
ments de tête. D'autres gardèrent les yeux rivés
sur l'orateur ou sur le dossier devant eux. A
l'autre bout, le commissaire Bouvier regardait le
plafond, émettant du coin de la bouche de brefs
petits nuages de fumée, tel un Peau-Rouge lançant des signaux ; le colonel d'aviation, à côté de
lui, tiquait à chaque bouffée.

— Et maintenant, conclut le ministre, je crois
que je peux vous demander de me faire part de
vos idées sur la question. Colonel Rolland, vos
enquêtes à Vienne ont-elles donné des résultats ?

Le chef du service Action leva les yeux de son
rapport, lança un regard de côté au général commandant du S. D. E. C. E. mais n'en reçut aucun signe d'encouragement ou de blâme.

Le général Guilbaud, se souvenant qu'il avait
passé la moitié de la journée à calmer le chef de
la section 3 R à propos de la décision prise en début
de matinée par Rolland d'utiliser le bureau de
Vienne pour effectuer ses enquêtes personnelles
regardait droit devant lui.

— Oui, répondit le colonel. Des enquêtes ont
été opérées à Vienne ce matin et cet après-midi
par nos agents à la pension Kleist, un petit hôtel
de la Brucknerallee. Ils avaient des photos de
Marc Chazanet, René Montclair et André Casson.
Nous n'avons pas eu le temps de leur transmettre

des photos de Viktor Kowalski, qui ne figurait pas au fichier de Vienne.

« Le réceptionniste de l'hôtel a déclaré qu'il reconnaissait au moins deux des hommes. Mais il ne pouvait rien préciser. On lui a graissé la patte en le priant de rechercher dans le registre de l'hôtel les journées du 12 au 18 juin — le 18 étant le jour où les trois chefs de l'O. A. S. s'étaient installés à Rome.

« Finalement, il a dit se souvenir du visage de Chazanet qui aurait retenu une chambre au nom de Schulze le 15 juin. D'après l'employé, il aurait tenu une espèce de conférence dans l'après-midi et serait parti le lendemain après avoir passé la nuit dans sa chambre. Il s'est également souvenu que Schulze avait un compagnon, un homme très grand et fort, grossier de manières ; c'était précisément à cause de lui qu'il s'était souvenu de Schulze. Il avait reçu deux hommes dans la matinée avec lesquels il avait conféré. Les deux visiteurs auraient pu être Casson et Montclair. Il ne pouvait pas l'affirmer mais il pensait bien avoir déjà vu au moins l'un des deux.

« Ces hommes, d'après l'employé, seraient restés toute la journée dans leur chambre, excepté en fin de matinée où Schulze et le géant, comme il appelait Kowalski, étaient sortis pendant une demi-heure. Aucun d'entre eux n'avait déjeuné ou n'était descendu pour prendre un repas quelconque.

— Mais, est-ce qu'un cinquième homme est venu les voir ? demanda Sanguinetti avec impatience.

Rolland, sans répondre, reprit son exposé d'une voix égale :

— Au cours de la soirée, un autre homme est venu les retrouver pendant une demi-heure. L'employé dit qu'il s'en est souvenu parce que ce visiteur est entré dans l'hôtel et a grimpé l'escalier si vite qu'il n'a pas même pu le voir. Il a pensé que c'était l'un de ses clients qui avait gardé sa clef. Mais il a remarqué le dos du veston de l'individu en train de monter les marches. Quelques instants plus tard cet individu redescendait dans le hall. L'employé est sûr que c'était le même à cause précisément du tissu de ce veston.

« Cet homme a utilisé le téléphone de la réception et demandé la chambre de Schulze, n° 64. Il a dit deux seules phrases en français, puis il a raccroché et a remonté l'escalier. Il a passé environ une heure en haut puis est ressorti sans dire un mot. A peu près une heure plus tard, les deux autres, qui étaient venus voir Schulze, sont repartis séparément. Schulze et le géant ont passé la nuit à l'hôtel et l'ont quitté le lendemain matin après le petit déjeuner.

« Le seul signalement qu'a pu donner le réceptionniste du visiteur du soir est le suivant : grand, âge indécis, traits apparemment réguliers, mais il portait des lunettes noires fermées sur le côté, parlant couramment français, cheveux blonds plutôt longs et coiffés en arrière.

— Pourrait-on obtenir du réceptionniste qu'il aide à l'élaboration d'un portrait-robot de ce type blond ? s'enquit le préfet de police.

Rolland secoua la tête.

— Non. Nos agents se sont fait passer pour des policiers en civil autrichiens. Heureusement l'un d'eux avait un excellent accent viennois.

Mais c'est un artifice qu'on ne peut pas prolonger indéfiniment. On a été obligé de questionner cet homme au bureau de l'hôtel.

— Il nous faut un signalement plus précis, protesta le chef du service des archives. Y a-t-il eu des noms prononcés ?

— Non, répondit Rolland. Ce que vous venez d'entendre, c'est le résultat obtenu après trois heures d'interrogatoire du réceptionniste. Chaque point de détail a été repris systématiquement. Il ne se souvient de rien d'autre. Faute de portrait-robot, c'est le meilleur signalement qu'il pouvait fournir.

— On ne pouvait pas l'enlever comme Argoud, qu'il puisse nous faire un portrait de ce tueur ici à Paris ? questionna le colonel Saint-Clair de Villauban.

Le ministre s'interposa.

— Il n'est plus question d'employer cette méthode. Nous sommes encore à couteaux tirés avec le ministère des Affaires étrangères d'Allemagne à cause d'Argoud. Ce genre de procédé est peut-être concevable une fois mais pas deux.

— Dans un cas aussi grave, la disparition d'un employé d'hôtel doit pouvoir s'opérer plus discrètement que l'enlèvement d'Argoud ? suggéra le chef de la D. S. T.

— Il est en tout cas douteux, intervint Max Fernet calmement, que le portrait-robot d'un homme portant des lunettes noires à coquille latérale puisse présenter beaucoup d'utilité. Un portrait-robot exécuté à la suite d'un incident banal ayant duré quelques secondes et remontant à deux mois a très peu de chances de ressembler au criminel si on finit par lui mettre la main dessus. La plupart des portraits de ce genre pourraient être ceux de cent mille personnes et certains vous aiguillent carrément sur de fausses pistes.

— Donc, à part Kowalski qui est mort et qui a dit tout ce qu'il savait — peu de chose en fait — il ne reste que quatre hommes au monde à connaître l'identité de ce Chacal, dit le commissaire Ducret. L'un, c'est l'individu lui-même. Quant aux trois autres, ils sont dans un hôtel à Rome. Pourquoi ne pas essayer d'en ramener un ici ?

A nouveau, le ministre secoua la tête.

— Mes instructions sur ce point sont formelles. Tout enlèvement est exclu. Le gouvernement italien serait furieux si, à deux pas de la Via Condotti, se passait une histoire pareille. D'ailleurs, il n'est nullement certain que ce serait faisable. Général ?

Le général Guilbaud leva les yeux sur l'assemblée.

— La puissance et l'efficacité du rideau protecteur que Chazanet et ses deux hommes ont tendu autour d'eux, selon les rapports de mes agents qui exercent sur eux une surveillance permanente, rendent cette solution impraticable, dit-il. Ils ont huit ex-légionnaires tireurs d'élite comme gardes du corps, ou sept si Kowalski n'a pas été remplacé. Tous les ascenseurs, escaliers, échelles de secours, accès aux toits sont gardés. Il faudrait déclencher une vraie bataille et utiliser des grenades lacrymogènes et des mitraillettes pour en prendre un vivant. Et même dans ce cas, les chances de faire sortir cet homme du pays pour le ramener en France, à cinq cents kilomètres au nord, avec les Italiens alertés, seraient bien minces. Nous avons des hommes qui sont parmi les meilleurs experts au monde de ce genre de problème et, à moins de lancer un commando de style militaire, il n'y aurait aucune chance de réussir.

Un nouveau silence plana dans la pièce.

— Eh bien, messieurs, reprit le ministre, pas d'autres suggestions ?

— Il faut trouver ce Chacal. Ça du moins, c'est bien clair, déclara le colonel Saint-Clair de Villauban.

Plusieurs des assistants échangèrent des regards entendus et quelques-uns haussèrent le sourcil.

— C'est bien clair, oui, murmura le ministre au bout de la table. Ce que nous cherchons à mettre au point, c'est un moyen de réaliser l'opération, à l'intérieur des limites qui nous sont imposées et sur cette base peut-être pourrons-nous envisager plus clairement lequel des services ici représentés serait le plus apte à effectuer l'opération en question.

— La protection du président de la République, annonça Saint-Clair d'un ton solennel, doit dépendre en dernier ressort, lorsque tous les autres moyens ont échoué, du corps de sécurité présidentiel et de l'état-major personnel du Président. Je peux vous l'assurer, monsieur le Ministre, nous ferons notre devoir.

Certains des policiers présents, durs à cuire du métier, fermèrent les yeux avec un air de lassitude non feinte. Le commissaire Ducret fusilla Saint-Clair de Villauban du regard.

— C'est à croire qu'il ne sait pas que le Vieux n'écoute pas, grommela Guilbaud à l'oreille de Rolland.

Le ministre de l'Intérieur leva les yeux et son

regard croisa celui du courtisan de l'Élysée.

— Le colonel Saint-Clair de Villauban a parfaitement raison, dit-il d'une voix onctueuse.
Bien entendu, nous ferons tous notre devoir. Et
je suis certain qu'il n'échappe pas au colonel que
si certain service prenait la responsabilité de déjouer ce complot et n'y parvenait pas, ou même
utilisait des méthodes susceptibles d'entraîner
une publicité contraire aux vœux du Président,
le responsable de cet impair risquerait un blâme
sérieux.

La menace resta suspendue au-dessus de la
table, plus tangible que les volutes de fumée bleue
qui montaient de la pipe de Bouvier. Le visage
mince et pâle de Saint-Clair de Villauban se crispa
visiblement et une lueur inquiète passa dans son
regard.

— Nous sommes tous conscients ici des limites
imposées au champ d'action du Corps de sécurité
présidentiel, dit le commissaire Ducret d'une voix
plate. Nous passons tout notre temps à proximité
immédiate de la personne du Président. A coup
sûr, cette enquête suppose des initiatives d'une
portée telle que mon personnel ne saurait les envisager sans négliger gravement ses devoirs essentiels.

Personne ne le contredit. Chacun des responsables des services savait fort bien que leur collègue avait dit la vérité. Mais aucun ne souhaitait
que le choix du ministre s'arrêtât sur lui. Le ministre de l'Intérieur considéra l'un après l'autre
les hommes réunis autour de la table et arrêta
son regard sur la silhouette massive de Bouvier
enveloppée d'un nuage de fumée, qui leur faisait
vis-à-vis.

— Alors Bouvier, qu'en pensez-vous? Vous n'avez encore rien dit?

Le policier ôta la pipe de sa bouche, s'arrangea pour souffler quelques derniers flocons odorants en plein dans le visage de Saint-Clair de Villauban tourné vers lui et prit la parole d'un ton calme.

— Il me semble, monsieur le Ministre, que le S. D. E. C. E. ne peut pas retrouver cet homme grâce à ses agents infiltrés dans l'O. A. S. puisque l'O. A. S. même ne le connaît pas; le service Action ne peut pas l'éliminer puisqu'il ne sait pas qui éliminer. La D. S. T. ne peut pas le cueillir à la frontière puisqu'elle ne sait pas qui intercepter et la R. G. ne peut nous fournir aucune documentation sur lui puisqu'elle ne sait pas quels documents rechercher. La police ne peut l'arrêter, n'ayant personne à arrêter et les C. R. S. ne peuvent le poursuivre, n'ayant aucune idée de la personne à poursuivre. Faute d'un nom, tout l'ensemble des forces de sécurité du pays sont réduites à l'impuissance. Il me semble par conséquent que la première tâche, sans laquelle toutes les autres suggestions sont dénuées de sens, c'est de mettre un nom sur cet homme. Avec un nom, on obtient un visage, avec un visage un passeport, avec un passeport, une arrestation. Mais trouver ce nom, et le trouver en opérant en secret est un pur travail de policier.

Le commissaire se tut et inséra à nouveau le tuyau de sa pipe entre ses dents. Tous les assistants digérèrent lentement cette longue déclaration. Personne ne pouvait y trouver à redire. Sanguinetti, à côté du ministre, hocha pensivement la tête.

— Et quel est, commissaire, le meilleur policier de France ? demanda posément le ministre.

Bouvier réfléchit quelques secondes avant de ressortir sa pipe de sa bouche.

— Le meilleur policier de France, messieurs, c'est mon propre adjoint, le commissaire Claude Lebel.

— Convoquez-le, dit le ministre de l'Intérieur.

DEUXIÈME PARTIE

Anatomie d'une chasse à l'homme

11

Une heure plus tard, Claude Lebel sortait de la salle de conférences, étourdi, stupéfait. Pendant cinquante minutes il avait écouté le ministre de l'Intérieur le mettre au courant de la mission qui l'attendait.

A son entrée dans la pièce, il avait été invité à s'asseoir au bout de la table, pris en sandwich entre le chef des C. R. S. et son propre patron, Bouvier.

Tandis que les quatorze assistants observaient un silence total, il avait lu le rapport Rolland, conscient d'être le point de mire de tous les regards. A peine eut-il reposé son dossier qu'il ressentit les premières morsures de l'inquiétude. Pourquoi l'avait-on fait venir? Alors le ministre prit la parole. Il ne s'agissait ni d'une consultation ni d'une requête, mais d'un ordre impératif suivi d'un briefing détaillé. Il organiserait personnellement son bureau ; il aurait accès sans la moindre restriction à toutes les informations nécessaires ; la totalité des ressources que pouvaient fournir les organismes placés sous la responsabilité des hommes assis autour de la table seraient mises

à sa disposition. Il pourrait engager des frais illimités.

A plusieurs reprises, on avait souligné à son intention la nécessité absolue du secret : cette consigne émanait du chef de l'État lui-même. Tandis
qu'il écoutait, il sentait son estomac se nouer.
On lui demandait, non, on exigeait de lui l'impossible. La moindre base de départ lui faisait défaut.
Il n'y avait pas eu de crime commis, du moins
pas encore. Les indices brillaient par leur absence.
Il n'existait pas de témoins à l'exception des trois
auxquels il ne pouvait s'adresser. Un nom, rien
de plus. Un nom de code, et le monde entier comme
champ de recherches, tel était son problème.

Claude Lebel était, il ne l'ignorait pas, un bon
policier. Il avait toujours été un bon policier, pas
pressé, précis, méthodique, infatigable. De temps
en temps, simplement, il avait de ces éclairs d'intuition, de ces instants d'inspiration qui font
les limiers d'exception. Mais jamais il ne perdait
de vue cette donnée fondamentale : dans l'exercice du métier de policier, 99 % de l'effort relève
de la routine, des recherches souvent fastidieuses,
des vérifications et contre-vérifications, d'un laborieux tissage de fils conducteurs jusqu'à ce que
leur trame se transforme en filet, et que ce filet
finisse par emprisonner le criminel inexorable-
ment pour faire de lui non pas la simple vedette
des journaux mais un coupable qui n'échappera
pas au châtiment. Lebel était à la P. J. connu
comme un bûcheur acharné, un homme méthodique qui détestait la publicité et n'avait jamais
donné de ces conférences de presse sur lesquelles
certains de ses collègues avaient assis leur répu-

tation. Il n'en avait pas moins gravi régulièrement
les échelons au cours d'une carrière jalonnée de
succès professionnels. Et lorsqu'il s'était trouvé
un poste à pourvoir à la tête de la division homicide de la Brigade criminelle, trois ans plus tôt,
ses collègues eux-mêmes qui briguaient cette nomi-
nation avaient reconnu d'un commun accord que
la promotion revenait à Lebel.

Dans l'exercice de ses nouvelles fonctions
s'étaient confirmés ses brillants états de service
et, en trois ans, il n'avait pas manqué une arrestation, quoique, une seule fois, l'accusé eût été
acquitté pour vice de forme.

A la tête de la division homicide, il avait à plusieurs reprises attiré l'attention de Maurice Bouvier, chef de la brigade, et lui aussi policier de la
vieille école. Aussi lorsque Dupuy, son adjoint,
était mort subitement quelques semaines plus
tôt, c'était Bouvier qui avait demandé la désigna-
tion de Lebel pour le remplacer. Certains représentants de la P. J. estimaient que Bouvier, acca-
paré par la machine administrative, ne pouvait
qu'apprécier la présence d'un subordonné discret,
capable de mener à bien, et dans le silence, les
grosses affaires qui faisaient la une des journaux,
sans essayer de lui couper l'herbe sous le pied.

Mais peut-être manquaient-ils simplement de
charité.

Une fois la réunion terminée, les exemplaires
du rapport Rolland furent rassemblés pour être
enfermés dans le coffre du ministre. Lebel seul fut
admis à conserver celui de Bouvier. Il n'avait
formulé qu'une seule requête : être autorisé à
rechercher la coopération, à titre confidentiel,

des chefs de certains organismes policiers des grands pays étrangers susceptibles de détenir dans leurs fichiers l'identité d'un tueur professionnel comme Chacal. Privé de cette assistance technique, souligna-t-il, il lui serait pratiquement impossible d'entreprendre même les premières recherches.

Sanguinetti avait demandé si l'on pouvait être sûr que les responsables en question sauraient se taire. Lebel avait répondu qu'il connaissait personnellement ceux qu'il souhaitait consulter, que les enquêtes n'auraient aucun caractère officiel mais se maintiendraient au niveau de ces contacts personnels qu'entretiennent la plupart des grands policiers de l'hémisphère occidental. Après un moment de réflexion, le ministre avait donné son accord.

Et maintenant, il se tenait dans le couloir, attendant Bouvier, regardant passer devant lui les divers chefs des services qui s'en allaient. Certains se contentaient de lui adresser un bref signe de tête, d'autres le gratifiaient d'un sourire aimable en lui disant bonsoir. Parmi les derniers à partir, tandis qu'à l'intérieur Bouvier conférait paisiblement avec Max Fernet, se trouvait l'aristocratique colonel de l'état-major de l'Élysée. Lebel avait vaguement cru comprendre, tandis que se faisaient les présentations autour de la table, qu'il s'appelait Saint-Clair de Villauban. Celui-ci s'arrêta devant le petit commissaire rondelet et le toisa avec un mépris mal déguisé.

— J'espère, commissaire, que vos recherches aboutiront, et rapidement, dit-il. Nous allons, à l'Élysée, suivre de très près la progression de votre enquête. Au cas où vous ne réussiriez pas à mettre la main sur ce bandit, je peux vous assurer qu'il y aura des... répercussions.

Là-dessus, le colonel pivota sur les talons et, droit comme un *i*, descendit l'escalier jusqu'au hall. Lebel ne dit pas un mot mais battit rapidement des paupières.

Si, depuis son entrée dans la police en Normandie sous la IVe République, les enquêtes criminelles de Lebel s'étaient pratiquement toujours soldées par des succès, c'était avant tout en raison d'un don qu'il possédait au plus haut point : celui d'inspirer confiance aux gens et par là même de provoquer leurs confidences. Il n'avait pas l'imposante présence physique de Bouvier, incarnation traditionnelle de la Loi ; il n'était pas non plus doué de cette agilité verbale qui caractérisait tant de jeunes policiers de la nouvelle école et leur permettait de démonter complètement un témoin ou un suspect au cours d'un interrogatoire. Mais ces manques ne l'handicapaient en rien.

Il savait fort bien que dans toute société ce sont la plupart du temps les petites gens : le boutiquier, le vendeur, le postier ou l'employé de banque qui commettent les crimes ou en sont témoins. Tous ceux-là, il avait l'art de les faire parler et ne l'ignorait pas. A quoi tenait ce talent ? Tout d'abord, à sa taille ; il était petit et évoquait à bien des égards ces classiques maris harcelés par leurs femmes dont se délectent les dessinateurs humoristes : bien que nul ne le sût dans le service, c'était d'ailleurs son cas. Insoucieux de sa tenue, on le voyait toujours en complet fripé avec un trench coat. Il avait des manières timides, presque effacées et, lorsqu'il questionnait un témoin, celui-ci le trouvait si différent de tous ceux auxquels il avait eu jusquelà affaire, qu'il tendait aussitôt à venir chercher auprès de ce policier si compréhensif un refuge contre ses subordonnés.

Mais là ne s'arrêtaient pas ses mérites.

Il avait dirigé la division homicide de la force de police la plus puissante d'Europe. Il était resté dix ans inspecteur à la Brigade criminelle. Sa douceur et sa simplicité apparente cachaient à la fois une grande subtilité d'esprit et une farouche détermination de ne jamais se laisser démonter ou impressionner par qui que ce fût dans l'exercice de ses fonctions.

Il avait été l'objet de menaces répétées de la part de gangsters parmi les plus dangereux de France qui, aux battements de paupières de Lebel devant leurs avertissements, croyaient avoir atteint leurs buts. Plus tard seulement, dans une cellule, ils avaient eu tout le loisir de comprendre qu'ils avaient sous-estimé ces yeux marron au regard doux et cette petite moustache inoffensive. A deux reprises, des personnages riches et influents l'avaient soumis à des tentatives d'intimidation : la première fois, il s'agissait d'un industriel désireux d'obtenir contre l'un de ses employés une inculpation d'escroquerie fondée sur un simple coup d'œil dans ses registres comptables ; la deuxième, il s'agissait d'un personnage en vue de la haute société qui voulait qu'on abandonne l'enquête ouverte à la suite de la mort d'une jeune artiste pour abus de stupéfiants.

Dans le premier cas, l'examen approfondi des affaires de l'industriel avait entraîné la mise en

évidence de graves irrégularités dont le jeune
comptable n'était en rien responsable et à la suite
de quoi l'industriel dut regretter amèrement de
n'avoir pas filé se réfugier à temps en Suisse.

La seconde fois, l'hôte des grands salons parisiens s'était vu accueillir pour un séjour prolongé
dans une institution d'État où il avait eu tout le
loisir de ruminer sur les risques présentés par l'organisation d'un repaire clandestin de drogués dans
son duplex de l'avenue Victor-Hugo.

Comme le dernier homme sortait de la salle de
conférences, Maurice Bouvier vint rejoindre Lebel.
Max Fernet lui souhaita bonne chance, lui donna
une brève poignée de main et descendit l'escalier.
Bouvier abattit sur l'épaule de Lebel une main
large comme un battoir.

— Eh bien, mon petit Claude. Cette fois, ça
y est. D'accord, c'est moi qui ai suggéré que la
P. J. prenne l'affaire en main. C'était la seule chose
à faire. Tous les autres auraient perdu leur temps
en parlotes interminables. Allez, venez, on va discuter dans la voiture, dit-il, en commençant à
descendre les marches.

Quelques instants plus tard, ils s'installaient
tous les deux à l'arrière de la Citroën qui attendait
dans la cour.

Il était plus de neuf heures du soir et des dernières lueurs du jour ne subsistait qu'une longue
bande violet sombre qui barrait le ciel au-dessus
de Neuilly. La voiture de Bouvier s'engagea dans
l'avenue Marigny et atteignit la place Clemenceau.
Lebel jeta un coup d'œil sur sa droite vers le fleuve
étincelant des Champs-Élysées dont la grandiose
perspective lui en imposait toujours même après

17

les dix années écoulées depuis son arrivée de la province. Enfin, Bouvier prit la parole.

— Il faudra laisser tomber tout votre travail en cours. Tout. Repartir à zéro. Je vais charger Favier et Malcoste de reprendre vos enquêtes les plus importantes. Voulez-vous un nouveau bureau pour cette mission ?

— Non, je préfère ne pas bouger de celui que j'ai actuellement.

— Parfait. Mais, en tout cas, à partir d'aujourd'hui il devient le Q. G. de l'opération Chacal. Rien d'autre. D'accord ? Voulez-vous quelqu'un d'autre pour vous aider ?

— Oui, Caron, dit Lebel se référant à l'un des inspecteurs plus jeunes qui avaient travaillé avec lui à l'homicide et dont il avait fait le chef adjoint de la Brigade criminelle.

— Entendu pour Caron. Personne d'autre ?

— Non merci. Mais il faudra mettre Caron au courant.

Bouvier réfléchit un instant.

— Ça doit être faisable. Ils ne peuvent tout de même pas exiger des miracles. Il vous faut un adjoint, c'est évident. Mais ne lui dites rien pendant une heure ou deux. Je vais appeler le ministre de mon bureau et pour la forme je lui demanderai le feu vert. En tout cas, personne d'autre ne doit rien savoir. En deux jours, si jamais ça s'ébruitait, l'histoire s'étalerait dans les journaux.

— Personne d'autre, uniquement Caron, assura Lebel.

— Bon. Une dernière chose. Avant de partir tout à l'heure Sanguinetti a suggéré que tous ceux qui étaient là ce soir soient informés à intervalles réguliers de l'évolution de la situation. Le ministre de l'Intérieur a dit d'accord. Fernet et moi avons essayé de les dissuader, mais sans résultat. A partir d'aujourd'hui, tous les soirs, au ministère, vous devrez donc venir faire votre rapport. A dix heures juste.

— Oh, ce n'est pas vrai, gémit Lebel, consterné.

— En théorie, reprit Bouvier avec une ironie un peu pesante, nous serons tous tant que nous sommes prêts à vous faire part de nos meilleurs conseils ou suggestions. Ne vous en faites pas, Claude. Fernet et moi nous serons là aussi, au cas où les loups se mettraient à hurler.

— Et ce sera comme ça jusqu'à nouvel ordre ? s'enquit Lebel.

— J'en ai peur. Le chiendent, c'est que cette opération ne relève d'aucun horaire. Il faut simplement que vous mettiez la main sur cet assassin avant qu'il n'arrive jusqu'au Grand Charles. Nous ne savons pas du tout si ce type a un programme ou quelque chose dans ce genre... Peut-être essayera-t-il de frapper demain matin, peut-être seulement dans un mois. Dites-vous bien que vous allez avancer à l'aveuglette jusqu'à ce qu'il soit arrêté ou du moins identifié et localisé. A partir de là, je pense que le service Action pourra prendre la relève.

— Une bande de truands, murmura Lebel.

— D'accord, admit Bouvier d'un ton paisible, mais ils ont leur utilité. Nous vivons une époque terrible, mon cher Claude. En plus de l'accroissement des crimes normaux, nous avons maintenant les crimes politiques. Parfois on est obligé d'agir. Ces hommes-là s'en chargent. En tout cas, je compte sur vous pour me retrouver ce zèbre-là.

La voiture obliqua le long du quai des Orfèvres et vira pour franchir les portes de la P. J. Dix minutes plus tard, Claude Lebel se retrouvait dans son bureau. Il alla vers la fenêtre, l'ouvrit et se pencha en avant pour regarder la Seine que dominait en face de lui le quai des Grands-Augustins sur la rive gauche.

Bien qu'il en fût séparé par le bras du fleuve qui longeait l'île de la Cité, il distinguait cependant les dîneurs attablés aux terrasses des restaurants le long des trottoirs et croyait percevoir par instants l'écho des rires ou le tintement des verres.

Eût-il été d'une autre race d'hommes, l'idée lui fût peut-être venue qu'avec les pouvoirs extra-ordinaires dont il avait été investi moins d'une heure plus tôt, il était devenu, pour un temps, du moins, le policier le plus puissant d'Europe ; que personne, le Président ou le ministre de l'Intérieur exceptés, ne pouvait lui refuser assistance, qu'il était presque en mesure de mobiliser l'armée, à condition que le secret fût gardé. Il aurait également pu songer que la réussite pouvait l'élever au faîte des honneurs mais qu'un échec risquait de briser sa carrière ainsi que l'avait discrètement insinué Saint-Clair de Villauban. Mais étant ce qu'il était, aucune de ces pensées ne lui vint à l'esprit. Il se demandait simplement comment il allait expliquer à Amélie qu'il ne rentrerait plus chez lui jusqu'à nouvel ordre... On frappa à la porte.

Les inspecteurs Malcoste et Favier venaient rassembler les dossiers des quatre affaires sur lesquelles travaillait Lebel avant de se voir convoqué quelques heures plus tôt.

Une demi-heure après Lebel avait mis ses remplaçants au courant des deux affaires qui leur étaient respectivement confiées. Puis, une fois seul, il exhala un profond soupir.

A nouveau, des coups discrets retentirent à la porte. C'était Lucien Caron.

— Le commissaire Bouvier vient de m'appeler, dit-il. Il m'a dit de venir me mettre à votre disposition.

— Exact. Je viens d'être chargé d'une mission plutôt spéciale et je suis libéré de toutes mes autres tâches. Vous m'avez été affecté comme adjoint.

Il ne tenait pas trop à flatter Caron en lui révélant qu'il avait personnellement fixé son choix sur le jeune inspecteur.

Le téléphone sonna sur son bureau. Il décrocha, écouta un instant et reposa l'appareil.

— Et voilà, conclut-il. C'était Bouvier qui vient de m'annoncer qu'on pouvait tout vous dire sur l'affaire. Pour commencer, vous pourriez peut-être lire ça.

Tandis que Caron étudiait le dossier Rolland, Lebel acheva de débarrasser le bureau des dernières chemises ou carnets de notes qui l'encombraient et les empila sur les étagères poussiéreuses derrière lui. La pièce ne donnait guère l'impression d'être le centre nerveux de la plus grande chasse à l'homme déclenchée en France. Les bureaux des services de police sont rarement spectaculaires. Celui de Lebel ne faisait pas exception.

Mesurant tout au plus quatre mètres sur cinq, il contenait deux tables de travail, l'une pour Lebel, dans l'axe de la fenêtre à laquelle son fauteuil tournait le dos, l'autre à sa droite pour un

secrétaire. Le reste du mobilier se composait d'une
chaise, d'un fauteuil près de la porte, de six grands
placards métalliques rangés contre l'un des murs
et surmontés d'un alignement d'ouvrages juridiques, de recueils de textes officiels et d'une série
d'étagères entre les fenêtres chargées de registres
et de dossiers.

Dans ce décor austère, seule apportait une touche de vie domestique sur le bureau de Lebel la
photo encadrée de Mme Lebel, aux amples proportions et à la mine résolue, avec ses deux enfants,
une fille à lunettes avec des nattes et un gamin à
l'air doux et brimé comme son père.

Caron acheva de lire le document et leva les
yeux.

— Quel merdier, articula-t-il.

— Comme vous dites, un beau merdier, répondit Lebel qui s'autorisait rarement de tels écarts
de langage.

La plupart des policiers importants de la P. J.
étaient appelés par les membres du personnel placés sous leurs ordres le « Patron » ou le « Vieux »
mais Claude Lebel, peut-être parce qu'il ne buvait
jamais plus d'un petit apéritif ou parce qu'il ne
fumait pas et s'abstenait de jurer, était connu dans
tous les secteurs du service comme le « Prof ».
Et s'il n'avait pas eu un tableau de chasse aussi
impressionnant, les jeunes l'auraient sans doute
volontiers pris pour tête de turc.

— En tout cas, reprit Lebel, écoutez-moi bien
que je vous donne les détails. C'est la dernière fois
que j'en ai encore le temps.

Durant une bonne demi-heure, il informa Caron
des événements de l'après-midi, de l'entrevue du

ministre de l'Intérieur avec le Président jusqu'à
la transformation de son bureau en Q. G. pour
l'opération Chacal.

Caron l'avait écouté sans un mot.

— Eh ben, dit-il lorsque Lebel eut terminé,
qu'est-ce qu'ils vous ont mis sur les bras!

Il réfléchit un instant puis leva les yeux sur son
supérieur d'un air soucieux.

— Commissaire, vous savez qu'ils vous ont
donné ça parce que personne d'autre n'en veut?
Vous savez ce qui vous attend si vous n'attra-
pez pas ce type à temps?

Lebel acquiesça avec une touche de mélancolie.

— Oui, Lucien, je sais. Je n'y peux rien. On
m'a confié le boulot. Donc maintenant il s'agit
de le mener à bien.

— Mais d'où va-t-on partir, bon sang?

— On va partir de l'idée que nous disposons
des pouvoirs les plus étendus qu'on ait jamais
accordés à des policiers en France, répliqua Lebel
jovial. Et ces pouvoirs, il s'agit de les utiliser.

« D'abord, installez-vous à ce bureau. Prenez
un bloc et notez. Veillez à ce que ma secrétaire
habituelle soit mutée ou mise en congé payé.
Personne d'autre ne doit être au courant. Vous
allez cumuler pour moi les fonctions d'adjoint et
de secrétaire. Demandez au dépôt de matériel un
lit de camp, oreillers, couvertures; procurez-
vous de quoi vous laver et vous raser, et aussi une
cafetière; la cantine vous fournira du lait et du
sucre. Nous allons faire une grosse consommation
de café. Arrangez-vous avec le standard téléphonique pour qu'on nous laisse dix lignes sur l'extérieur et un employé mis en permanence à notre

disposition. S'ils renâclent, adressez-les à Bouvier.
N'oubliez pas que nous avons la priorité absolue
en toutes circonstances.

« Préparez un mémo annonçant que vous êtes
mon unique adjoint et faites-en parvenir un exemplaire à tous les chefs de service qui ont assisté
à la réunion de ce soir et que je vous délègue tous
pouvoirs pour leur demander leur intervention
en cas de besoin. Compris ? »

Caron acheva d'écrire et releva la tête.

— Compris, patron. Je dois pouvoir régler ça
au courant de la nuit. Qu'est-ce qui passe en
priorité ?

— Le standard. Je veux que nous ayons un
type à la hauteur. Le meilleur de l'équipe. Demandez le chef du service chez lui et, une fois de plus,
réclamez-vous de Bouvier.

— D'accord. Qu'est-ce qu'on leur demande
pour commencer ?

— Je veux, aussitôt que possible, être directement relié au directeur de la Criminelle dans sept
pays étrangers. Heureusement je les connais
presque tous personnellement grâce aux réunions
d'Interpol. Dans certains cas, c'est à leur adjoint
que j'ai eu affaire. Si vous ne pouvez pas obtenir
l'un, demandez l'autre.

« Voilà la liste des pays en question : États-
Unis, c'est-à-dire la brigade criminelle du F. B. I.
à Washington ; Grande-Bretagne, le commissaire
adjoint à Scotland Yard ; après ça, Belgique, Italie,
Allemagne de l'Ouest, Afrique du Sud. Prenez
contact soit chez eux, soit à leurs bureaux. Quand
vous aurez réussi à les joindre tous, mettez au
point une série de communications téléphoniques

à partir du centre de transmissions de l'Interpol entre eux et moi, de sept à dix heures du matin, à vingt minutes d'intervalle. Ces appels devront être transmis sur ondes ultra-courtes en liaison directe et sans aucun intermédiaire à l'écoute. Faites bien comprendre à tous les intéressés qu'il faut respecter non seulement un secret absolu mais une priorité d'urgence aussi bien dans l'intérêt de leur pays que dans le nôtre. Préparez-moi pour six heures du matin une liste des sept communications réservées, dans l'ordre de succession.

« Entre-temps, je vais faire un saut à la Criminelle pour savoir si, par hasard, un tueur étranger a jamais opéré en France sans se faire arrêter. Je dois dire que, personnellement, je n'ai aucune idée de la question, et d'ailleurs j'imagine Chazanet trop prudent pour commettre une négligence de ce genre.

« Alors, vous avez bien le programme en tête ? »

Caron, l'air un peu dépassé par les événements, leva les yeux des notes qu'il venait d'accumuler sur plusieurs feuillets.

— Oui, patron, c'est bien vu. Et maintenant, je me mets au boulot.

Il tendit la main vers le téléphone.

Claude Lebel sortit du bureau et se dirigea vers l'escalier. Comme il posait la main sur la rampe, le premier des douze coups de minuit retentit à l'horloge de Notre-Dame. Le 12 août venait de commencer.

12

Le colonel Raoul Saint-Clair de Villauban rentra
chez lui juste avant minuit. Il avait passé les trois
heures précédentes à taper à la machine un rapport
méticuleux sur la réunion qui s'était tenue au
ministère de l'Intérieur ; ainsi ce document se
trouverait-il dès le début de la matinée sur le
bureau du secrétaire général de l'Élysée.

Il s'était tout particulièrement appliqué à rédiger
ce rapport dont il avait éliminé deux brouillons
avant de s'arrêter au texte définitif. Le tapage
à la machine était une tâche subalterne et fasti-
dieuse à laquelle il n'était pas habitué mais il
fallait bien que le secret fût respecté ; en outre,
avec un peu de chance, le rapport pourrait apparaître sur le bureau du Président une heure au
plus après son examen par le secrétaire général
et cette célérité devrait être notée favorablement.

Il avait apporté un soin tout spécial au libellé
de son rapport ; sans critiquer ouvertement le
choix d'un simple commissaire de police, plus
habitué selon lui à se mesurer avec des criminels
de médiocre envergure mais « crédité sans nul
doute d'excellents états de service », il tenait à

laisser paraître un certain scepticisme quant à l'opportunité de ce choix. Tandis qu'il réfléchissait aux meilleurs moyens de contrôler de près les faits et gestes de Lebel, un coup de fil de Sanguinetti l'informa que le ministre avait décidé de présider chaque soir à dix heures une réunion d'information, en vue de suivre au jour le jour la progression de l'enquête. Cette nouvelle enchanta Saint-Clair. Ainsi son problème était résolu. En étudiant un peu le problème dans le courant de la journée, il serait en mesure le soir de poser au policier des questions pertinentes prouvant ainsi aux autres qu'au secrétariat de la présidence du moins, on ne perdait pas un instant de vue la gravité de la situation.

Personnellement, il ne croyait guère à la réussite d'une tentative d'assassinat.

Au nombre des responsabilités qui lui incombaient figurait l'organisation des apparitions publiques et des itinéraires du Président et, dans l'ensemble, le service de sécurité de la présidence était l'un des meilleurs du monde.

A peine avait-il refermé la porte de son appartement que lui parvenait de la chambre à coucher une voix féminine.

— C'est toi, mon chou?

— Oui, Jacqueline chérie, bien sûr. Tu trouvais le temps long?

Sa maîtresse de fraîche date vint en courant vers lui. Une chemise de nuit noire ultra courte et transparente festonnée de dentelle mettait en valeur ses courbes voluptueuses.

La jeune femme lui noua les bras autour du cou et le gratifia d'un long baiser à pleine bouche. Il y répondit de son mieux sans lâcher sa serviette et son journal du soir.

— Va donc te remettre au lit, dit-il comme ils s'écartaient l'un de l'autre. Je te rejoins tout de suite.

La jeune femme regagna rapidement la chambre et s'étendit sur toute la largeur du lit, les mains sous la nuque.

Quelques instants plus tard, Saint-Clair de Villauban entrait dans la pièce sans sa serviette, et contemplait Jacqueline avec satisfaction. Elle lui décocha un sourire lascif. Depuis quinze jours qu'elle vivait avec lui, elle avait appris que seuls les artifices les plus suggestifs joints à l'étalage d'une sensualité aussi peu subtile que possible étaient capables d'éveiller le désir chez ce personnage dont l'ambition était la seule véritable passion.

— Dépêche-toi, murmura-t-elle, j'ai envie de toi.

Saint-Clair de Villauban, le sourire aux lèvres, ôta ses souliers qu'il posa côte à côte au pied du valet muet. Puis ce fut le tour de son veston dont il vida soigneusement les poches sur une commode. Vint ensuite son pantalon qu'il plia méthodiquement sur le cintre du valet muet et il apparut avec ses longues jambes maigres dépassant des pans de sa chemise comme de grêles allumettes velues.

— Qu'est-ce qui t'a retardé comme ça ? demanda Jacqueline. Je t'attends depuis des heures.

Saint-Clair de Villauban hocha la tête, la mine grave.

— Rien qui puisse t'intéresser de près ou de loin, mon petit.

— Oh, tu es vraiment désagréable, tu sais...

Elle bascula sur le lit pour lui tourner le dos, genoux repliés, dans une attitude de bouderie feinte.

Ses doigts s'affairèrent à dénouer son nœud de cravate tandis qu'il considérait à l'autre bout de la pièce les cheveux châtains de Jacqueline épars sur ses épaules et la rondeur de sa hanche découverte. Cinq minutes plus tard, prêt à se mettre au lit, il boutonnait son pyjama de soie orné de ses initiales.

Étendu à côté d'elle sur le lit, il se mit à lui caresser le creux de la taille jusqu'à la courbure voluptueuse de sa croupe.

— Eh bien, qu'est-ce qui te prend ?

— Rien.

— Je croyais que tu voulais faire l'amour.

— Tu ne me donnes aucune explication. Je ne peux pas t'appeler à ton bureau. Je reste là à me ronger les sangs pendant des heures en me demandant s'il ne t'est rien arrivé. Tu m'as toujours téléphoné quand tu étais en retard.

Elle se laissa aller sur le dos et le regarda. Appuyé sur un coude, il glissa sa main libre sous la fine chemise de nuit et se mit à lui caresser le sein.

— Écoute, mon chou, j'ai été débordé. Il se posait un problème urgent. Pas question de partir avant de l'avoir réglé. Je t'aurais bien passé un coup de fil mais les allées et venues n'arrêtaient pas dans le bureau. Et puis pas mal de gens savent que ma femme est absente. On aurait trouvé bizarre que j'appelle chez moi par le standard.

Elle glissa une main sous son pyjama et la

referma sur son pénis inerte qui s'anima d'un vague frémissement sous ses doigts.

— Enfin, ça avait beau être important, tu aurais pu me prévenir. Je me suis fait de la bile toute la nuit.

— Eh bien, tu n'as plus à t'inquiéter maintenant.

Elle se coula contre lui et défit la ceinture de son pantalon de pyjama. Raoul Saint-Clair regarda la luxuriante crinière brune qui s'étalait sur son ventre puis se renversa en arrière avec un soupir d'aise.

— Il paraît que l'O. A. S. en veut encore à la vie du Président, dit-il. Le complot a été découvert cet après-midi. Il a fallu prendre des mesures. Voilà ce qui m'a retenu.

La jeune femme écarta la tête de quelques centimètres.

— Que tu es bête, chéri, il y a longtemps qu'ils sont liquidés.

Et elle s'activa de nouveau.

— Fichtre non, rétorqua-t-il. Ils ont engagé un étranger cette fois pour s'en débarrasser.

Une demi-heure plus tard, le colonel Raoul Saint-Clair de Villauban dormait, le visage enfoui dans l'oreiller, son sommeil ponctué d'un léger ronflement.

A côté de lui, sa maîtresse considérait fixement dans l'obscurité le plafond où jouait une vague lueur venue de la rue par l'entrebâillement des rideaux.

Ce qu'elle venait d'apprendre la plongeait dans l'appréhension. Bien qu'elle ne fût nullement au courant de ce complot, elle n'en avait pas moins conscience de l'importance de la confession de Kowalski. Dans le silence, elle attendit sans bouger jusqu'à ce que le cadran lumineux de la pendulette sur la table de nuit indiquât deux heures.

Se faufilant alors hors du lit, elle tendit la main pour débrancher la prise de l'extension téléphonique de la chambre. Avant de se diriger vers la porte, elle se pencha sur le colonel, se félicitant qu'il n'appartînt pas à la race de ceux qui aimaient à s'endormir étroitement enlacés avec leur partenaire. Le rythme de son ronflement n'avait pas changé.

Sortie de la pièce, elle referma la porte sans bruit, traversa le salon et gagna l'entrée dont elle ferma également la porte. Puis, au cadran du téléphone posé sur un guéridon, elle composa un numéro avec l'indicatif Molitor. Après quelques minutes d'attente, une voix ensommeillée lui répondit. Elle parla rapidement durant deux minutes puis raccrocha. Quelques instants plus tard, recouchée près de Saint-Clair de Villauban, elle s'efforçait de trouver le sommeil.

Tout au long de la nuit, quatorze chefs des services de police criminelle de cinq pays d'Europe, d'Amérique et d'Afrique du Sud étaient alertés par des appels en provenance de Paris. La plupart, endormis, réagirent avec humeur.

En Europe occidentale, c'était, comme à Paris, les premières heures du jour. A Washington, il était neuf heures du soir quand le coup de fil urgent fut retransmis et le directeur de la crimi-

nelle au F. B. I. assistait à un grand dîner. Caron
ne parvint à le joindre qu'à la troisième tentative,
et le brouhaha des conversations et le tintement
des verres dans la pièce voisine où se déroulaient
les festivités rendirent la communication difficile.
Mais le policier américain enregistra le message
et assura qu'à deux heures du matin, heure de
Washington, il attendrait dans la salle de transmission au Q. G. du F. B. I. un coup de fil du
commissaire Lebel qui devait l'appeler du bureau
de l'Interpol à huit heures, heure de Paris.

Les policiers responsables en Belgique, en Italie,
en Allemagne et aux Pays-Bas étaient apparemment des hommes rangés et bons pères de famille :
chacun réveillé à son domicile, après avoir écouté
Caron quelques minutes, promit d'être présent
à son central téléphonique aux heures indiquées
par son interlocuteur pour y recevoir un appel
personnel de Lebel à propos d'une affaire urgente
de la plus haute importance.

En Afrique du Sud, il était impossible à Van
Ruys, absent de la ville, de se trouver dans le
bureau à l'heure prévue. Caron avertit donc son
adjoint, Anderson, ce dont le félicita Lebel qui
le connaissait bien alors qu'il n'avait jamais été
en rapport avec Van Ruys. Il semblait bien, en
outre, que Van Ruys avait fait une carrière politique, alors qu'Anderson avait, comme lui, gravi
tous les échelons un à un.

L'appel atteignit M. Anthony Mallinson, commissaire adjoint à la section criminelle de Scotland
Yard, dans sa maison de Bexley peu après quatre
heures.

Il protesta en grommelant contre la sonnerie

insistante du téléphone à son chevet puis finit
par décrocher et marmonna :

— Allô, ici Mallinson.

— Monsieur Anthony Mallinson ? insista son
correspondant.

— C'est moi, oui.

D'un coup d'épaule, il repoussa les couvertures
et jeta un coup d'œil à sa montre.

— Je me présente : inspecteur Lucien Caron
de la Sûreté nationale. Je vous appelle de la part
du commissaire Claude Lebel.

M. Mallinson fronça les sourcils. Ces fichus man-
geurs de grenouilles ne pouvaient donc pas l'appeler à une heure plus civilisée ?

— Oui. J'écoute.

— Je crois que vous connaissez le commissaire
Lebel, monsieur Mallinson ?

Mallinson réfléchit un instant. Lebel ? Ah, oui,
ce petit bonhomme qui avait dirigé la criminelle
à la P. J. Plutôt insignifiant d'aspect mais très
efficace. S'était montré précieux dans l'enquête
sur le meurtre de ce touriste anglais deux ans plus
tôt. La presse aurait bien pu envenimer les choses
si l'assassin n'avait pas été cueilli dans les plus
brefs délais.

— Oui, je connais le commissaire Lebel, dit-il
à l'appareil. De quoi s'agit-il ?

A côté de lui, sa femme, Lily, dérangée par la
conversation, murmura dans son sommeil.

— Il s'agit d'un cas d'urgence exceptionnel ;
je suis l'adjoint du commissaire Lebel sur l'affaire.
Il aimerait vous joindre personnellement au Yard
ce matin à neuf heures. Pourriez-vous être là
pour recevoir son appel ?

— Voyons, reprit Mallinson après un silence, s'agit-il d'une enquête de routine dans le cadre d'une coopération entre nos deux polices ? Dans ce cas, ajouta-t-il, pourquoi ne pas utiliser le réseau normal d'Interpol. Neuf heures est une période de travail intensif au Yard.

— Non, monsieur Mallinson. Le commissaire désire vous demander votre concours personnel à titre tout à fait confidentiel. Il est bien probable que Scotland Yard ne soit nullement concerné par cette affaire. Il vaut donc mieux éviter de formuler toute demande officielle.

Mallinson était par nature un homme prudent. Il ne souhaitait nullement courir le risque d'être mêlé à une enquête clandestine menée par la police d'un pays étranger. Si un crime avait été commis ou si un criminel avait cherché refuge en Angleterre, c'était différent. Mais, dans ce cas, pourquoi observer le secret ?

Puis il se souvint d'une affaire qui remontait à pas mal d'années auparavant, à une époque où on l'avait chargé de ramener la fille d'un membre du cabinet ministériel qui avait fait une fugue avec un jeune et séduisant coureur de jupons. La jeune fille était alors mineure, on pouvait donc accuser le ravisseur de l'avoir soustraite à l'autorité paternelle. Une affaire plutôt marginale, mais le Ministre avait bien spécifié que la presse n'en devait rien savoir. Et lorsque les tourtereaux avaient été découverts à Vérone, jouant à Roméo et Juliette, la police italienne avait fait preuve de beaucoup de doigté. Bon, très bien. Lebel avait donc besoin d'un coup de main. Après tout, pourquoi lui refuser ce service si c'était dans les cordes du Yard...

— D'accord, neuf heures. Je serai là pour prendre l'appareil.

— Merci infiniment, monsieur Mallinson.

— Bonne nuit.

Mallinson reposa le récepteur, mit le réveil à six heures trente au lieu de sept et se rendormit.

13

Dans une petite garçonnière poussiéreuse, tandis que Paris dormait encore aux premières lueurs de l'aube, un professeur entre deux âges arpentait inlassablement la pièce exiguë. Tout autour de lui régnait une sorte de chaos : livres, journaux, magazines, feuillets manuscrits étaient éparpillés partout sur la table, les sièges, le divan et même sur le couvre-pied du lit étroit qui occupait l'alcôve au fond de la pièce. Dans un autre renfoncement un évier débordait de vaisselle sale.

Ce qui obsédait ce personnage dans ses allées et venues, ce n'était pas la malpropreté de son logement. Depuis qu'il avait été relevé de son poste de proviseur au lycée de Sidi-bel-Abbès et qu'il avait perdu sa belle maison avec les deux domestiques qui y étaient attachés, il avait appris à vivre dans des décors misérables comme celui-là. Le problème qui le préoccupait était tout autre.

Tandis que le jour se levait sur la banlieue est, il finit par s'asseoir et ramassa l'un des journaux. Une fois de plus il parcourut dans la page consacrée aux « Nouvelles de l'Étranger » l'article qui portait un titre : « Les chefs de l'O. A. S. se terrent dans un hôtel de Rome. »

Après avoir fini sa lecture, il prit une décision, passa un imperméable léger pour se protéger de la fraîcheur matinale et quitta son appartement. Sur le boulevard le plus proche, il arrêta un taxi en maraude et se fit conduire à la gare du Nord. Dès que le taxi eut redémarré après l'avoir déposé le long du trottoir dans la grande cour d'accès, il s'éloigna de la gare, traversa la chaussée et pénétra dans l'un des cafés du quartier ouvert toute la nuit. Il commanda un expresso et prit un jeton de téléphone puis, laissant son café sur le comptoir, il gagna le fond de l'établissement. Dans la cabine téléphonique, il forma le numéro des renseignements où on l'aiguilla sur le service des échanges internationaux. Il demanda le numéro d'un hôtel de Rome et, l'ayant obtenu en moins d'une minute, raccrocha et sortit du café.

Cent mètres plus loin, le long de la rue, il entra dans un autre café, alla de nouveau s'enfermer dans la cabine du téléphone et cette fois demanda aux renseignements l'adresse du bureau de poste de nuit le plus proche où il était possible de téléphoner à l'étranger. Comme il l'avait prévu, on lui précisa qu'il en existait un au-delà de l'angle du secteur Grandes Lignes de la gare.

Une fois à la poste, il demanda le numéro de Rome qu'on lui avait communiqué sans donner le nom de l'hôtel et passa vingt longues minutes à attendre anxieusement la communication.

— Je voudrais parler au signor Poitiers, dit-il à l'Italien qui lui avait répondu.

— *Signor che?* demanda la voix.

— *Il signor francese*. Poitiers. Poitiers...

— *Che ?* répéta la voix.

— *Francese, francese*, insista le correspondant de Paris.

— *Ah si, il signor francese. Momento, per favore...*

Il y eut une série de déclics puis une voix lasse parla en français au bout de la ligne.

— Allô, ouais...

— Écoutez, dit d'un ton pressé l'interlocuteur parisien. Prenez un crayon et notez ce que je vais dire. Je commence : Valmy à Poitiers : Chacal est brûlé. Je répète : Chacal est brûlé. Kowalski a été arrêté. Il a chanté avant de mourir. Fin de message. Compris ?

— Ouais, fit la voix. Je vais transmettre.

Valmy raccrocha, régla rapidement sa communication et se hâta de sortir du bâtiment. Une minute plus tard, il se perdait au milieu de la foule des voyageurs dans l'immensité du hall de la gare.

Le soleil, montant au-dessus de l'horizon des toits, commençait à réchauffer l'atmosphère. Moins d'une heure plus tard, les effluves de fraîcheur matinale, l'odeur des croissants et l'arôme du café seraient masqués par les gaz d'échappement des voitures, les relents de la transpiration et du tabac refroidi.

Valmy s'était éclipsé depuis deux minutes à peine qu'une voiture stoppait devant le bureau de poste. Deux hommes de la D.S.T. sautèrent à bas du véhicule et s'engouffrèrent dans la poste. L'employé du standard leur fournit un signalement de l'homme qui avait téléphoné. Il aurait pu correspondre à peu près à n'importe qui.

A Rome, Marc Chazanet fut réveillé à sept heures cinquante-cinq lorsque la sentinelle qui avait assuré la garde de nuit à l'étage au-dessous vint le secouer par l'épaule. A la seconde, il retrouva sa pleine lucidité, à demi sorti du lit, la main plongée sous l'oreiller à la recherche de son automatique. En reconnaissant le visage de l'ex-légionnaire penché sur lui il se détendit avec un grognement. Un coup d'œil à la table de chevet lui apprit qu'il avait trop longtemps dormi. Après des années passées sous les tropiques, il avait pris l'habitude de se lever beaucoup plus tôt et le soleil romain du mois d'août était déjà haut dans le ciel.

Mais des semaines d'inactivité, toutes ces soirées interminables passées à jouer au piquet avec Montclair et Casson, à boire trop de mauvais vin rouge, à ne prendre aucun exercice, tout cela avait contribué à l'amollir, à l'assoupir.

— Un message, mon colonel. On vient de vous téléphoner, quelqu'un de très pressé.

Le légionnaire tendit un feuillet détaché d'un bloc-notes sur lequel étaient griffonnées les phrases dictées par Valmy.

Chazanet lut rapidement le texte et bondit hors du lit. D'un geste vif, il se drapa de son sarong, vieille habitude datant de son séjour en Orient, puis il relut le message.

— Ça va. Rompez.

Le légionnaire quitta la pièce et redescendit l'escalier.

Chazanet jura férocement et sans bruit pendant quelques secondes tout en réduisant en boulette

au creux de son poing le bout de papier. Bon Dieu
de bon Dieu. Foutu Kowalski.

Durant les deux premiers jours qui avaient suivi
la disparition de Kowalski, il avait pensé à une
simple désertion. Récemment, on avait enregistré
plusieurs défections parmi les partisans de la cause.
Défections expliquées par l'idée qui se propageait
dans les rangs de l'O. A. S. que l'organisation
échouerait toujours dans ses tentatives pour supprimer de Gaulle et abattre le régime en vigueur.
Mais en ce qui concernait Kowalski, il avait toujours cru qu'il resterait fidèle jusqu'au bout.

Et la preuve lui était précisément fournie que,
pour quelque inexplicable raison, Kowalski était
retourné en France, à moins qu'il n'eût été surpris
en Italie et enlevé. En tout cas, il semblait clair
qu'il avait parlé, sous la contrainte bien entendu.

Chazanet regrettait avec une sincère amertume
la mort de son subordonné. La réputation qu'il
s'était faite de combattant et de chef tenait
pour une bonne part au souci considérable qu'il
avait de ses hommes. Les soldats sont beaucoup
plus sensibles à cette forme de ménagements que
ne l'imagineront jamais les théoriciens militaires.

Maintenant, Kowalski était mort et Chazanet
ne nourrissait guère d'illusions sur la façon dont
il avait dû succomber. Le plus important, toutefois, c'était de récapituler ce qu'avait pu révéler
Kowalski : la réunion de Vienne, le nom de l'hôtel.
Tout cela, bien entendu ; les trois hommes qui
avaient assisté à la réunion. Cela n'apprendrait
rien de nouveau au S. D. E. C. E. Mais que savait-il
de Chacal ? Il n'avait pas écouté à la porte,
c'était certain. Il avait donc pu parler d'un grand

type blond, un étranger, venu les voir tous les trois. En soi, cette indication ne voulait rien dire. Il pouvait aussi bien s'agir d'un trafiquant d'armes ou d'un bailleur de fonds. Aucun nom n'avait été cité.

Mais le message de Valmy mentionnait Chacal par son nom de code. Comment ? Comment Kowalski avait-il pu leur donner ce nom ?

Soudain, avec une pointe d'anxiété, Chazanet se souvint du moment où ils s'étaient séparés. Il se tenait sur le seuil de la porte avec l'Anglais. Viktor se trouvait à quelques mètres en retrait dans le couloir, encore agacé par la façon dont l'Anglais l'avait repéré dans l'alcôve, professionnel surclassé par un autre professionnel, sollicitant la bagarre, l'espérant presque.

Qu'avait-il dit, lui, Chazanet : « Bonsoir, monsieur Chacal. » Eh oui, bien sûr, cré nom de Dieu.

Comme il évoquait une fois de plus l'incident, Chazanet aboutit à la conclusion que Kowalski n'avait pu en aucun cas entendre le vrai nom du tueur. Seuls, Montclair, Casson et lui le connaissaient. Tout de même, Valmy avait raison. Avec les aveux de Kowalski, en possession du S. D.-E. C. E., l'opération était par trop compromise pour qu'on pût la relancer. Ils étaient au courant de la réunion, connaissaient l'hôtel, avaient sans doute déjà parlé avec le réceptionniste. Ils avaient un signalement assez précis de l'homme qu'ils cherchaient, savaient son nom de code. Sans aucun doute, ils comprendraient ce qu'avait compris Kowalski : que ce type blond était un tueur de métier. A partir de là, le réseau de surveillance allait se resserrer autour de De Gaulle ; il renoncerait à toute apparition en public, à toute sortie officielle de son palais ; il ne laisserait à aucun assassin la moindre chance de l'atteindre.

Il fallait donc, avant tout, prévenir le Chacal, lui dire de suspendre instantanément les opérations, obtenir de lui la restitution de l'argent, moins les frais engagés et une indemnité raisonnable.

Il fit venir le garde du corps auquel il avait confié, depuis le départ de Kowalski, la charge d'aller chercher le courrier à la poste et, au besoin, de passer les appels téléphoniques et lui donna des instructions détaillées.

A neuf heures, le garde du corps, au bureau de poste, demandait un numéro de téléphone à Londres. La communication ne put être établie qu'après vingt minutes d'attente. Enfermé dans la cabine, le garde du corps décrocha l'écouteur tandis que la standardiste reposait le sien. Puis il écouta grésiller le téléphone anglais au bout du fil — Bzzz, bzzz ... une pause... bzzz, bzzz... une pause...

Le Chacal se leva tôt ce matin-là, il avait beaucoup à faire. La veille au soir, il avait fait avec soin ses trois valises. Il ne lui restait plus qu'à ranger dans son petit sac de voyage son nécessaire de toilette et son rasoir. Comme d'habitude, il avala ses deux tasses de café, prit une douche et se rasa. Après avoir fini d'emballer le reste de ses affaires, il alla poser ses quatre bagages près de la porte. Puis il gagna la petite cuisine de l'appartement et se prépara un breakfast composé d'œufs brouillés, de jus d'orange et, à nouveau, de café noir, qu'il consomma sur la table près du réchaud.

Étant un homme propre et méthodique, il vida le fond du lait dans l'évier, cassa les deux œufs qui restaient et les jeta également dans l'évier. Il vida les dernières gouttes de jus d'orange, jeta la boîte vide dans la poubelle, balança dans le vide-ordures un quignon de pain, les coquilles d'œufs et le marc du café. Ainsi rien ne risquerait de pourrir pendant son absence. Finalement, il s'habilla d'un mince polo-shirt en soie et de son complet gris pâle avec des chaussettes gris anthracite et des mocassins noirs. Aux papiers au nom de Duggan qui se trouvaient déjà dans ses poches, il ajouta cent livres anglaises en billets. Et pour compléter sa tenue, il chaussa ses inévitables lunettes noires.

A neuf heures un quart, il ramassait ses bagages, deux dans chaque main, fermait au verrou la porte de l'appartement et descendait l'escalier. South Audley Street était tout proche à pied. A l'angle de la rue, il monta dans un taxi.

— Aéroport de Londres, Bâtiment 2, dit-il au chauffeur.

Comme le taxi démarrait, le téléphone se mit à sonner dans son appartement.

Il était dix heures lorsque le légionnaire revint à l'hôtel près de la Via Condotti. Il expliqua à Chazanet qu'il avait essayé pendant une demi-heure d'obtenir une réponse du numéro de Londres mais sans résultat.

— Qu'est-ce qui se passe ? demanda Casson qui avait entendu l'ex-légionnaire rendre compte à

Chazanet et l'avait vu sortir pour aller reprendre sa garde.

Les trois chefs de l'O. A. S. étaient assis dans le salon de leur suite. Chazanet sortit un bout de papier de sa poche intérieure et le tendit à Casson. Après l'avoir lu, Casson le remit à Montclair. Finalement, les deux hommes se tournèrent vers leur chef, le questionnant du regard. Sans souffler mot, Chazanet, plongé dans ses réflexions, continua à regarder par la fenêtre les toits de Rome qui cuisaient au soleil.

— Quand est-ce arrivé ? s'enquit Casson.

— Ce matin, répondit brièvement Chazanet.

— Il faut l'arrêter, protesta Montclair. Ils vont lui coller la moitié de la France à ses trousses.

— Ils vont coller la moitié de la France aux trousses d'un grand étranger blond, rectifia tranquillement Chazanet. Au mois d'août, il y en a près d'un million en France. Sauf erreur, ils ne savent ni quel nom, ni quel visage, ni quel passeport chercher. En tant que professionnel, ce type utilise sûrement un faux passeport. Ils sont encore loin de lui mettre la main dessus. S'il appelle Valmy, il a une bonne chance d'être mis en garde et il pourra encore s'en tirer.

— S'il appelle Valmy, il recevra sûrement l'ordre de tout laisser tomber, dit Montclair. Valmy prendra ça sur lui.

Chazanet secoua la tête.

— Valmy n'est pas habilité à donner un ordre pareil. Son travail, c'est de recevoir les tuyaux de la fille et de les transmettre au Chacal quand on lui téléphone. C'est ce qu'il fera et rien d'autre.

— Mais le Chacal doit bien se rendre compte lui-

même que le coup est manqué, protesta Montclair.
Il faut qu'il sorte de France dès que Valmy l'aura
prévenu.

— En principe, oui, dit Chazanet, pensif. S'il
le fait, il doit restituer le fric. Les enjeux sont très
gros, pour nous tous, lui compris. Tout dépend
de la confiance qu'il peut avoir dans ses propres
plans.

— Tu crois qu'il lui reste une chance après ce
qui s'est passé?

— Franchement non, reconnut Chazanet. Mais
c'est un pro. Comme moi, à ma façon. C'est un
état d'esprit. On n'aime pas renoncer à une opération qu'on a mise soi-même sur pied.

— Alors, bon sang, rappelle-le, insista Casson.

— Impossible. Si je pouvais, je le ferais, mais
je ne peux pas. Il est parti. Il est en route. Il avait
des idées bien arrêtées sur la marche à suivre.
Nous ne savons ni où il est ni ce qu'il va faire. Il
fait cavalier seul, totalement. Je ne peux même pas
appeler Valmy et lui donner l'ordre d'enjoindre
au Chacal de tout laisser tomber. Ce serait prendre
le risque de griller Valmy. Personne ne peut plus
arrêter le Chacal maintenant. Il est trop tard.

14

Lorsque le commissaire Claude Lebel regagna son bureau vers six heures du matin, il y retrouva l'inspecteur Caron, les traits tirés, l'air fatigué, en bras de chemise devant sa table.

Devant lui étaient étalés des feuillets de papier couverts de notes. Dans l'ensemble du décor, certains détails avaient changé. Sur l'un des classeurs métalliques commençait à bouillir un petit percolateur électrique d'où se répandait un délicieux arôme de café frais. A côté s'empilaient des gobelets de carton, avec une boîte de lait condensé et un sac de sucre en poudre. Tout ce ravitaillement était monté de la cantine pendant la nuit.

Dans l'angle entre les deux tables avait été installé un petit lit pliant, sur lequel était jetée une couverture marron. La corbeille à papier avait été vidée et rangée près du fauteuil à côté de la porte.

La fenêtre était encore ouverte et pourtant un vague nuage de fumée bleuâtre flottait dans la pièce, témoignant des cigarettes que Caron avait fumées à la chaîne.

Sur le fond du ciel matinal où montaient les premières lueurs de l'aube se détachait la flèche de la Sainte-Chapelle.

Lebel traversa la pièce et se laissa lourdement tomber dans son fauteuil. Il n'avait pas dormi depuis vingt-quatre heures environ et semblait lui aussi fatigué.

— Rien, dit-il. J'ai passé en revue les dossiers des dix dernières années. Le seul tueur étranger qui ait jamais opéré ici, c'était Degueldre et il est mort. D'ailleurs, il était de l'O. A. S. et fiché comme tel. Il est probable que Chazanet a choisi un bonhomme qui n'avait rien à voir avec l'O. A. S. Il n'y a eu que trois tueurs à gages repérés en France depuis dix ans — et nous en tenons trois. Le quatrième purge une condamnation à vie quelque part en Afrique. Sans compter que tous ces types étaient des voyous, et pas du calibre à s'attaquer à un chef d'État.

« J'en ai parlé à Bargeron aux Archives centrales et ils vont faire un examen de A à Z, mais je veux bien parier qu'il n'y a pas trace de ce type dans leurs fichiers. »

Caron alluma une autre Gauloise, exhala un nuage de fumée et soupira.

— Donc, il faut jouer au départ la carte « étranger » ?

— Absolument. Un type comme ça a dû suivre un entraînement, acquérir son expérience quelque part. Si c'est un krack dans sa partie il doit avoir derrière lui une série de boulots réussis. Pas forcément la liquidation d'un président de la République mais des grands pontes, pas simplement de vulgaires caïds du milieu. Autrement dit, il a déjà dû attirer l'attention sur lui. Qu'est-ce que vous avez combiné ?

Caron prit l'un des feuillets de papier et montra

à Lebel une liste de noms avec, en regard, dans une colonne à gauche, une série d'horaires.

— Voilà, c'est réglé pour les sept, dit-il. Vous commencez par le représentant du F. B. I. à 7 h 10, ce qui fait 1 h 10 du matin à Washington. Ensuite Bruxelles à 7 h 30, Amsterdam à 8 heures moins le quart et Bonn à 8 h 10. La liaison doit se faire avec Johannesburg à 8 h 30 et avec Scotland Yard à 9 heures. Pour finir, il y a Rome à 9 h 30.

— Dans chaque cas, j'aurai les chefs de service? demanda Lebel.

— Ou leur équivalent. A Scotland Yard, c'est Anthony Mallinson, commissaire adjoint à la Criminelle. Et en Afrique du Sud je n'ai pu joindre Van Ruys et vous avez son adjoint, Anderson.

Lebel réfléchit un instant.

— Parfait, dit-il. Je préfère Anderson. Nous avons travaillé ensemble une fois. Maintenant il y a le problème de la langue. Trois d'entre eux parlent anglais. Je suppose que seul le Belge parle français.

— L'Allemand Dietrich aussi, rectifia Caron.

— Bien. Alors, ces deux-là mis à part, il faudra que vous me serviez d'interprète pour les cinq autres. Allons-y.

Il était sept heures moins dix lorsque la voiture transportant les deux policiers s'arrêta devant l'anonyme porte verte dans la petite rue Paul-Valéry où était alors installé le Q. G. d'Interpol.

Durant les trois heures qui suivirent, Lebel et Caron restèrent penchés sur le téléphone dans le centre de transmission au sous-sol de l'immeuble à parler avec les plus grands policiers du monde.

Issues de l'enchevêtrement d'antennes apparemment inextricable dont se hérissait le toit du bâtiment, les ondes ultra-courtes se propageaient à travers trois continents, lancées au-delà de la stratosphère pour se répercuter sur la couche ionisée et replonger sur terre à des milliers de kilomètres dans d'autres tiges d'aluminium dressées sur d'autres toits. Les longueurs d'ondes et leurs fréquences étaient impossibles à intercepter. De policier à policier, sans le moindre témoin, la conversation se déroulait tandis que le monde buvait son café matinal ou son dernier petit verre.

Pour chaque appel, les explications de Lebel ne variaient guère.

— Non, commissaire, je ne peux pas encore m'adresser à vous au titre de l'assistance internationale... oui, oui, bien sûr, j'agis à titre officiel... mais, simplement, au point où nous en sommes, nous n'avons aucune précision sur le degré de préparation de l'attentat en question... Pour le moment, il ne s'agit que de recueillir des tuyaux... Nous recherchons, voyez-vous, un homme dont nous ne savons presque rien... pas même le nom et avec un signalement des plus vagues...

Et chaque fois, il fournissait à son interlocuteur les maigres éléments d'enquête dont il disposait. A la fin de la conversation seulement, lorsque ses collègues étrangers lui demandaient pourquoi il sollicitait leur concours, il abattait son jeu.

— Le problème est le suivant : quel que soit le personnage, il doit s'agir d'un tueur à gages particulièrement expérimenté avec un palmarès de crimes politiques impressionnant. Nous aimerions savoir si par hasard vous auriez ce genre de

client dans vos dossiers, même s'il n'a jamais opéré
chez vous, ou simplement si vous auriez la moindre
suggestion à nous faire à cet égard.

Inévitablement il y avait un long silence à l'autre
bout du fil, puis le ton de l'interlocuteur devenait
plus circonspect, plus soucieux.

Lebel ne se faisait guère d'illusions. Il était plus
que probable que les grands patrons des brigades
criminelles d'Europe occidentale avaient compris
ou comprendraient ce qu'il avait laissé entendre
sans pouvoir le dire en propres termes. Il n'existait
en France qu'une seule cible susceptible d'intéresser un tueur de classe internationale.

Et sans exception la réponse était la même :
Mais oui, bien sûr, nous allons chercher dans nos
fichiers. J'essaierai de vous rappeler d'ici ce soir.
Oh, et bonne chance, Lebel.

Lorsqu'il reposa le récepteur du radio téléphone
pour la dernière fois, Lebel se demanda combien
de temps il faudrait aux ministres des Affaires
étrangères et même aux chefs de Gouvernement
des sept pays intéressés pour être informés de la
question. Sans doute le délai serait-il court. Même
un policier était obligé de rendre compte à ses
supérieurs politiques d'une affaire de cette importance. On pouvait raisonnablement espérer que
les ministres se tairaient. Après tout, en marge
de toutes leurs divergences politiques, des liens
solides existaient entre les hommes au pouvoir
sur toute la terre. Ils étaient tous membres du
même club : le club des grands de ce monde. Ils
faisaient front contre leurs ennemis communs, et
qu'y avait-il de plus dangereux pour tous qu'un
assassin politique ?

Cela ne l'empêchait pas de penser que si jamais la presse avait vent de ses démarches, la nouvelle aurait un retentissement énorme ; quant à lui, il serait flambé.

Seuls le préoccupaient les Anglais. Si encore la chose restait entre policiers, il pouvait faire confiance à Mallinson mais il savait bien qu'avant même la fin de la journée, d'autres personnages beaucoup plus haut placés seraient mis au courant. Sept mois seulement s'étaient écoulés depuis que de Gaulle avait fermé à la Grande-Bretagne la porte du Marché commun et à la suite de la conférence de presse du Général du 14 janvier, le Foreign Office avait eu des élans presque lyriques dans la campagne qu'il avait menée par le truchement des correspondants politiques contre le chef de l'État français. N'allaient-ils donc pas profiter de cette occasion pour se venger du Vieux ?

Lebel considéra un instant devant lui le tableau de transmission maintenant silencieux. Caron l'observait tranquillement.

— Allons, dit enfin le commissaire en se levant de son tabouret et en se dirigeant vers la porte, on va se taper un petit casse-croûte et essayer de dormir un peu. Pour l'instant, on ne peut pas faire grand-chose de plus.

Le commissaire adjoint Anthony Mallinson reposa l'appareil, les sourcils froncés et quitta la salle de transmission sans paraître remarquer le jeune policier qui entrait pour prendre son service du matin. Il avait toujours le front plissé tandis

qu'il remontait vers son vaste et austère bureau
dominant la Tamise.

Sur les buts de l'enquête entreprise par Lebel, et
comme l'avait prévu lui-même le policier français,
sa conviction était à peu près faite. Au mois
d'août 1963 en France, il n'y avait guère qu'une
cible unique pour tenter ce genre d'assassin. Et
avec la sagacité d'un policier de longue date, il
songea à tous les pépins qui pouvaient guetter
Lebel.

— Pauvre vieux, fit-il à voix haute tout en
contemplant un train de péniches qui remontaient
lentement les flots boueux du fleuve vers l'Embank-
ment.

— Monsieur? fit son secrétaire personnel qui
l'avait suivi pour poser sur le bureau de noyer le
courrier du matin.

— Rien, répondit Mallinson sans détourner la
tête.

Il ne demandait certes qu'à rendre service à
Lebel mais lui aussi avait des supérieurs. Une demi-
heure plus tard, à dix heures, avait lieu la réunion
des chefs de service. Devrait-il évoquer la question
tout de suite? Après réflexion, il pencha pour la
négative. Cela suffirait de rédiger une note privée
pour le commissaire lui-même, soulignant la nature
de la requête de Lebel.

La nécessité absolue du secret expliquerait plus
tard, au besoin, pourquoi il avait passé le problème
sous silence. En attendant, le mieux était de
faire son enquête personnelle sans en révéler les
raisons.

Il alla se rasseoir dans son fauteuil et pressa
l'un des boutons de l'intercom.

— Oui, monsieur ? répondit la voix de son secrétaire dans le bureau voisin.

— Voulez-vous venir une minute, John ?

Le jeune inspecteur, dans son complet gris
sombre, fit son entrée un bloc-notes à la main.

— John, je voudrais que vous alliez aux Archives centrales. Adressez-vous au superintendant
Markham lui-même. Dites-lui bien que c'est moi
qui vous envoie. Demandez-lui un relevé de tous
les tueurs à gages connus dans ce pays...

— Des tueurs à gages, monsieur ?

A en juger par la mine du secrétaire, c'était à
croire qu'on lui avait demandé d'établir la liste
de tous les Martiens enregistrés.

— Oui, les tueurs à gages. Et j'entends par là
uniquement les assassins politiques, John, pas
les gangsters ; ceux qui seraient capables d'abattre
un politicien ou un homme d'État même bien
gardé, pour de l'argent.

— Il me semble que cela relève plutôt du Service spécial, monsieur.

— Oui, je sais. J'ai bien l'intention de leur
confier l'affaire ; mais autant commencer par une
vérification de routine. Et si possible, j'aimerais
avoir la réponse vers midi. D'accord ?

— Très bien, monsieur, j'y vais tout de
suite.

Un quart d'heure plus tard, le commissaire
adjoint Mallinson prenait sa place à la conférence
du matin.

Lorsqu'il regagna son bureau, il parcourut distraitement le courrier, le repoussa sur le bord de
sa table et demanda à son secrétaire de lui apporter
une machine à écrire. Puis, seul devant sa machine,

il tapa un bref rapport pour le directeur de la
Police métropolitaine.

Il laissa le bas de son formulaire vide et l'enferma
à clef dans un tiroir avant d'entamer le travail
de la journée.

Peu avant midi, le secrétaire frappait à sa porte
et entrait.

— Le superintendant Markham a consulté tout
le fichier, annonça-t-il. Apparemment, personne
ne correspond à l'individu recherché. Il y a dix-sept
tueurs à gages appartenant à la pègre ; dix sont
en prison et sept en liberté. Mais tous travaillent
pour les gangs les plus notoires, soit ici, soit dans
les grandes villes. Le Super est aussi d'avis qu'il
faudrait s'adresser au Service spécial.

— Parfait, John, merci.

Son secrétaire parti, Mallinson reprit dans son
tiroir son rapport inachevé, l'inséra à nouveau
dans la machine à écrire et tapa sur le bas du
feuillet :

« ...D'après les recherches effectuées aux Archives centrales, il ne semble pas qu'il existe de
criminel correspondant à celui recherché par le
commissaire Lebel. En conséquence, l'enquête est
transmise au commissaire adjoint du Service
spécial. »

Il signa son rapport et garda les trois premiers
exemplaires. Le reste alla dans la corbeille à papiers,
destiné au classement du rebut pour être ensuite
méthodiquement détruit.

Il mit l'un des exemplaires sous enveloppe
adressée au commissaire et classa le second dans

le dossier « correspondance secrète » qu'il enferma dans le coffre-fort mural. Quant au troisième, il le glissa, une fois plié, dans sa poche intérieure. Puis sur son bloc, il griffonna un message.

DESTINATAIRE : *commissaire Claude Lebel, directeur général adjoint, Police judiciaire, Paris.*

EXPÉDITEUR : *commissaire adjoint Anthony Mallinson, Scotland Yard, London.*

MESSAGE : *Suite à votre demande de recherches dans nos dossiers — résultat négatif — requête transmise au Service spécial pour supplément d'enquête. Stop. — Toute information utile vous sera adressée dans plus brefs délais. Stop. Mallinson.*

Date d'expédition : 12-8-1963

Il était maintenant un peu plus de midi et demi. Mallinson décrocha le téléphone et demanda par le standard le commissaire adjoint Dixon, chef du Service spécial.

— Allô, Alec ? Ici Tony Mallinson. Peux-tu m'accorder une minute... Je ne demanderais pas mieux, mais pas question ; je vais déjeuner d'un sandwich... En tout cas, un de ces jours, avec plaisir... Non, je voudrais seulement te voir quelques minutes avant que tu sortes... Très bien, entendu. J'arrive.

Il quitta son bureau et posa sur la table de son secrétaire la lettre destinée au commissaire.

— Je passe voir Dixon, dit-il. Voulez-vous porter ceci au bureau du commissaire, John ? A remettre en mains propres. Et expédiez ce message à l'adresse indiquée. Tapez-le vous-même dans le style approprié.

— Bien, monsieur.

Mallinson resta debout près du bureau tandis que l'inspecteur lisait rapidement le message. Lorsqu'il parvint à la fin ses yeux s'agrandirent d'étonnement.

— John ?

— Monsieur...

— Pas un mot sur tout ceci.

— Bien, monsieur.

— Le silence complet, John...

— Silence complet, oui monsieur.

Mallinson le gratifia d'un bref sourire et quitta le bureau. Le secrétaire relut encore le message, songea aux recherches qu'il avait faites dans la matinée aux Archives. Un déclic se fit dans son esprit et il murmura : « Nom de Dieu ! »

Mallinson passa vingt minutes avec Dixon, lui remit le dernier exemplaire de son rapport et sur le point de sortir, la main sur la poignée de la porte, déclara :

— Excuse-moi, Alec, mais c'est nettement plus de ton ressort. Ceci dit, je ne crois pas que nos recherches donneront de résultat positif. Ça te permettra toujours de prévenir Lebel par télex que nous ne pouvons rien pour lui. Franchement, je ne voudrais pas être à sa place.

Dixon fit un signe d'acquiescement, l'air songeur, et regagna son fauteuil.

Dès qu'il eut terminé la lecture du rapport, il fit venir son secrétaire.

— Prévenez l'inspecteur chef Thomas que je voudrais le voir ici à — il jeta un coup d'œil à sa montre et calcula le temps minimum qu'il lui

fallait pour un rapide déjeuner sur le pouce —
… à deux heures précises.

Le Chacal atterrit à l'aérodrome de Bruxelles
juste après midi. Il laissa ses trois bagages les plus
encombrants dans un coffre automatique de l'aérogare, ne gardant avec lui que le sac de voyage
contenant ses affaires personnelles, le plâtre, le
coton hydrophile et les bandes de gaze. A la gare
principale, il renvoya son taxi et se rendit au
bureau de la consigne. La valise de fibre renfer-
mant le fusil se trouvait toujours sur le rayonnage
où il avait vu l'employé la poser une semaine
plus tôt. Il tendit son bulletin et on lui remit la
valise en échange. A proximité de la gare, il trouva
un petit hôtel d'aspect misérable, comme on en
trouve, semble-t-il, autour de toutes les grandes
gares du monde, où l'on ne pose pas de questions
mais où l'on accepte tous les mensonges.
Il demanda une chambre pour la nuit, la paya
d'avance en argent belge qu'il avait changé à
l'aéroport et monta en transportant lui-même sa
valise. Une fois enfermé à double tour, il remplit
le lavabo d'eau froide, posa le plâtre et les bandes
sur le lit et se mit au travail. Le plâtre mit deux
heures à sécher. Ces deux heures, il les passa, avec
son pied et sa jambe alourdis posés sur un tabouret,
à fumer ses cigarettes à filtre en contemplant le
sinistre enchevêtrement des toits dont sa fenêtre
lui offrait le spectacle. De temps en temps,
il tâtait le plâtre du pouce, décidant chaque
fois de le laisser durcir un peu plus avant de
bouger.

La valise de fibre où se trouvait le fusil était maintenant vide.

En vue de raccords éventuels, Chacal rangea au fond de son sac ce qui lui restait de bandes et de plâtre. Lorsqu'il se jugea prêt, il poussa la valise sous le lit, s'assura qu'il ne laissait aucun indice dans la pièce, vida le cendrier par la fenêtre et se prépara à sortir. Il constata tout de suite qu'avec sa jambe plâtrée, une boiterie des plus réalistes lui était imposée. Parvenu en bas de l'escalier, il vit avec soulagement que le réceptionniste crasseux et somnolent se trouvait toujours dans le petit office en retrait du comptoir où il se tenait déjà à son arrivée. C'était l'heure du déjeuner et le réceptionniste était à table. Simplement, il avait laissé entrouverte la porte au panneau de verre dépoli qui le séparait de la réception. Avec un coup d'œil vers la porte d'entrée pour vérifier que personne n'était en vue, le Chacal, coinçant son sac contre sa poitrine sous son menton, se mit à quatre pattes et, sans bruit, franchit le passage carrelé. En raison de la chaleur estivale, la porte de l'hôtel était ouverte et le Chacal put aisément se redresser au sommet du perron dont les trois marches accédaient à la rue hors du champ de vision du portier.

Péniblement, il claudiqua le long du trottoir jusqu'à l'angle de la rue principale où un taxi le repéra dans les trente secondes et il se retrouva en route pour l'aéroport.

Passeport à la main, il alla se présenter au comptoir de l'Alitalia. La jeune fille lui sourit.

— Je crois que vous avez un billet pour Milan réservé il y a deux jours au nom de Duggan, dit-il.

Elle vérifia dans son registre les inscriptions
pour le vol de l'après-midi. L'avion décollait une
heure et demie plus tard.

— Mais oui, fit-elle avec un sourire éclatant.
M. Duggan. La place a été réservée mais pas payée.
Voulez-vous la régler.

A nouveau, le Chacal paya en liquide et, son
billet en poche, fut averti qu'on l'appellerait dans
une heure. Avec l'aide d'un porteur plein de
compassion pour son invalidité passagère, il retira
ses trois valises du coffre, les déposa au bureau de
la compagnie, gagna le contrôle douanier, où l'on
se contenta de vérifier le passeport de ce voyageur
en transit et passa l'heure qui lui restait à savourer
un repas choisi au restaurant attenant au salon
d'attente des départs.

Sa triste condition d'infirme lui valut les égards
et la sollicitude de tous les employés. On l'aida
à monter dans le véhicule qui faisait la liaison
avec l'avion, on l'aida à monter dans l'appareil,
la charmante hôtesse italienne le gratifia d'un sourire de bienvenue supplémentaire et veilla à ce
qu'il fût installé au centre de la cabine où les sièges
se faisaient face. Il y avait là plus de place pour
les jambes, souligna-t-elle. Les autres passagers
multiplièrent les précautions pour éviter de heurter ce pied plâtré tandis qu'ils gagnaient leurs
fauteuils et que le Chacal, renversé en arrière sur
son siège, gardait sur les lèvres un courageux sourire.

A quatre heures quinze, l'avion prenait son vol
et mettait le cap sur le sud en direction de Milan.

L'inspecteur Bryn Thomas sortit du bureau du commissaire adjoint à trois heures, le moral très éprouvé.

Non seulement son rhume était l'un des pires et des plus persistants qu'il avait jamais eus, mais la nouvelle mission dont il venait d'être chargé avait sérieusement compromis sa journée.

Le matin du lundi, il pouvait la considérer comme franchement gâchée. Tout d'abord, il avait appris qu'un de ses hommes avait été semé par un délégué commercial soviétique dont il devait assurer la filature et, quelques heures plus tard, il avait reçu du M. I. 5 une note polie priant son service de laisser tomber la délégation soviétique, ce qui revenait clairement à dire que seul le M. I. 5 était qualifié pour s'occuper du problème.

Le lundi après-midi, la situation parut encore empirer. Peu de choses suscitent autant l'aversion d'un policier, qu'il soit ou non des Services spéciaux, que le spectre d'un assassin politique. En outre, dans le cas de la mission dont l'avait chargé son supérieur, il n'avait pas même un nom comme point de départ.

— Pas de nom mais du travail de fouille à la pelle, avait déclaré Dixon. Essayez de me déterrer ça pour demain.

— De la fouille à la pelle, bougonnait Thomas en regagnant son bureau. A la pelle mécanique oui... La liste des suspects connus était peut-être réduite, le travail ne représentait pas moins des heures de recherches, d'épluchage de dossiers, de vérification de simples suspects.

Un rayon de lumière filtrait du moins dans les

instructions de Dixon : l'homme recherché était un professionnel et non un de ces innombrables énergumènes qui empoisonnaient l'existence des agents du Service spécial avant et pendant la visite de n'importe quel homme d'État étranger.

Thomas convoqua donc deux de ses inspecteurs chargés d'enquêtes d'urgence relative, leur exposa succinctement les grandes lignes de leur tâche sans en préciser le motif. Des recherches entreprises dans les archives et les fichiers du Service spécial pouvaient s'entreprendre indépendamment des soupçons qui tenaient en alerte la police française devant une menace d'attentat contre le général de Gaulle.

L'avion du Chacal atterrit à l'aéroport de Linate à Milan peu après six heures. L'hôtesse, toujours aux petits soins pour lui, guida ses pas le long de la passerelle jusqu'au tarmac et une autre hôtesse au sol l'accompagna jusqu'aux bâtiments de l'aérogare. Ce fut à la douane que les préparatifs si élaborés en vue de transporter les diverses parties de son fusil de façon discrète se révélèrent payantes. La vérification du passeport ne fut qu'une formalité mais celle des valises présentait d'autres risques. Lorsqu'elles arrivèrent de la cale sur le tapis roulant, le Chacal fit signe à un porteur qui aligna trois bagages sur le comptoir. Puis il disposa à leur suite son sac de voyage.

Le voyant s'avancer en boitant, l'un des douaniers s'empressa.

— Signor ? Tous vos bagages sont là ?

— Euh, oui... ces trois valises et ce petit sac.

— Vous n'avez rien à déclarer ?

— Non, rien.

— Vous voyagez pour affaires, signor ?

— Non, je suis en congé. Un congé-convalescence si vous voulez. Je compte aller visiter la région des lacs.

Le douanier ne parut nullement impressionné.

— Je peux voir votre passeport, signor ?

Le Chacal lui tendit le document. Après l'avoir examiné, l'Italien le lui rendit sans un mot.

— Voulez-vous ouvrir celle-ci.

Il désignait du geste l'une des valises.

Le Chacal sortit son trousseau de clefs. Le porteur, pour lui faciliter la tâche, avait posé la valise à plat sur le comptoir. Le Chacal l'ouvrit posément.

Fouillant parmi les vêtements du pasteur danois et de l'étudiant américain fictifs, le douanier ne prêta aucune attention au complet sombre, à la chemise blanche, aux mocassins ou au blouson. Le livre danois le laissa tout aussi indifférent. La couverture représentait une vue de la cathédrale de Chartres et le titre, bien qu'en danois, offrait avec l'anglais une certaine ressemblance apparente qui lui gardait son caractère des plus anodins.

Il ne découvrit ni le pli soigneusement recollé dans la doublure, ni les faux papiers d'identité. Après tout, il se contentait de l'examen routinier et superficiel dont la répétition composait la trame de ses journées. Les pièces détachées d'un fusil de haute précision se trouvaient à un mètre de lui, de l'autre côté du comptoir, mais aucun soupçon ne parut l'effleurer. Il rabattit le couvercle

de la valise et fit signe au Chacal de la refermer.
Puis il marqua successivement d'une rapide croix
à la craie les quatre bagages. Son travail terminé,
l'Italien arbora un large sourire.

— *Grazie*, signor. Et bonnes vacances.

Le porteur arrêta un taxi, reçut un substantiel
pourboire et bientôt le Chacal roula rapidement
dans Milan en direction de la Gare centrale, au
milieu de l'habituel charivari d'avertisseurs de
la circulation aux heures de pointe.

A la Gare centrale, le Chacal claudiqua derrière
un autre porteur jusqu'à la consigne. Dans le taxi,
il avait fait passer les ciseaux de son sac dans sa
poche de pantalon. Il laissa à la consigne le sac
de voyage et deux valises, ne conservant que celle
qui, loin d'être remplie, contenait la longue capote
militaire française.

Après avoir renvoyé le porteur, il gagna le lava-
tory hommes, constata qu'un seul lavabo, à la
gauche des urinoirs, était occupé. Il posa sa valise,
et fit mine de se laver longuement les mains jusqu'à ce que son voisin eût terminé. Dès que le
local fut vide, il alla rapidement s'enfermer dans
l'un des boxes.

Le pied sur le bord du siège, il s'employa sans
bruit durant dix minutes à découper son plâtre,
découvrant les tampons de ouate destinés à donner l'impression d'une classique fracture de la
cheville. Une fois son pied complètement dégagé,
il remit sa chaussette de soie et le léger mocassin
qu'il avait collé contre son mollet sous le plâtre.
Le reste du plâtre et du coton hydrophile, il le fit
disparaître dans la cuvette en plusieurs fois pour
éviter de boucher le siphon. Plaçant la valise sur

le siège, il disposa côte à côte dans les plis épais
de la capote les divers tubes métalliques contenant
les éléments du fusil. Il prit soin de boucler les
sangles intérieures pour éviter au chargement de
ballotter et ferma la valise. Puis il jeta un coup
d'œil à l'extérieur. Il y avait deux hommes penchés
sur les lavabos et deux autres devant les urinoirs.
Il sortit du box, pivota rapidement vers la porte
et escalada la volée de marches menant au grand
hall de la gare sans même avoir été remarqué.

Réapparaître à la consigne ingambe, après
l'avoir quittée infirme, était hors de question ; il
appela donc un porteur, lui expliqua qu'il était
très pressé, lui remit son bulletin avec un billet
de mille lires et le pria d'aller chercher ses bagages
pendant que lui-même passerait au bureau de
change.

Le porteur acquiesça d'un air ravi et s'en alla
vers la consigne.

Le Chacal changea les dernières vingt livres qui
lui restaient en monnaie italienne et quitta le
comptoir au moment même où le porteur revenait
avec ses trois bagages. Deux minutes plus tard, il
fonçait en taxi à travers la Piazza Duca d'Aosta
vers l'hôtel Continentale.

Il pénétra dans le hall luxueux et gagna la
réception.

— Je crois que vous avez une chambre pour
moi au nom de Duggan, dit-il. Elle a été réservée
par téléphone de Londres, il y a deux jours.

Juste avant huit heures, le Chacal savourait la
détente d'une douche prolongée et se rasait. Deux
de ses valises étaient enfermées dans l'armoire. La
troisième contenant ses propres vêtements était

ouverte sur le lit. Il avait, à côté, préparé pour
le soir un léger complet d'été bleu marine en laine
et mohair. Le costume gris pâle avait été confié
au valet d'étage pour être nettoyé et repassé.

Après un ou deux cocktails et un dîner choisi,
il se coucherait tôt car le lendemain, 13 août,
l'attendait une journée spécialement chargée.

15

— Rien.

L'un des deux jeunes inspecteurs présents dans le bureau de Bryn Thomas referma le dernier des dossiers qu'il s'était fait communiquer et regarda son supérieur. Son collègue avait également abouti à la même conclusion. Thomas, lui-même, en avait terminé cinq minutes plus tôt et, planté devant la fenêtre, les mains dans le dos, regardait s'écouler la circulation, dans Horse-ferry Road. En dépit de son mauvais rhume, il n'avait pu s'empêcher de fumer à la chaîne et il avait la gorge en feu. Les heures passées à éplucher les dossiers, à vérifier les fiches, à multiplier les coups de téléphone pour n'obtenir que des réponses négatives lui avaient valu une violente migraine.

— Et voilà, c'est réglé, dit-il d'un ton ferme en pivotant sur les talons. Nous avons fait tout ce que nous pouvions. Personne ne correspond aux données de base qu'on nous a fournies.

— Il se peut qu'il y ait un Anglais pour faire ce genre de boulot, suggéra l'un des inspecteurs, mais il n'est pas fiché.

— Ils le sont tous, fichés, grogna Thomas.

Il ne tolérait pas l'idée de n'avoir aucune trace d'un tueur professionnel aussi dangereux.

— Enfin bon, reprit-il. Rangez les dossiers. Reportez-les aux archives. Je ferai une réponse négative. Il n'y a pas d'autre solution.

— Pour qui l'a-t-on faite, cette enquête, commissaire? demanda l'un des inspecteurs.

— Te casse pas la tête, mon petit. Si quelqu'un a de gros problèmes, ce n'est pas nous.

Les deux jeunes policiers, après avoir rassemblé tous les documents, se dirigeaient vers la porte lorsque l'un d'eux se retourna, sourcils froncés.

— Commissaire, j'ai pensé à une chose en travaillant. Si ce type existe et s'il est anglais, il y a peu de chances pour qu'il opère ici dans le pays. Je veux dire, il doit bien avoir une base, une espèce de refuge. Et dans ce cas-là, il y a des chances pour que, chez lui, il s'arrange pour passer pour un personnage respectable.

— Vous pensez à une sorte de Jekyll et Hyde?

— Ma foi, oui. C'est un peu ça. Si on se donne tant de mal pour le retrouver, il faut croire que dans sa partie, ça doit être un genre de caïd, et il n'en est sûrement pas à ses débuts.

— Ensuite, dit Thomas qui l'écoutait attentivement.

— Eh bien, ce type justement doit veiller à n'opérer qu'à l'étranger pour ne pas risquer d'être repéré par les services de sécurité intérieure... Peut-être qu'un jour le Service spécial a eu vent de sa présence...

Thomas réfléchit un instant et secoua la tête.

— Allez, laisse tomber, petit, et rentre chez toi.

Et surtout, oublie même ces recherches que nous avons faites.

Mais l'inspecteur parti, l'idée qu'il avait semée dans l'esprit de Thomas s'y enracina.

Il pouvait maintenant rédiger son rapport. Zéro sur toute la ligne. Mais à supposer qu'il y eût quelque chose derrière la demande formulée par les Français ? A supposer que les Français n'eussent pas, comme le soupçonnait Thomas, simplement perdu la tête à cause de rumeurs alarmantes ; s'ils en savaient aussi peu qu'ils le déclaraient, si rien ne laissait supposer que l'homme recherché fût anglais, ils devaient donc effectuer les mêmes recherches dans le monde entier.

Thomas était particulièrement fier des résultats obtenus par Scotland Yard et, surtout, par le Service spécial.

Jamais ils n'avaient connu d'ennuis de ce genre. Jamais ils n'avaient perdu un dignitaire étranger de passage. Lui-même avait dû s'occuper de ce petit bonhomme russe, Ivan Serov, chef du K. G. B. lorsqu'il était venu préparer la visite de Khrouchtchev et il y avait des douzaines de Baltes et de Polonais qui voulaient la peau de Serov. Pas un coup de feu n'avait été tiré et pourtant les gardes personnels de Serov grouillaient partout, chacun armé jusqu'aux dents et prêt à tirer en cas de besoin.

Dans deux ans, le commissaire Bryn Thomas devait prendre sa retraite et aller s'installer dans la petite maison que Meg et lui avaient achetée avec la vue sur la verdure et le canal de Bristol. Mieux valait s'entourer de toutes les précautions possibles, vérifier les moindres détails. Dans sa jeunesse, Thomas avait été un joueur de rugby de grande classe et, Gallois d'origine, il ne manquait jamais, quand il pouvait s'échapper de son bureau, d'aller assister aux matches de l'équipe London Welsh à l'Old Deer Park de Richmond.

Il connaissait tous les joueurs, allait bavarder avec eux après les rencontres au vestiaire du club house où il était toujours sûr d'être cordialement accueilli.

Chacun dans l'équipe savait que l'un des joueurs appartenait au personnel des Affaires étrangères. Thomas, sur ce point, en savait un peu plus long. Le service pour lequel Barrie Lloyd travaillait sous les auspices des Affaires étrangères mais sans y être rattaché, c'était le S. I. S. [1], appelé parfois simplement le Service et souvent désigné de façon impropre dans le grand public sous le nom de M. I. 6.

Thomas décrocha le téléphone sur son bureau et demanda un numéro...

Les deux hommes se rencontrèrent pour boire un verre dans un pub près de la Tamise entre huit et neuf. Ils parlèrent un moment rugby mais Lloyd se doutait bien que l'agent du Service spécial avait d'autres soucis en tête. Après avoir choqué leurs verres, Thomas se pencha en avant et baissant légèrement la voix :

— J'ai un petit problème sur les bras, vieux. J'espère que tu pourras me donner un coup de main pour le résoudre.

— Ma foi, si c'est dans mes possibilités, dit Lloyd.

1. Secret Intelligence Service.

Thomas lui exposa rapidement l'ensemble de la question et conclut en disant :

— Si ce type qu'on recherche est anglais, à mon avis, il doit éviter de se salir les mains chez lui et limiter son activité de tueur à l'étranger. Autrement dit, si jamais il a laissé sa trace quelque part, il a peut-être attiré sur lui l'attention du Service.

— Le Service ? fit Lloyd posément.

— Allons, Barrie. Il faut qu'on sache un tas de choses de temps en temps.

La voix de Thomas avait encore baissé d'un ton. Vus de dos, comme plongés dans la contemplation du crépuscule où s'égrenaient les lumières de la rive gauche du fleuve, on aurait pu les prendre pour deux hommes d'affaires discutant des fluctuations de la journée à la Bourse.

— On en a épluché des dossiers pendant l'enquête sur Blake ! On a mis le nez dans les affaires d'un tas de gens des Affaires étrangères. Dans les tiennes, entre autres. Tu étais dans sa section quand on a commencé à le soupçonner. Je connais donc tes attributions.

— Je vois, dit Lloyd.

Il eut un instant d'hésitation et reprit :

— Tu me fais une demande officielle de renseignements ?

— Non, pour l'instant pas question. L'intervention de Lebel auprès de Mallinson était déjà officieuse. Tout ça doit se faire le plus discrètement possible. C'est une affaire délicate à manier. Il est probable qu'ici, en Angleterre, on ne trouvera rien d'intéressant pour Lebel. Je voulais seulement ne rien laisser au hasard et tu représentes la dernière carte.

— Ce type est censé en vouloir à de Gaulle?

— Apparemment, oui.

— Et si les Français veulent seulement éviter la publicité, pourquoi ne pas s'adresser directement à nous?

— La demande de Lebel a été transmise à Mallinson. Les services secrets en France ne maintiennent peut-être pas de liaison directe avec ta section.

Si Lloyd avait senti l'allusion aux relations notoirement mauvaises qu'entretenaient le S. D. E.-C. E. et le S. I. S., il ne le manifesta en rien.

— Curieux, dit Lloyd, laissant errer son regard vers le fleuve. Tu te souviens de l'affaire Philby?

— Évidemment.

— Il y a encore des nerfs à vif chez nous depuis cette histoire, reprit Lloyd. Il était parti de Beyrouth en janvier 1961. Ça ne s'est pas su tout de suite mais ça a fait un sacré foin dans le Service. Il a fallu déplacer un tas de gens. Il avait bouzillé presque toute la section arabe et quelques autres avec. L'un des hommes que nous avons dû faire filer le plus vite était notre correspondant dans la zone Caraïbes. Six mois plus tôt, il se trouvait à Beyrouth avec Philby.

« Le même mois, en janvier, le dictateur de la République Dominicaine, Trujillo, était abattu sur une route déserte, non loin de Ciudad Trujillo. D'après les rapports, il avait été tué par des partisans.

« Notre homme est alors revenu à Londres et nous avons partagé un bureau quelque temps avant qu'on le remette en circulation. Il a déclaré que, d'après certains bruits, la voiture avait été stoppée dans une embuscade d'un seul coup de feu tiré de plus de cent mètres par un tireur d'élite qui avait tué net le chauffeur. La voiture était blindée. Le chauffeur a reçu le projectile dans la gorge ; il avait traversé le déflecteur avant. C'est à ce moment-là seulement que les partisans se sont précipités. Et alors on a laissé entendre avec insistance que ce tireur était anglais. »

Il y eut un silence prolongé. Les verres de bière vides oscillaient au bout des doigts des deux hommes. Tous deux, le regard perdu dans le vague, au-dehors, vers les eaux sombres de la Tamise, évoquaient une île lointaine au paysage aride, une voiture roulant à près de cent à l'heure faisant une embardée et venant se bloquer sur le bas-côté rocailleux, un vieil homme vêtu de soie brochée qui, après avoir maintenu durant trente ans son pays sous un joug féroce, était tiré d'une voiture disloquée et achevé dans la poussière comme un chien.

— Ce... ce type... dont on parlait. Il avait un nom ?

— Je ne sais pas. Je ne me souviens pas. On en a parlé comme ça au bureau. Nous avions beaucoup de pain sur la planche et un dictateur local était le cadet de nos soucis.

— Ce collègue, qui t'en a parlé, il a fait un rapport ?

— Sans doute. C'était la règle. Mais il ne s'agissait que d'une rumeur, entendons-nous bien, un simple bruit. Ce qui nous intéresse ce sont les faits précis, tangibles.

— Mais on a bien dû classer ça quelque part ?

— Probable, dit Lloyd.

— Et tu ne pourrais pas essayer de jeter un coup d'œil sur les dossiers, non ? Voir si ton mystérieux champion de tir avait un nom ?

Lloyd prit appui des deux mains sur la table.

— Rentre chez toi, dit-il au commissaire. Si je déniche quoi que ce soit qui puisse t'aider, je te passe un coup de fil.

Ils regagnèrent la salle principale du bar, déposèrent leurs verres sur le comptoir et se dirigèrent vers la sortie.

— Tu me rendrais un fier service, dit Thomas tandis qu'ils échangeaient une poignée de main sur le trottoir. Il y a peut-être une chance sur mille. Mais, avec la chance justement, tu pourrais mettre dans le mille.

Tandis que Lloyd et Thomas discutaient en contemplant la Tamise et que le Chacal vidait les dernières gouttes de son « Zabaglione » devant la baie vitrée d'un restaurant en terrasse de Milan, le commissaire Claude Lebel assistait à la première des quotidiennes réunions d'étude dans la salle de conférences du ministère de l'Intérieur à Paris. Les assistants étaient les mêmes que la veille. Le ministre présidait à une extrémité de la table entouré des chefs de service et Claude Lebel lui faisait face à l'autre bout.

Sur un bref signe de tête du ministre, son chef de cabinet prit le premier la parole.

Au cours de la journée précédente, tous les bureaux de douane le long de toutes les frontières du pays avaient reçu la consigne d'examiner à fond les bagages de tous les étrangers, grands et

blonds, entrant en France. Les passeports, en
particulier, devaient être soumis à un examen
serré par un représentant de la D. S. T. (le directeur du service inclina la tête en signe d'assentiment). Touristes et hommes d'affaires constate-
raient peut-être qu'un surcroît de surveillance
s'exerçait aux frontières mais il était improbable
que les voyageurs soumis à des fouilles particulières
puissent constater qu'elles visaient essentiellement
les individus grands et blonds. Si jamais un journaliste spécialement curieux et fouineur s'avisait
de poser des questions indiscrètes on lui répondrait
qu'il s'agissait simplement de sondages routiniers.

Il y avait un autre point à souligner. Une proposition avait été formulée tendant à envisager
l'enlèvement de l'un des trois chefs de l'O. A. S. à
Rome. Le Quai d'Orsay était résolument hostile
à ce projet pour des raisons diplomatiques (aucune allusion n'avait été faite au complot du
Chacal) et le président de la République (qui
lui était au courant) n'avait pas non plus voulu
en entendre parler. Résoudre partiellement le
problème à partir de cette solution était donc
totalement exclu.

Le général Guilbaud exposa qu'un examen mi-
nutieux des dossiers du S. D. E. C. E. s'était soldé
par un résultat négatif. On n'avait pas trouvé
trace d'un assassin politique professionnel en
dehors des rangs de l'O. A. S. ou de ses sympathisants.

Le directeur des Renseignements généraux déclara que les recherches effectuées dans les archives
criminelles françaises avaient été également in-
fructueuses.

Le chef de la D. S. T. fit alors son rapport.

A sept heures trente ce matin-là, un appel téléphonique provenant d'un bureau de poste près de la gare du Nord et adressé à l'hôtel de Rome où se trouvaient les trois chefs de l'O. A. S. avait été intercepté.

Depuis qu'ils avaient été signalés deux mois plus tôt dans cet hôtel, les employés des standards internationaux avaient reçu pour instructions de relever tous les appels destinés à ce numéro. Celui qui était de service ce matin-là avait manqué de réflexe. La communication s'était établie avant qu'il eût compris que le numéro demandé figurait sur sa liste. Il n'avait donc alerté la D. S. T. qu'après avoir mis en liaison les deux correspondants. Toutefois, il avait eu la présence d'esprit d'écouter ; le message disait : « Valmy à Poitiers. Chacal brûlé. Je répète. Chacal brûlé. Kowalski arrêté. A chanté avant de mourir. Stop. »

Il y eut un silence prolongé dans la grande pièce.

— Comment a-t-il été renseigné ? demanda calmement Lebel à l'autre bout de la table.

Tous les regards se tournèrent vers lui sauf celui du colonel Rolland qui, plongé dans ses réflexions, semblait considérer fixement le mur.

— Nom de nom, fit-il à voix claire, regardant toujours droit devant lui.

L'attention de tous se reporta à nouveau sur le chef du service Action.

Le colonel émergea brusquement de sa rêverie.

— Marseille, dit-il d'un ton bref. Pour décider Kowalski à quitter Rome, nous lui avons tendu un piège. Un vieil ami à lui du nom de Jojo Grzi-

bowski. Cet homme a une femme et une fille. Nous
les avons tous gardés sous surveillance jusqu'à
ce que Kowalski soit entre nos mains. Ensuite,
nous les avons relâchés. Tout ce que je voulais de
Kowalski c'était des tuyaux sur ses chefs. Il n'y
avait aucune raison de soupçonner cette affaire
Chacal à l'époque. Nous n'avions donc pas de
raison de faire le secret sur la capture de Kowalski.
Plus tard, bien sûr, les choses ont changé. C'est
sans doute ce Polonais, Jojo, qui a prévenu Valmy.
Je suis désolé.

— La D. S. T. a-t-elle cueilli Valmy à la poste ?
s'enquit Lebel.

— Non. Nous l'avons manqué de deux minutes,
grâce à la bêtise du standardiste, répondit le représentant de la D. S. T.

— Un parfait exemple d'inefficacité, dit sèchement le colonel Saint-Clair de Villauban.

Quelques regards dépourvus d'aménité se bra-
quèrent sur lui.

— Nous cherchons notre route à tâtons, rétorqua le général Guilbaud, dans une obscurité à peu
près totale et contre un adversaire inconnu. Si le
colonel désire se porter volontaire pour prendre en
main les opérations et assumer toutes les responsabilités qu'elles impliquent...

Le colonel de l'Élysée examina d'un air appliqué
ses dossiers comme s'ils revêtaient infiniment
plus d'importance que la menace voilée du chef
du S. D. E. C. E., mais il s'était parfaitement
rendu compte de sa bévue.

— En un sens, fit le ministre songeur, ce n'est
peut-être pas plus mal qu'ils soient prévenus. Cela
va sans doute les obliger à annuler l'opération.

— Précisément, enchaîna Saint-Clair de Villauban, s'efforçant de rétablir un équilibre compromis, M. le Ministre a raison. Ce serait de la folie de leur part de s'obstiner maintenant. Ils vont rappeler leur bonhomme et voilà tout.

— Il n'est pas exactement brûlé, rectifia posément Lebel. (Ils avaient presque oublié sa présence.) Nous ne savons toujours pas le nom de cet individu. Cet incident de parcours peut simplement l'inciter à prendre des précautions supplémentaires. Faux papiers, déguisement, etc.

L'optimisme qu'avait fait naître la réflexion du ministre s'était rapidement dissipé. Le ministre de l'Intérieur considéra le petit homme avec intérêt.

— Je crois que nous ferions mieux d'écouter le rapport du commissaire Lebel, messieurs. Après tout, c'est lui qui mène l'enquête. Nous sommes ici pour l'assister dans toute la mesure de nos moyens.

Ainsi invité à prendre la parole, Lebel exposa les diverses démarches qu'il avait entreprises, le résultat de ses appels téléphoniques internationaux.

— Toutes les réponses me sont parvenues au cours de la journée, conclut-il. Les voici. Hollande : rien. Italie : plusieurs tueurs à gages connus mais tous au service de la Mafia. Des conversations discrètes entre les Carabinieri et le Capo de Rome ont permis d'aboutir aux conclusions suivantes : aucun tueur de la Mafia ne commettrait d'assassinat politique sinon sur ordres, et il n'est pas question pour la Mafia de réclamer la liquidation d'un homme d'État étranger.

Lebel releva les yeux :

— Personnellement je suis enclin à croire que c'est la vérité. Grande-Bretagne : rien mais la demande de recherches a été transmise au Service spécial pour supplément d'enquête.

— Toujours aussi lents, marmonna Saint-Clair de Villauban.

Lebel enregistra la remarque et redressa à nouveau la tête :

— Mais très consciencieux, nos amis anglais. Il ne faut pas sous-estimer Scotland Yard.

Il reprit sa lecture.

— « Amérique, deux possibilités : d'abord le bras droit d'un gros trafiquant d'armes dont la base est à Miami. Cet homme a été Marine et puis il est entré à la C. I. A. dans la zone des Caraïbes. Il en a été chassé pour avoir tué un Cubain anti-castriste dans une bagarre juste avant l'affaire de la baie des Cochons. Ensuite, il a été récupéré par le trafiquant d'armes, l'un des hommes utilisés par la C. I. A. pour fournir des armes au corps de débarquement. On le tient pour responsable de deux accidents restés inexpliqués dont des rivaux de son patron dans le trafic d'armes ont été victimes. Le trafic d'armes, apparemment, est un métier très dangereux. Cet homme s'appelle Charles « Chuck » Arnold. Le F. B. I. enquête sur lui. — Le second suspect suggéré par le F. B. I. est un nommé Marco Vitellino, ancien garde du corps d'un chef de gang new-yorkais, Albert Anastasia. Ce Capo a été abattu dans son fauteuil chez le barbier en octobre 1957 et Vitellino a filé d'Amérique pour sauver sa peau. Installé à Caracas, il a essayé de s'introduire dans certains rackets mais sans grand

succès. Les truands locaux l'ont tout de suite neu-
tralisé. D'après le F. B. I., s'il était vraiment à la
côte, c'est le genre d'individu capable d'accepter
de tuer pour le compte d'une organisation étrangère, s'il est suffisamment payé. »

Un profond silence régnait dans la pièce. Les
quatorze assistants avaient écouté Lebel sans un
murmure.

— « Belgique, une possibilité : un assassin psy-
chopathe ; ex-homme de main de Tschombé au
Katanga. Expulsé par les Nations Unies après sa
capture en 1962. Accusé de deux meurtres en Belgique où il ne pouvait donc pas rentrer. Son
nom : Jules Bérenger. Émigré, semble-t-il, en Amérique centrale. La police belge poursuit actuellement des recherches sur ses activités.

« Allemagne, un suspect : Hans-Dieter Kassel,
ex-commandant de S. S., recherché par deux pays
pour crimes de guerre. A vécu après la guerre en
Allemagne de l'Ouest sous un faux nom, était
tueur attitré de l'Odessa, l'ex-organisation clandestine des anciens S. S. Soupçonné d'avoir trempé
dans l'assassinat de deux socialistes qui, après
guerre, avaient réclamé une intensification des
poursuites contre les criminels de guerre. Identifié ultérieurement comme Kassel, mais évadé en
Espagne grâce à un tuyau fourni par un policier
de haut grade cassé depuis. On le croit retiré à
Madrid... »

Lebel leva le nez de ses papiers.

— Entre parenthèses, cet homme a cinquante-
sept ans ; ce qui paraît beaucoup pour effectuer
ce genre de travail! Enfin l'Afrique du Sud : un
suspect, mercenaire de métier. Nom : Piet

Schuyper, également l'un des gardes de Tschombé. Aucune charge officielle contre lui en Afrique du Sud mais jugé comme indésirable. Tireur d'élite. Identifié pour la dernière fois, lors de son expulsion du Congo après l'écroulement de la sécession katangaise au début de l'année. On le croit encore en Afrique occidentale. Les services spéciaux d'Afrique du Sud poursuivent leur enquête à ce sujet...

Lebel s'arrêta et considéra ses interlocuteurs. Tous les assistants l'observaient, impassibles.

— Bien sûr, reprit Lebel, tout cela est assez vague, je le crains. Et d'abord je n'ai essayé que sept des pays où les recherches avaient logiquement le plus de chances d'aboutir. Ce Chacal pourrait être suisse ou autrichien par exemple. Par ailleurs, trois pays sur sept ont fourni des réponses négatives. Ils se sont peut-être trompés. Il n'y a aucune certitude, bien entendu. Nous avançons plutôt à l'aveuglette comme le faisait remarquer le général Guilbaud.

— De simples espoirs ne nous mèneront pas loin, fit Saint-Clair d'un ton rogue.

— Peut-être le colonel a-t-il une suggestion à nous faire ? dit poliment Lebel.

— Personnellement, je suis persuadé que ce tueur a été... décommandé, riposta Saint-Clair glacial. Son plan démasqué, comment approche-rait-il du Président ? Quelle que soit la somme promise à ce Chacal par Chazanet et ses acolytes, ils vont réclamer leur argent et annuler l'opération.

— Vous êtes *persuadé*, intervint doucement Lebel, mais entre l'espoir et la persuasion, il n'y a pas tant de différence. Je préfère pour ma part poursuivre mes recherches.

— Et où en sont précisément ces recherches, commissaire ? demanda le ministre.

— Les services de police étrangers commencent à envoyer par télex les dossiers complets, monsieur le Ministre. J'attends également des photos.

— Croyez-vous qu'ils sauront tous se taire ? demanda Sanguinetti.

— Il n'y a pas de raison pour qu'ils parlent, répondit Lebel. Des centaines d'enquêtes d'un caractère hautement confidentiel sont faites chaque année par des haut-gradés des services rattachés à Interpol, dont une bonne part à titre tout à fait officieux. Sur le plan de la recherche criminelle, la coopération internationale est beaucoup moins soumise aux divergences d'ordre politique.

— Même pour un crime précisément politique ? demanda le ministre.

— Pour des policiers, monsieur le Ministre, le crime est le même partout. C'est pourquoi j'ai préféré prendre contact avec mes collègues étrangers plutôt que de m'adresser aux services diplomatiques. Naturellement, ces services seront mis au courant mais ils n'ont aucune raison d'entraver notre action. L'assassin politique est hors la loi pour tous.

— Ceci n'empêche qu'étant au courant, ils tireront aisément les conclusions qui s'imposent et risqueront donc d'ironiser sur la situation, dit Saint-Clair acide.

— Je ne vois pas pourquoi ils prendraient cette attitude. Un jour ou l'autre, ce peut être leur tour.

— Vous n'avez que d'assez vagues notions de politique, si vous ne vous rendez pas compte que bien des gens seraient trop heureux de savoir que

le chef de l'État est sous le coup d'une menace
d'attentat, rétorqua Saint-Clair. Cette diffusion
déplorable d'un fait destiné à rester confidentiel
est précisément ce que le Président voulait éviter
à tout prix.

— C'est une diffusion très restreinte, corrigea
Lebel, limitée à une poignée d'hommes détenteurs
de secrets dont la révélation risquerait d'abattre
la moitié des politiciens de leurs pays. Leur discrétion est d'ailleurs la garantie des postes qu'ils
occupent.

— Il vaut mieux que quelques hommes sachent
que nous cherchons un tueur plutôt que de recevoir une invitation aux obsèques du chef de l'État,
grommela Bouvier. Nous avons combattu l'O. A. S.
pendant deux ans. Le Président a toujours tenu
à ce que cette lutte ne soit pas montée en épingle
par la presse.

— Messieurs, messieurs, s'interposa le ministre. En voilà assez. C'est moi qui ai autorisé le
commissaire Lebel à effectuer des enquêtes discrètes à l'étranger — il lança un coup d'œil à
Saint-Clair — ... après consultation du Président.

Personne dans l'assistance ne songea à dissimu-
ler l'amusement causé par la déconfiture du colonel.

— Y a-t-il autre chose ?

Rolland ébaucha un geste bref.

— Les réfugiés de l'O. A. S. sont nombreux
en Espagne, dit-il, nous conservons donc un bureau
permanent là-bas. Nous pourrions peut-être nous
occuper de Kassel, le nazi, sans déranger l'Allemagne de l'Ouest à cet égard. Nos relations avec
les Affaires étrangères de Bonn ne sont pas des
meilleures, si je ne me trompe.

Son allusion à l'enlèvement d'Argoud en février et la fureur consécutive de Bonn suscitèrent quelques sourires. Le ministre, sourcils haussés, se tourna vers Lebel.

— Merci beaucoup, déclara le commissaire. Si vous pouvez épingler le personnage, ce serait sûrement d'une grande utilité. Pour le reste, je ne vois rien de particulier sinon que je demande encore à tous les services intéressés de continuer à m'assurer leur concours comme ils l'ont fait durant les dernières vingt-quatre heures.

— Alors, à demain, messieurs, dit le ministre d'un ton bref et il se leva en rassemblant ses papiers.

Au-dehors, sur les marches du perron, Lebel aspira profondément une bouffée d'air tiède. Çà et là, dans le ciel nocturne de Paris s'égrenaient les douze coups de minuit.

Vers la même heure, Barrie Lloyd appelait le commissaire Thomas chez lui à Chiswick. Thomas était sur le point d'éteindre sa lampe de chevet, pensant que l'agent du S. I. S. lui téléphonerait dans la matinée.

— J'ai trouvé ce point faible du rapport dont nous parlions, dit Lloyd. En un sens, j'avais raison. Il ne s'agissait que d'un rapport de routine concernant une rumeur qui circulait dans l'île à l'époque. Classé avec l'indication : « Pas de mesure particulière à prendre. » Nous avions, je le répète, d'autres chats à fouetter.

— On n'y faisait mention d'aucun nom ? s'enquit Thomas à mi-voix pour éviter de réveiller sa femme endormie.

— Si. Un homme d'affaires anglais qui a disparu

à ce moment-là. Il n'était peut-être pour rien dans
cette histoire mais dans les bruits qui couraient,
il était question de lui. Son nom était Charles Calthrop.

— Merci, Barrie. Je vais m'occuper de ça dès
demain matin.

Il raccrocha et sombra bientôt dans le sommeil.

Lloyd, jeune homme méticuleux, fit un bref
rapport de la demande d'information reçue et de
sa réponse et la transmit au service de documentation.

Quelques heures plus tard, l'employé de service
de nuit examina un instant le rapport d'un œil
curieux et, comme il concernait Paris, le glissa
dans la chemise qui, un peu plus tard dans la
matinée, serait placée sur le bureau du directeur
du département France au ministère des Affaires
étrangères.

16

Le Chacal se leva comme d'habitude à sept heures trente, but le thé posé sur la table de nuit, se lava, se doucha, se rasa. Une fois habillé, il extirpa les billets de mille livres de la doublure de sa valise, les glissa en une épaisse liasse dans sa poche intérieure et descendit prendre son breakfast. A neuf heures, il avait quitté l'hôtel et suivait la Via Manzoni à la recherche de banques. Pendant deux heures il alla de l'une à l'autre pour y changer ses billets anglais. Il en convertit deux cents en lires et les huit cents restants en argent français.

Cette première opération terminée, il s'arrêta pour avaler un espresso à la terrasse d'un café. Puis il entreprit de réaliser la deuxième partie de son programme.

Après d'assez longues marches et contremarches, il arriva dans l'une des petites rues du quartier populaire derrière la Porta Garibaldi où il trouva ce qu'il recherchait : une rangée de boxes pour voitures. Le propriétaire tenait un garage à l'angle de la rue. Le Chacal en loua un, moyennant le tarif exorbitant de dix mille lires pour deux jours.

Il se rendit ensuite dans une quincaillerie où il

fit l'acquisition d'une salopette, de pinces coupantes, d'un rouleau de fil d'acier, d'un fer à souder et d'un bâton de soudure. Il fourra le tout dans un sac de toile acheté dans la même boutique et alla le déposer dans le garage. Puis, après avoir fermé son box à clef, il alla déjeuner dans une élégante trattoria du centre de la ville.

Au début de l'après-midi, après avoir pris rendez-vous par téléphone, il se rendit en taxi à une agence de location de voitures où il choisit un cabriolet Giuletta Alfa Romeo de 1962. Il expliqua qu'il voulait profiter d'un congé de quinze jours pour visiter l'Italie, au bout desquels il rendrait la voiture.

Son passeport, ses permis de conduire, anglais et international, étaient en règle et, en une heure de temps, une assurance lui fut établie par une compagnie voisine de l'agence qui lui adressait tous ses clients. La caution à verser était considérable, l'équivalent d'environ cent livres, mais, au milieu de l'après-midi, la voiture était à lui, la clef de contact sur le tableau de bord et le propriétaire de l'agence lui souhaitait bon voyage.

Une visite antérieure à l'Association automobile de Londres lui avait donné l'assurance que, la France et l'Italie étant membres du Marché commun, la conduite en France d'une voiture immatriculée en Italie n'exigeait pas de formalités compliquées, pourvu que tous les papiers fussent en règle.

A l'Automobile Club italien sur le Corso Venezia, on lui donna l'adresse d'une autre compagnie d'assurances spécialisée dans l'assurance à l'étranger où il régla comptant un contrat tous risques pour son séjour en France.

Il regagna ensuite, au volant de son Alfa, l'hôtel Continentale et, monté dans sa chambre, il y prit la valise qui contenait son fusil en pièces détachées. Vers cinq heures, il se retrouvait au box qu'il avait loué près de la porte Garibaldi.

Il s'y enferma à double tour, brancha le fil de son fer à souder dans la prise de courant et, une puissante torche électrique posée sur le sol pour illuminer le dessous de la voiture, il se mit au travail.

Durant deux heures, il souda avec soin les minces tubes d'acier qui contenaient le fusil contre le flanc intérieur du châssis de la voiture. Il avait précisément choisi une Alfa Romeo car, à l'examen de revues spécialisées en Angleterre, il avait constaté que, parmi diverses marques italiennes, l'Alfa possédait un puissant châssis d'acier dont les longerons comportaient vers l'intérieur une large moulure en équerre.

Les tubes mêmes enroulés dans une fine toile à sac étaient solidement amarrés avec le fil d'acier, dont plusieurs points de soudure le long du châssis renforçaient la rigidité. Lorsqu'il en eut terminé, sa salopette était couverte de cambouis et ses doigts endoloris à force de tendre et de tordre les bouts de filin métallique. Mais c'était du travail bien fait. Les tubes étaient pratiquement invisibles sous la voiture et seraient bientôt recouverts d'une carapace de boue et de poussière.

La salopette, le fer à souder et le restant du fil, une fois empilés dans le sac de toile, le Chacal les dissimula sous un tas de vieux chiffons au fond du garage. Quant aux pinces coupantes, il les casa dans le coffre à gants du tableau de bord. Lorsqu'il émergea dans la rue, au volant de son Alfa, la valise enfermée dans le coffre, le crépuscule s'étendait sur la ville.

Vingt-quatre heures après son arrivée à Milan, il était revenu dans sa chambre d'hôtel, savourant la détente d'une douche prolongée avant de s'habiller pour le dîner.

Descendu dans le hall, il se rendit à la réception, y demanda sa note pour après le dîner, le réveil avec une tasse de thé pour cinq heures et demie le lendemain matin et se dirigea vers le bar pour y commander son habituel campari-soda.

Après un deuxième dîner aussi raffiné que le précédent, il régla sa note avec les lires qui lui restaient et, peu après onze heures, il s'endormait.

Sir Jasper Quigley, le dos tourné à son bureau, les mains croisées dans le dos, considérait par la fenêtre du Foreign Office les pelouses immaculées au-delà desquelles un peloton des Horse Guards, très droits sur leurs chevaux noirs, trottait vers le Mall en direction de Buckingham Palace.

Après une longue période de pluie, le soleil d'été resurgi des nuages faisait étinceler les cuirasses et les casques, accrochait des reflets aux sabres dressés.

Bien que ce spectacle lui fût depuis longtemps familier, sir Jasper ne l'en appréciait pas moins comme un plaisant intermède dont il goûtait la traditionnelle ordonnance. Mais non ce matin-là.

Ce matin-là, il avait le regard sombre et les lèvres si serrées qu'elles se réduisaient à une mince ligne blanchâtre. Sir Jasper Quigley, seul dans son bureau, avait peine à réprimer sa fureur.

Animé d'une profonde, d'une congénitale aversion contre la France et tout ce qui s'y rattachait, le directeur aux Affaires françaises du Foreign Office nourrissait une hostilité particulière contre de Gaulle, ce petit général de brigade qui s'était tant agité à Londres durant toute la guerre pour y créer ce qu'il appelait les Forces françaises libres.

Cette hostilité s'était bien entendu renforcée à la suite de la conférence de presse du 14 janvier 1963, au cours de laquelle de Gaulle s'était opposé à l'entrée de la Grande-Bretagne dans le Marché commun et qui avait valu à sir Jasper vingt minutes d'entretien fort désagréable avec le ministre.

Tandis que sir Jasper remâchait sa colère on frappa à la porte. Pivotant brusquement sur les talons, le diplomate se pencha pour prendre sur son buvard un mince feuillet de papier bleu et le tint en avant comme s'il était en train de le lire.

— Entrez, dit-il.

Le jeune Lloyd pénétra dans la pièce, referma la porte derrière lui et vint vers le bureau.

Sir Jasper l'examinait par-dessus ses lunettes en demi-lune.

— Ah, Lloyd. J'étais justement en train d'examiner cette note que vous avez classée la nuit dernière. Intéressant. Intéressant. Une demande de renseignements officieuse adressée par un policier français à son homologue anglais. Transmise à un haut fonctionnaire des Services spéciaux qui juge bon de consulter, toujours officieusement, un agent subalterne de l'Intelligence Service.

— Oui, c'est bien ça, sir Jasper.

Lloyd considérait la mince silhouette du diplomate qui, debout près de la fenêtre, feignait de déchiffrer un document dont il avait à coup sûr pris connaissance depuis un bon moment.

— Et cet agent subalterne trouve normal, reprit sir Jasper, de prendre sous son bonnet, sans en référer à un supérieur, d'accorder son concours au représentant des Services spéciaux en lui suggérant, sans l'ombre d'une preuve, qu'un citoyen britannique, apparemment homme d'affaires, n'est qu'un misérable tueur à gages ?

Sir Jasper marqua un temps d'arrêt, laissant peser un regard chargé de menaces sur son interlocuteur.

— Ce qui m'intrigue, mon cher Lloyd, reprit-il, c'est de constater qu'il a fallu vingt-quatre heures pour que le directeur de ce Département du ministère soit mis au courant de cette affaire. Situation paradoxale, vous ne trouvez pas ?

Chamailleries inter-services, songea Lloyd sans oublier que sir Jasper était un homme puissant et particulièrement chatouilleux sur les questions de hiérarchie et de préséance.

— Permettez-moi de vous faire très respectueusement observer, sir Jasper, que c'est à neuf heures hier soir que m'est parvenue la demande, effectivement officieuse, du commissaire Thomas. Mon rapport a été classé à minuit.

— C'est juste, c'est juste ; mais satisfaction a été donnée à cette requête bien avant minuit, n'est-ce pas ?

— Sir Jasper, il me semblait que cette démarche relevait de la coopération normale inter-services.

— Ah vraiment, vraiment ? — Sir Jasper avait

abandonné son air détaché pour laisser réapparaître son aigreur — mais apparemment pas de la coopération entre votre service et la Direction aux Affaires françaises, non ?

— Vous avez mon rapport à la main, sir Jasper.

— Un peu tard, monsieur, un peu tard.

Lloyd décida de riposter. Après tout s'il avait dû consulter une autorité supérieure avant d'aider Thomas, c'était non pas sir Quigley mais son propre chef.

— Trop tard pour quoi, sir Jasper ?

Sir Jasper releva vivement la tête. Il n'allait pas tomber dans le piège et déclarer qu'il était trop tard pour empêcher la coopération entre les deux services de se réaliser.

— Vous vous rendez compte, j'imagine, qu'un citoyen britannique est gravement mis en cause. Ne trouvez-vous pas étrange de compromettre de cette manière sa réputation ?

— Je n'ai pas l'impression, sir Jasper, qu'en fournissant un nom à un représentant des Services spéciaux à titre purement consultatif, je risque de compromettre la réputation d'un homme.

Le diplomate, mâchoires serrées, contenait avec peine sa fureur.

— Je vois, Lloyd, je vois. Compte tenu de votre évident désir d'aider les Services spéciaux, louable désir certes, est-ce trop vous demander de consulter certaines personnes avant de vous lancer dans l'aventure ?

— Me demandez-vous, sir Jasper, pourquoi vous n'avez pas été consulté ?

Sir Jasper vit rouge.

— Oui, monsieur, en effet, monsieur, c'est

exactement la question que je vous pose.

— Sir Jasper, avec toute la déférence que je dois à un supérieur, puis-je attirer votre attention sur le fait que j'appartiens aux Services. Si vous désapprouvez donc ma conduite de la nuit dernière, ne semblerait-il pas plus adéquat de vous plaindre de moi auprès de mon supérieur hiérarchique plutôt que de me blâmer moi-même ?

Adéquat, adéquat ? Ce jeune godelureau allait-il expliquer à un directeur au ministère ce qui était adéquat ou pas ?

— Ce sera fait, comptez sur moi, aboya sir Jasper, ce sera fait et dans les termes les plus vifs.

Sans en demander la permission, Lloyd fit demi-tour et quitta le bureau. Il ne se faisait guère d'illusion, il aurait sans doute droit à un savon soigné du grand patron, au moins pour la forme, mais ce qu'il n'admettait pas de l'un, il l'accepterait beaucoup plus aisément de l'autre.

Sir Jasper Quigley commençait à se demander s'il allait ou non faire un esclandre. Théoriquement, il avait raison ; cette demande d'enquête sur Calthrop aurait dû être ratifiée par une autorité supérieure mais pas nécessairement par lui. A son poste, il était « client » du S. I. S. sans y exercer aucune autorité. Et s'il pouvait créer des ennuis au jeune Lloyd, il risquait aussi de s'attirer des remarques acerbes du directeur du S. I. S. pour avoir convoqué un agent du service sans avoir demandé l'autorisation à son chef.

En outre, le grand patron du S. I. S. entretenait, semblait-il, d'étroites relations avec des gens très haut placés. Il jouait aux cartes avec eux à Blades, chassait avec eux en Yorkshire. Et dans un mois ce serait les chasses du Glorious Twelfth où il rêvait d'être invité. Mieux valait après tout ne pas insister.

De toute façon, le mal est fait, songea-t-il tout en se replongeant dans la contemplation des Horse Guards au-dehors.

— De toute façon, le mal est fait, fit-il remarquer à son invité durant le déjeuner au club. Je suppose qu'ils vont faire des pieds et des mains pour aider la France. Pourvu qu'ils ne se foulent pas trop, quoi...

C'était une excellente plaisanterie dont il n'était pas mécontent. Par malheur il n'avait pas estimé à sa juste valeur son invité de midi qui, lui aussi, avait ses introductions en haut lieu.

Presque en même temps, un rapport personnel du commissaire de la Police métropolitaine et l'écho du bon mot de sir Jasper parvinrent au Premier ministre — 10 Downing Street — juste avant quatre heures à son retour de la Chambre des Communes.

A quatre heures dix le téléphone sonnait dans le bureau du commissaire Thomas.

Thomas avait passé la matinée et une grande partie de l'après-midi à chercher la trace d'un homme dont il ignorait tout sauf le nom. A la suite de sa visite au bureau des passeports dans Petty France, il se trouvait à la tête de photocopies établies d'après les demandes de passeport de six différents Charles Calthrop. Il avait également obtenu le prêt des clichés fournis par les six personnages sous l'assurance formelle qu'une fois tirés, ils seraient restitués aux archives du service.

L'une de ces demandes remontait à janvier 1961 mais il n'en fallait tirer aucune conclusion encore qu'apparemment ce Charles Calthrop n'en avait formulé aucune autre auparavant. S'il s'était servi d'un autre nom en République Dominicaine, comment celui de Calthrop avait-il pu être prononcé à propos de la liquidation de Trujillo ? Sans doute fallait-il donc éliminer d'emblée ce candidat éventuel.

Des cinq restant, l'un semblait par trop vieux ; en août 1963 il avait eu soixante-cinq ans. Les quatre autres demeuraient plausibles.

Sur chaque formulaire de demande figurait une adresse. Il y en avait deux à Londres et deux en province.

Au cours de la matinée, les représentants de la police régionale, sur l'appel téléphonique de Thomas, retrouvèrent la trace des deux Calthrop provinciaux. L'un, encore au travail, se préparait à partir pour le week-end avec sa famille. On constata tout de suite à l'examen de son passeport qu'il n'avait jamais mis les pieds en République Dominicaine. En fait, il ne l'avait jamais utilisé que pour se rendre à Majorque et sur la Costa Brava.

Ce fut dans un hôtel de Blackpool qu'on retrouva son homonyme. Après discussion, il consentit à autoriser les policiers de sa ville à emprunter sa clef à son voisin, et à prendre son passeport dans le tiroir de gauche de son bureau. Réparateur

en machines à écrire, ce Calthrop-là n'avait pas
quitté son employeur en 1961, sinon pour ses
vacances d'été.

Des deux Calthrop londoniens, l'un — épicier
à Catford — vendait des légumes à une cliente
lorsque deux personnages discrets en civil vinrent
le trouver. Comme il habitait au-dessus de sa
boutique, il put tout de suite montrer son passeport. Non seulement il n'était pas allé en République Dominicaine mais il ignorait même où elle
se trouvait.

Le quatrième et dernier Calthrop présenta dès
le début des difficultés. L'adresse figurant sur sa
demande de passeport quatre ans plus tôt correspondait à un immeuble de Highgate. Le gérant
de cet immeuble examina ses dossiers. Ce locataire
avait quitté son appartement depuis décembre 1960.
Il était parti sans dire où il allait.

Thomas du moins connaissait maintenant son
nom complet. Par le canal du Service spécial, le
service général des Postes lui apprit qu'un certain
C. H. Calthrop avait un numéro dans le secteur
Ouest de Londres. Thomas s'adressa alors aux
services municipaux du quartier où on lui confirma
qu'un nommé Charles Harold Calthrop était en
effet locataire d'un appartement à cette adresse
et qu'il figurait sur la liste des électeurs de l'arron-
dissement.

On décida alors d'aller visiter l'appartement.
Il était fermé et personne ne répondait aux coups
de sonnette. Parmi les voisins, nul ne semblait
savoir où se trouvait Calthrop.

Lorsque la voiture de patrouille revint à Scotland
Yard, le commissaire Thomas tenta une nouvelle

manœuvre. Le Trésor public fut prié de vérifier le dossier du nommé Charles Harold Calthrop habitant telle adresse. On voulait savoir, en particulier, quel avait été son employeur, notamment au cours des trois dernières années.

C'est alors que le téléphone sonna. Thomas décrocha, s'annonça et écouta un instant. Puis, les sourcils haussés, il demanda :

— Moi ? personnellement ? Oui, bien sûr, je viens tout de suite... Dans cinq minutes.

Il sortit du bâtiment, traversa la chaussée vers Parliament Square tout en se mouchant avec bruit. Loin de s'atténuer en cette chaude journée estivale, son rhume ne faisait qu'empirer.

De Parliament Square, Thomas remonta vers Whitehall et prit la première rue à gauche. Comme toujours, Downing Street était plongée dans la grisaille. Au fond de cette impasse où se dressait la résidence du Premier ministre de Grande-Bretagne, le soleil ne pénétrait jamais.

Devant le numéro 10, il y avait un petit attroupement maintenu à l'écart par deux robustes bobbies : badauds curieux d'observer les allées et venues des coursiers porteurs de grandes enveloppes chargées de documents ou attirés par l'espoir d'entrevoir à l'une des fenêtres le profil d'une célébrité.

Thomas coupa sur la droite pour traverser une petite cour agrémentée d'une pelouse et finit par aboutir sur les arrières du numéro 10 où il pressa le timbre de la sonnette. Aussitôt la porte s'ouvrit et un imposant sergent de police l'ayant reconnu rectifia la position pour le saluer.

— Bonjour, monsieur le Commissaire. M. Har-

rowby m'a demandé de vous conduire directement
à son bureau.

James Harrowby, qui avait téléphoné à Thomas
dans son bureau quelques minutes plus tôt, était
le chef de la sécurité personnelle du Premier ministre. Séduisant, paraissant nettement moins que
ses quarante et un ans, il arborait la cravate à
rayures d'un grand collège anglais et c'était après
avoir déjà fait une brillante carrière dans la police,
qu'il avait été transféré Downing Street. Comme
Thomas, il avait le rang de commissaire principal.

— Entrez, Bryn, dit-il en se levant à l'arrivée
de Thomas. (Il fit un signe de tête au sergent.)
Merci, Chalmers.

Le sergent se retira et ferma la porte.

— De quoi s'agit-il ? s'enquit Thomas.

Harrowby le considéra avec surprise.

— J'espérais que vous pourriez me le dire. Il
m'a appelé il y a un quart d'heure en disant qu'il
voulait vous voir personnellement et tout de suite.
Vous êtes sur le sentier de la guerre ou quoi ?

Thomas ne voyait qu'un motif possible à cette
question mais il se demandait comment la nouvelle
avait pu si vite parvenir si haut. En tout cas, si
le Premier ne souhaitait pas mettre son propre
cerbère en chef dans la confidence, c'était son
affaire.

— Pas que je sache, répondit-il.

Harrowby décrocha le téléphone devant lui et
demanda le bureau privé du Premier ministre. La
ligne grésilla et une voix dit : « J'écoute. »

— Ici Harrowby, monsieur le Premier ministre.
Le commissaire Thomas est arrivé... Bien, monsieur... Tout de suite.

Et il raccrocha.

— Il vous attend. Allez-y — pas de gymnas-
tique. Vous avez dû dénicher je ne sais quel pot
aux roses. Il y a deux ministres qui attendent.

Harrowby le précéda le long d'un couloir jusqu'à
une porte verte capitonnée qui le fermait à son
extrémité. Un secrétaire qui sortait vit les deux
hommes et se recula en tenant la porte ouverte.
Harrowby fit entrer Thomas en annonçant à voix
claire :

— Le commissaire Thomas, monsieur Le Premier ministre.

Et il se retira en fermant sans bruit la porte
derrière lui.

Thomas d'un coup d'œil enregistra le décor.
Une grande pièce silencieuse, haute de plafond,
élégamment meublée, avec des livres et des journaux traînant partout, une odeur où se combi-
naient le parfum du tabac de pipe et celui des
boiseries murales. Bref, une pièce qui évoquait
beaucoup plus le sanctuaire d'un doyen d'univer-
sité que le bureau d'un Premier ministre.

La silhouette qui se tenait au fond de la pièce
près de la fenêtre, se détourna.

— Bonjour, commissaire. Asseyez-vous, je
vous prie.

— Bonjour, monsieur le Premier ministre.

Il prit un fauteuil à dossier droit en face du
bureau et se posa sur l'extrême bord du siège.
C'était la première fois qu'il voyait de si près le
chef du gouvernement dont les yeux un peu tristes,
aux paupières tombantes, lui rappelèrent un chien
courant après une longue galopade faite sans
plaisir.

Dans le silence, le Premier ministre gagna son bureau et s'y assit. Thomas avait naturellement entendu certains bruits qui couraient sur le mauvais état de santé du Premier ; il savait quelle rude épreuve il avait subie quand il s'efforçait d'épargner à son gouvernement les éclaboussures de l'affaire Keeler-Ward qui, à peine terminée, constituait encore le thème favori des conversations dans tout le pays.

— Commissaire Thomas, mon attention a été attirée sur une enquête que vous avez entreprise à la demande d'un de vos confrères de la Police judiciaire française...

— En effet, monsieur le Premier ministre.

— Et le but de cette enquête serait de retrouver un assassin professionnel, payé, semble-t-il, par l'O. A. S. en vue d'une mission à exécuter dans un proche avenir en France.

— Il ne nous a pas été fourni d'explications, monsieur le Premier ministre. On nous a seulement demandé de découvrir l'identité de cet assassin éventuel.

— Néanmoins, commissaire, quelles sont vos déductions personnelles à cet égard ?

Thomas haussa légèrement les épaules :

— Les mêmes que les vôtres, monsieur le Premier ministre.

— Précisément. Quant à la cible désignée à ce tueur de métier, elle vous semble assez évidente, j'imagine.

— Monsieur le Premier ministre, je suppose qu'on craint en France un attentat contre le Président.

— Parfaitement exact. Ce ne serait d'ailleurs pas le premier du genre.

— Non, Monsieur. Il y en a déjà eu six.

Le Premier ministre considéra les journaux étalés devant lui comme s'ils avaient pu lui fournir l'explication de tous les événements mondiaux qui s'étaient déroulés durant son mandat.

— Vous est-il venu à l'esprit, commissaire, qu'il y a, dans ce pays, certaines personnes haut placées qui souhaiteraient que votre enquête soit menée avec le moins d'énergie et d'efficacité possible ?

— Ma foi non, monsieur le Premier ministre, répondit Thomas sincèrement surpris.

— Pouvez-vous m'exposer rapidement où vous en êtes de votre enquête.

Thomas s'efforça de fournir au Premier britannique un résumé aussi clair que succinct de l'affaire depuis son origine. Lorsqu'il eut terminé, le Premier, sans un mot, se mit à arpenter lentement son bureau en tirant de courtes bouffées de sa pipe.

Thomas se demandait ce qu'il pensait. Peut-être songeait-il à cette plage près d'Alger où il avait un jour rencontré cet orgueilleux général qui, assis dans un autre bureau à quatre cent cinquante kilomètres de là, dirigeait les affaires de la France. Tant d'événements s'étaient écoulés en vingt ans qui, souvent, n'avaient pas contribué à les rapprocher...

Peut-être aussi pensait-il simplement à cette récente et fracassante affaire de mœurs où tant de hautes personnalités de son propre pays avaient été compromises et qui avait failli causer la chute de son gouvernement.

Il se sentait un homme vieillissant, né et élevé dans un monde régi par des principes et des idées maintenant dépassés et presque périmés. Peut-être pressentait-il que, dans un proche avenir, une opération chirurgicale s'imposerait ; les nouvelles équipes prendraient le relais tandis qu'il devrait se retirer dans l'ombre.

Il s'immobilisa un instant devant la bibliothèque, se pencha sur son bureau pour tapoter sa pipe contre un lourd cendrier de cristal, puis se redressa et regarda en face son interlocuteur.

— Commissaire Thomas, je tiens à vous préciser que le général de Gaulle est mon ami. Si le moindre danger le menace et que ce danger émane de ce pays, il faut arrêter cet individu. Je vous prie donc de poursuivre votre enquête avec toute l'énergie nécessaire. Je vais vous faire donner le maximum de moyens pour la mener à bien. Je tiens personnellement à ce que vous y consacriez tous vos efforts jusqu'à ce que votre conviction soit faite dans un sens ou dans l'autre. Après quoi, je vous prierai de venir me faire votre rapport. Il est bien entendu que si vous mettez la main sur ce Calthrop, vous l'arrêtez immédiatement. Est-ce clair ?

— Parfaitement, monsieur le Premier ministre, répondit Thomas.

Le Premier inclina la tête pour indiquer que l'entretien était terminé. Thomas se leva et se dirigea vers la porte.

— Euh... Monsieur le Premier ministre...

— Oui.

— Dois-je mettre dès maintenant la police française au courant des soupçons qui ont motivé nos recherches au sujet de ce Charles Calthrop ? Nous ne savons pas encore s'il se trouvait en République Dominicaine en janvier 1961.

Le Premier ministre réfléchit un instant :

— Non. Il vaut mieux que vous attendiez d'avoir réuni des preuves substantielles. En accréditant de simples rumeurs, vous risqueriez de mettre vos collègues français sur une mauvaise voie.

— Très bien, monsieur le Premier ministre.

— Et voulez-vous avoir l'obligeance de m'envoyer M. Harrowby. Je vais immédiatement transmettre des instructions pour qu'on vous donne tous pouvoirs.

Quelques heures plus tard, le même après-midi, Thomas disposait d'une équipe de six inspecteurs des services spéciaux triés sur le volet.

Longuement, il les mit au courant de l'affaire, leur fit jurer le silence et commença à répondre à une série de coups de téléphone ininterrompus. Peu après six heures, les services fiscaux du Trésor public avaient en leur possession le dossier des déclarations souscrites par Charles Harold Calthrop. Trois quarts d'heure plus tard, apportés par l'un des inspecteurs, les documents révélèrent que Calthrop n'avait été déclaré par aucun employeur au cours de l'année écoulée et qu'il avait passé la précédente à l'étranger.

Mais, au cours de l'année fiscale 1960-1961, il avait travaillé pour la filiale d'une grosse fabrique exportatrice d'armes légères. Une heure plus tard, Thomas savait le nom du directeur de cette firme et l'obtenait au bout du fil dans sa maison de campagne du Surrey. Il prit rendez-vous pour le voir immédiatement et tandis que le crépuscule se déployait sur la Tamise, Thomas, au volant de sa Jaguar de service, traversait le fleuve en direction du village de Virginia Water.

Patrick Monson, de taille moyenne, soigné,
vêtu avec une élégance discrète, n'avait rien du
marchand de mort subite tel qu'on peut se l'imaginer. Il apprit à Thomas que Charles Calthrop
n'avait travaillé qu'un an pour la firme. Détail
important, au cours des mois de décembre 1960
et de janvier 1961, il avait été envoyé à Ciudad
Trujillo pour tenter de négocier la vente d'un lot
de mitraillettes des surplus de l'armée britannique
au chef de la police de Trujillo.

Thomas considéra Monson avec un dégoût mal
dissimulé, mais il se contenta de demander pourquoi Calthrop avait quitté si vite la République
Dominicaine.

Monson fut surpris par la question. Eh bien,
parce que Trujillo avait été tué, bien entendu.
Le régime s'était écroulé en quelques heures. Pour
un homme qui venait précisément de vendre des
armes au dictateur abattu, mieux valait prendre
le large sans délai. Thomas réfléchit. A coup sûr,
cette explication semblait logique. D'après Monson, Calthrop aurait déclaré qu'il se trouvait dans
le bureau du chef de la police en train de débattre
les termes du marché quand était parvenue la
nouvelle de la mort de Trujillo dans une embuscade hors de la ville. Le chef de la police était
devenu vert et avait aussitôt filé chez lui où son
avion privé et son pilote l'attendaient en permanence. Dans toute la ville, les insurgés se rassem-
blaient en bandes et Calthrop avait dû acheter
très cher les services d'un pêcheur pour s'enfuir
de l'île au plus vite.

Pourquoi, s'enquit Thomas, Calthrop avait-il
quitté la firme? Il avait été renvoyé, lui fut-il

répondu. Pourquoi ? Monson réfléchit un instant,
puis déclara :

— Commissaire, dans le commerce des armes
d'occasion, la compétition est très serrée ; elle peut
tourner au coupe-gorge. Savoir ce qu'offre un
concurrent et à quel prix peut être vital pour un
rival qui veut traiter avec le même acheteur.
Disons simplement que nous avons eu des doutes
sur la loyauté de Calthrop vis-à-vis de la société.

Tandis qu'il revenait en voiture vers la capitale,
Thomas repassait en revue les explications de
Monson ; plausibles et même logiques, elles contre-
disaient les bruits transmis par l'agent du S. I. S.
aux Caraïbes selon lesquels Calthrop était impliqué
dans le meurtre du dictateur.

D'autre part, à en croire ce trafiquant d'armes,
Calthrop était bien capable de jouer un double jeu.
Pouvait-il en même temps s'être présenté comme
le représentant accrédité d'une fabrique d'armes
et se mettre à la solde des révolutionnaires ? Un
détail, en particulier, tracassait Thomas : à en
croire Monson, Calthrop n'y connaissait pas grand-
chose en matière de fusils lorsqu'il était entré
dans la compagnie. Un tireur d'élite n'était-il pas
nécessairement un expert en armes ? Bien entendu,
il avait pu se familiariser avec la technique au
cours de l'année passée dans la firme. Mais s'il
était novice dans l'art du tir, comment les partisans avaient-ils eu l'idée de l'engager pour stopper
d'une balle infaillible une voiture lancée à pleine
vitesse ?

A moins que l'histoire de Calthrop correspondît
littéralement à la vérité ? Thomas eut un haussement d'épaules. Rien n'était prouvé ou démenti.

Il se retrouvait à peu près à son point de départ.

Mais à son bureau l'attendaient des nouvelles qui le firent changer d'avis.

L'inspecteur chargé d'enquêter à l'adresse de Calthrop avait pu questionner une proche voisine de ce dernier à son retour du travail. Calthrop, déclara-t-elle, était parti quelques jours plus tôt après avoir annoncé qu'il se rendait en Écosse. A l'arrière de la voiture garée devant l'immeuble, cette voisine avait bien cru voir plusieurs cannes à pêche.

Des cannes à pêche? Le commissaire Thomas, en dépit de la chaleur qui régnait dans la pièce, sentit passer comme un rapide frisson.

Alors que l'inspecteur achevait son rapport, l'un de ses collègues fit son entrée.

— Commissaire?

— Oui?

— Je viens d'avoir une idée.

— Je vous écoute.

— C'est peut-être une coïncidence. Il faut vraiment en avoir une sérieuse couche pour commettre une pareille boulette mais... mais les lettres formant le nom Chacal correspondent aux trois premières lettres de son prénom et aux trois premières de son...

— Nom de Dieu de nom de Dieu! s'exclama Thomas et, tout en éternuant violemment, il tendit vivement le bras vers le téléphone.

17

La troisième réunion au ministère de l'Intérieur commença un peu après dix heures. Un embouteillage, alors qu'il revenait d'une réception diplomatique, avait retardé le ministre.

Le premier à prendre la parole fut le général Guilbaud du S. D. E. C. E. Il alla droit au fait. L'ancien tueur nazi, Kassel, avait été retrouvé par des agents des Services secrets à Madrid. Il habitait un confortable appartement en terrasse, avait monté avec un autre ancien officier des S. S. une affaire prospère et n'entretenait apparemment aucun contact avec les gens de l'O. A. S.

Agé, sujet à de fréquentes crises de rhumatismes, très porté sur l'alcool, il pouvait difficilement être le Chacal.

Dès que le général eut terminé, tous les regards convergèrent vers Lebel. Son rapport ne reflétait pas l'optimisme. Il communiqua un certain nombre de nouvelles reçues au cours de la journée.

D'Amérique, on avait signalé que Chuck Arnold, trafiquant d'armes, était en Colombie pour y négocier la vente d'un lot de vieux fusils AR-10 de la U. S. Army au chef d'état-major. Durant son

séjour à Bogota, il était resté sous la surveillance
permanente du F. B. I. et rien ne laissait supposer
qu'il mijotât d'autres projets.

On avait cependant transmis par télex à Paris
son dossier à toutes fins utiles.

Celui de Vitellino était également parvenu à la
P. J. par la même voie. Bien qu'on n'eût pas
encore retrouvé la trace de l'ancien exécuteur de
la Cosa Nostra, on pouvait l'éliminer d'office. Mesurant 1 m 60, avec un torse massif, des cheveux noirs
de jais et le teint basané, il offrait un signalement
diamétralement opposé à celui du Chacal.

En Afrique du Sud, on avait appris que Piet
Schuyper commandait maintenant la petite armée
privée d'une corporation groupant plusieurs mines
de diamants dans un des pays d'Afrique occidentale du Commonwealth. Sa tâche consistait à
patrouiller les frontières d'une zone énorme de
concessions en vue d'empêcher tout trafic clandestin de pierres. Sur les méthodes qu'il pouvait
employer pour faire la police, nul ne lui posait de
question indiscrète. Ses employeurs, qui se félici-
taient par ailleurs de son efficacité, confirmèrent
sa présence dans leur entreprise ; il semblait avoir
trouvé là un poste stable. La police belge avait
effectué des vérifications sur l'ex-mercenaire
qu'elle avait signalé. L'ancien sbire du chef du
Katanga avait été tué au cours d'une rixe dans un
bar au Guatemala trois mois plus tôt.

Lebel acheva la lecture du dernier rapport de
son dossier. Lorsqu'il releva la tête, quatorze
paires d'yeux le considéraient, certains sans indul-
gence, beaucoup avec froideur.

— Alors, rien ?

La question posée par le colonel Rolland était sur toutes les lèvres.

— Non, rien, je le crains, répondit Lebel ; jusqu'ici aucune piste intéressante n'a été relevée.

— Nous ne sommes donc pas plus avancés qu'au point de départ, murmura le ministre.

— Ma foi..., commença Lebel.

— Le commissaire Lebel ne dispose d'aucun indice, d'aucun élément valable pour effectuer son enquête, l'interrompit Bouvier, pour manifester sa solidarité.

— Nous ne l'ignorons pas, répliqua un peu sèchement le ministre, la question est de savoir si...

Des coups discrets frappés à la porte l'interrompirent. Il fronça les sourcils. La consigne était formelle. On ne devait les déranger sous aucun prétexte, exception faite des cas d'extrême urgence.

— Entrez.

L'un des secrétaires du ministre se tenait sur le seuil, l'air gêné.

— Mes excuses, monsieur le Ministre. On demande le commissaire Lebel au téléphone... De Londres.

Sentant l'hostilité des assistants, le secrétaire ajouta pour se couvrir : « Ils disent que c'est urgent. »

Lebel se leva.

— Puis-je vous prier de m'excuser, murmura-t-il.

Cinq minutes plus tard, il était de retour.

L'atmosphère ne s'était pas réchauffée dans la pièce. De toute évidence, on avait continué à

débattre de la marche à suivre en son absence. En
entrant, il surprit le colonel Saint-Clair lancé
dans une diatribe qui tourna court dès que Lebel
se fut rassis.

— Je crois, messieurs, que nous avons le nom
de l'homme que nous recherchons, annonça-t-il.

Une demi-heure plus tard, la réunion s'achevait
dans un climat singulièrement allégé. Il avait été
convenu à l'unanimité qu'en évitant toute publicité, on pouvait déclencher en France les recherches
sur une grande échelle pour capturer Charles Calthrop et, au besoin, le liquider.

Les détails concernant le personnage n'arriveraient que le lendemain matin, transmis de Londres par télex. Mais, entre-temps les Renseignements généraux pouvaient opérer toutes les vérifications nécessaires aux postes frontières et dans
les services préfectoraux. La D. S. T. fournirait
de même son signalement dans tous les ports, gares
ou aérodromes du pays, assorti d'un ordre d'arrestation immédiat.

Ce sinistre personnage, qu'ils appellent Calthrop,
nous le tenons pratiquement, confia Raoul Saint-
Clair de Villauban à sa maîtresse après l'avoir
retrouvée au lit un peu plus tard dans la nuit...
La journée du 14 août commençait lorsque Jacqueline se glissa sans bruit hors du lit pour aller téléphoner.

Le commissaire Thomas, après avoir obtenu la
communication avec Paris, avait convoqué les six

inspecteurs chargés de l'affaire dans son bureau.
Au-dehors, dans la nuit d'été, Big Ben égrenait les
douze coups de minuit. Une heure plus tard, le
conseil de guerre était terminé.

L'un des policiers avait été chargé d'explorer
le passé lointain de Calthrop, de retrouver éventuellement sa famille, les établissements scolaires
qu'il avait fréquentés.

Le second devait prendre la suite de la chrono-
logie : fin d'études, service militaire, succession
des emplois occupés jusqu'à son licenciement par
le marchand d'armes.

Au troisième et au quatrième incombait de rendre compte de ses activités depuis octobre 1961 : où
il s'était rendu, qui il avait fréquenté, ses sources
de revenus et leur montant.

Les deux derniers inspecteurs devaient s'effor-
cer de faire le point de la situation actuelle de
Calthrop. Passer l'appartement au peigne fin, y
relever toutes les empreintes, découvrir où il avait
acheté sa voiture, quand il avait obtenu son permis de conduire et où il en avait fait la demande.
Relever tous les détails concernant la voiture,
dénicher son garage local pour savoir s'il projetait
un long voyage, vérifier les passages sur ferry-
boats, faire la tournée complète de tous les aérodromes et éplucher les listes de réservation quelle
que fût la destination.

Comme ils quittaient le bureau et s'éloignaient
le long du couloir, les deux derniers policiers échangèrent un regard en coin.

— Nettoyage, stoppage, pressing, fit observer
l'un. Le grand jeu en somme.

— Ce qu'il y a de drôle, dit l'autre, c'est que

le vieux ne veut rien savoir pour nous dire de quoi
il retourne ou ce qu'il a en tête.

— En tout cas, il y a un fait certain. Pour
employer comme ça les grands moyens, il faut que
les ordres viennent du sommet. A croire que ce
mec-là a fait le pari de descendre le roi de Siam.

Il ne fallut qu'un court moment pour réveiller
un magistrat et lui faire signer un mandat de per-
quisition. Au petit jour, alors que Thomas épuisé
somnolait dans son fauteuil et que Claude Lebel,
encore plus défait, sirotait une tasse de café dans
son bureau, deux agents du Service spécial enta-
maient une fouille systématique de l'appartement
de Calthrop. Tous deux étaient des experts. Une
fois les tiroirs vidés et leur contenu minutieuse-
ment trié, ils sondèrent les montants du meuble, à
la recherche de quelque panneau secret. Après
toutes les parties en bois du mobilier, vinrent les
rembourrages et capitons. Quand ils en furent
venus à bout, l'appartement ressemblait à un éle-
vage de volailles la veille du jour de l'An.

Coussins, oreillers, vêtements, une fois inspectés,
ce fut le tour du plancher, des plafonds et des
murs. A six heures du matin l'appartement était
radicalement nettoyé.

Un bon nombre des voisins s'étaient rassemblés
sur le palier où ils chuchotaient avec animation.
Lorsque la porte de l'appartement s'ouvrit, livrant
passage aux deux policiers, un grand silence se fit.
L'un des deux, chargé d'une valise bourrée de
papiers et d'effets personnels de Calthrop, descendit rapidement l'escalier, sauta dans la voiture et

se fit conduire droit au bureau du commissaire Thomas. L'autre, chargé de recueillir sur place le maximum d'informations, commença à questionner les voisins qui, pour la plupart, allaient partir d'ici une heure ou deux pour leur travail. Ils s'occuperaient ensuite des commerçants et boutiquiers du quartier.

Thomas passa plusieurs minutes à farfouiller parmi les affaires étalées sur son bureau. Puis l'inspecteur sortit du lot un petit livret bleu, alla vers la fenêtre et se mit à feuilleter les pages à la lumière du soleil levant.

— Monsieur le Commissaire, regardez ça. (De l'index, il montrait une page du passeport qu'il tenait à la main.) Vous voyez : Republica de Dominica. Aeroporto Ciudad Trujillo, décembre 1960, Entrada... Il était bien là-bas. C'est notre homme, pas d'erreur.

Thomas prit le passeport et l'examina un instant.

— C'est notre homme, oui. Mais vous rendez-vous compte de ce que vous avez à la main ?

L'inspecteur lui lança un coup d'œil interrogateur puis, il étouffa un juron.

— Ah nom de...!

— Comme vous dites, enchaîna Thomas. S'il ne voyage pas avec ce passeport, comment se débrouille-t-il ? Demandez-moi Paris au téléphone.

A la même heure, le Chacal roulait depuis cinquante minutes et Milan était déjà loin derrière lui. Il avait rabattu la capote et les premiers rayons du soleil déjà chaud baignaient l'autostrade numéro 7 de Milan à Gênes. Sur le large ruban

d'asphalte rectiligne, le Chacal avait poussé son
roadster à plus de cent trente et les froides
rafales du vent fouettaient sa chevelure blond
pâle.

D'après la carte il y avait deux cent dix kilomètres jusqu'à la frontière française à Vintimille
et il était en avance de deux bonnes heures sur
son horaire. Les allées et venues des poids lourds
juste après sept heures au niveau de Gênes le
ralentirent un peu mais dix minutes après il fonçait à nouveau sur la A. 10 vers San Remo.

Lorsqu'il atteignit le poste frontière français
à huit heures moins cinq, au milieu d'une circulation déjà importante, la chaleur commençait à
monter sensiblement.

Après trente minutes d'immobilisation dans la
file d'attente, il fut invité à emprunter la rampe
de stationnement du contrôle douanier. Un policier lui prit son passeport, l'étudia avec soin,
marmonna « un moment, monsieur », et disparut
dans le bâtiment de la douane. Quelques instants
plus tard, il réapparaissait flanqué d'un employé
en civil qui tenait le passeport.

— Bonjour, monsieur.

— Bonjour.

— C'est votre passeport ?

— Oui.

A nouveau, le document subit un examen attentif.

— Quel est le but de votre voyage en France ?

— Le tourisme. Je ne connais pas la Côte d'Azur.

— Je vois. La voiture est à vous ?

— Non. Je l'ai louée. J'avais à faire en Italie
et je me suis trouvé avec huit jours libres devant

moi sur lesquels je ne comptais pas. Alors, j'en profite.

— Je vois. Vous avez les papiers de la voiture ?

Le Chacal tendit à l'employé son permis international, le contrat de location et les deux attestations d'assurance. L'homme en civil les inspecta avec soin.

— Vous avez des bagages, monsieur ?

— Oui, trois valises dans le coffre et un sac à main.

— Voulez-vous les apporter tous au service de contrôle.

Le policier en uniforme aida le Chacal à décharger ses valises puis à les transporter jusqu'au bâtiment de la douane.

Avant de quitter Milan, le Chacal avait roulé en boule la capote, le vieux pantalon et les souliers d'André Martin, ce Français fictif dont les papiers étaient cousus dans la doublure de la troisième valise, et les avait casés tout au fond du coffre ; quant aux décorations, elles étaient dans sa poche.

Tandis que les douaniers examinaient ses valises, le Chacal remplit le formulaire habituel des touristes étrangers pénétrant en France.

Rien ne semblait attirer l'attention des douaniers. Simplement, il eut un instant d'inquiétude lorsqu'un des douaniers ramassa les flacons contenant les teintures pour les cheveux. Le Chacal avait pris la précaution de les vider dans des bouteilles d'after-shave. A l'époque, ce genre de lotions si répandu en Amérique n'était encore guère connu en France. Les deux douaniers échangèrent des regards chargés de sous-entendus mais replacèrent les flacons dans le sac.

Du coin de l'œil, le Chacal surveillait un autre agent qui, après avoir soulevé le capot de l'Alfa Romeo, en inspectait le coffre. Il déroula la capote et le pantalon sale, les considéra avec dégoût, supposant probablement que la capote était destinée à couvrir le moteur par les nuits d'hiver et les hardes à se protéger pour réparer en cas de panne en pleine nature. Il remit les vêtements en place et referma le coffre. A aucun moment, il ne fit mine de regarder sous la voiture.

Le Chacal acheva de remplir son imprimé en même temps que les douaniers refermaient les valises. Le policier en civil prit le formulaire des mains du Chacal, l'examina, le compara avec le passeport et rendit celui-ci à son propriétaire.

— Merci, monsieur, bon voyage, dit-il.

Dix minutes plus tard, le cabriolet prenait de la vitesse en sortant des faubourgs de Menton. Après un solide breakfast dans un café qui dominait le vieux port et le bassin des yachts, le Chacal se remit au volant et reprit la route de la Corniche vers Monaco, Nice et Cannes.

Dans son bureau de Londres, le commissaire Thomas tourna son sucre dans sa tasse de café noir et se passa la main sur son menton hérissé d'une barbe de deux jours.

Deux de ses inspecteurs attendaient avec lui l'arrivée de six policiers de renfort tous gradés du service spécial, et que l'on avait provisoirement relevés de leurs tâches courantes à la suite de la série de coups de téléphone donnés par Thomas durant l'heure précédente.

L'un après l'autre, les hommes se présentèrent ; vers neuf heures et demie l'équipe était au complet.

— Alors voilà, commença Thomas. Nous sommes à la recherche d'un homme. Peu importe pour quelle raison. L'important c'est de le cueillir dans les plus brefs délais. Nous avons des raisons de croire qu'il est à l'étranger pour l'instant, où il voyage avec un faux passeport. Tenez... — il fit circuler une série de photos contretypées d'après celle de la demande de passeport de Calthrop — voilà à quoi il ressemble. Bien entendu, il est sans doute plus ou moins déguisé, il ne faut donc pas trop se fier à cet aspect-là. Je veux donc que vous alliez au bureau des passeports et que vous releviez la liste complète des demandes faites récemment. Remontez à trois mois pour commencer.

Il poursuivit en exposant les façons les plus courantes de se procurer un faux passeport et conclut :

— Ne vous contentez surtout pas des certificats de naissance. Vérifiez ceux de décès. Donc, une fois l'opération terminée au bureau des passeports, allez Somerset House, répartissez-vous la tâche également et travaillez sur les certificats de décès. Si vous trouvez une demande de passeport déposée par un individu décédé, l'imposteur sera probablement notre homme. Allez, exécution.

Les huit hommes quittèrent le bureau tandis que Thomas décrochait le téléphone pour demander le bureau des passeports, puis le service des naissances, mariages et décès de Somerset House

afin de s'assurer que son équipe obtiendrait toutes
les facilités nécessaires.

Deux heures plus tard, alors qu'il était en train
de se raser avec un rasoir électrique d'emprunt,
l'inspecteur responsable de l'équipe l'appelait.
Huit cent quarante et une demandes de passeport
avaient été enregistrées au cours des trois derniers mois. C'était l'été, et, en période de vacances, elles étaient toujours beaucoup plus nombreuses.

Bryn Thomas raccrocha et renifla dans son mouchoir.

— Foutu été, dit-il.

Le même matin, à onze heures, le Chacal débouchait au volant dans le centre de Cannes. Selon
son habitude, il se mit à la recherche d'un des
meilleurs hôtels et quelques instants plus tard se
garait dans la cour d'entrée du Majestic. A cette
heure de la matinée, le grand hall du palace était
presque désert. L'élégance de son complet et l'ai-
sance de son attitude lui conféraient l'allure d'un
parfait gentleman anglais et nul ne leva les yeux
lorsqu'il demanda à un chasseur où se trouvaient
les cabines téléphoniques.

La préposée au vestiaire se redressa en le voyant
approcher.

— Pouvez-vous me demander Molitor 59.01
à Paris, dit-il.

Quelques instants plus tard, il refermait soigneusement sur lui la porte insonorisée d'une cabine.

— Allô, ici Chacal.

— Allô oui. Ici Valmy. Une vraie chance que

vous appeliez. On cherche à vous joindre depuis deux jours.

Il aurait suffi de jeter un coup d'œil à travers le panneau vitré de la cabine pour voir l'Anglais se raidir brusquement en fronçant les sourcils. Pendant les dix minutes que dura la conversation, il se contenta presque uniquement d'écouter son interlocuteur, ne sortant de son silence que pour poser deux ou trois questions précises, avec le minimum de mots. Mais la dame du vestiaire était plongée dans la lecture d'un roman et n'eut pas un regard pour lui. Et lorsqu'elle releva la tête, il se tenait devant sa table, la dominant de toute sa taille, ses lunettes noires cachant ses yeux. Elle consulta le compteur sur le standard, annonça le tarif et sans un mot le Chacal régla la communication.

A la terrasse donnant sur la Croisette et la mer scintillante, le Chacal, contrairement à ses habitudes, commanda un martini-gin. Plongé dans ses pensées, il alluma une cigarette, ramassant distraitement des olives dans la soucoupe. Ce qu'il venait d'apprendre sur Kowalski lui semblait clair. Ce qu'il ne comprenait pas, c'était que le garde du corps derrière la porte eût pu connaître son nom de code. Peut-être la police française avait-elle réussi à l'obtenir? Peut-être Kowalski avait-il flairé qui il était ; lui aussi après tout, si lourdaud fût-il, avait été un tueur. Par ailleurs, Valmy lui demandait de laisser tomber et de rentrer chez lui, tout en admettant qu'il n'avait pas reçu d'instructions de Chazanet pour annuler l'opération. Ce qui s'était passé confirmait les soupçons du Chacal sur les lacunes du système de sécurité

de l'O. A. S. En tout cas, il savait quelque chose
que les autres ignoraient ; quelque chose que la
police française ne pouvait pas savoir : qu'il
circulait sous un faux nom avec un passeport
en règle et trois assortiments de faux papiers
comprenant deux passeports étrangers et de quoi
se transformer à volonté.

De quel atout disposait ce type, ce Lebel dont
avait parlé Valmy, pour retrouver sa trace ? D'un
vague signalement : un grand blond, étranger. Il
y en avait des milliers en France au mois d'août
qui correspondaient à cette description : on ne
pouvait pas les arrêter tous. En outre, ils recherchaient Charles Calthrop et lui pouvait prouver
qu'il était Alexander Duggan.

A partir de là, Kowalski mort, personne, pas
même Chazanet et ses hommes, ne savait qui
et où il était. Il ne dépendait strictement que de
lui-même et rien ne correspondait mieux à ses vœux.

Néanmoins, le danger s'était sensiblement accru ;
le projet d'attentat une fois découvert, son exécution équivaudrait à l'attaque d'une véritable
forteresse. Le problème était donc de savoir
s'il pourrait déjouer la surveillance formidable
dont sa cible serait l'objet.

D'autre part, fallait-il poursuivre ou renoncer ?
Renoncer entraînerait un sérieux accrochage avec
Chazanet et ses tueurs à propos de ses droits
de propriétaire sur les 250 000 dollars déposés
pour le moment à son compte de Zurich. S'il
refusait de restituer le fric, ils n'hésiteraient pas
à le traquer partout et à lui faire signer sous la
torture les papiers permettant de récupérer
l'argent, pour ensuite le liquider.

Poursuivre, c'était prendre toute une série de risques supplémentaires jusqu'à l'exécution de son contrat.

On lui apporta son addition. Il y jeta un coup d'œil et fit la grimace. Bon Dieu, c'était fou les tarifs que pratiquaient ces hôtels de luxe. Un simple cocktail avec des amuse-gueules! Décidément, pour vivre ce genre de vie, il fallait être riche, très riche ; il fallait récolter des dollars, faire de vraies moissons de dollars. Il regarda au loin la mer qui chatoyait sous le soleil, les longues filles minces et dorées en bordure de la plage, les Cadillac, les Jaguar et les Mercedes qui défilaient lentement sur la Croisette et dont les conducteurs bronzés gardaient un œil vers le trottoir dans l'espoir de soulever une fille.

Telle était la vie à laquelle il avait aspiré depuis si longtemps, depuis l'époque où il s'écrasait le nez à la devanture des agences de voyage et rêvait devant ces alléchantes affiches qui lui vantaient les charmes d'un monde pour lui inaccessible. Au cours des trois dernières années, il avait presque atteint son but. De loin en loin, il avait pu goûter du bout des lèvres à ces plaisirs hors de portée des pauvres. Il s'était habitué aux vêtements bien coupés, aux restaurants coûteux, aux appartements chics, aux femmes élégantes, aux belles voitures. Renoncer, ce serait perdre peut-être pour longtemps tout le terrain conquis.

Le Chacal serra les lèvres, paya son addition en laissant un généreux pourboire, remonta dans son Alfa et laissant le Majestic derrière lui, mit résolument le cap vers l'intérieur de la France.

Assis à son bureau, le commissaire Lebel éprouvait un peu l'impression qu'il n'avait jamais dormi et qu'il ne redormirait jamais. Dans un coin de la pièce, Lucien Caron ronflotait sur le lit de camp après avoir passé la nuit à faire le dépouillement des informations reçues des quatre coins de la France. Lebel avait pris la relève.

Devant lui s'amoncelait une pile de rapports émanant de tous les services chargés à divers titres du contrôle des ressortissants étrangers en France. De chacun se dégageait la même conclusion : nul individu du nom de Calthrop n'avait, légalement, franchi la frontière depuis le début de l'année. Dans aucun hôtel n'avait été remplie une fiche à ce nom. Il ne figurait sur aucune liste d'indésirables et ne s'était jamais signalé à l'attention des autorités françaises.

L'appel matinal du commissaire Thomas était encore venu saper le maigre espoir de capture de ce tueur insaisissable. Une fois de plus la formule « on se retrouve au point de départ » avait été prononcée, mais heureusement Lebel et Caron n'avaient pas eu de témoin.

Les membres de la commission d'enquête n'avaient pas encore été informés que la piste Calthrop débouchait probablement dans le vide. La perspective d'aborder ce sujet brûlant durant la réunion du soir n'était déjà pas réjouissante. Deux faits cependant soutenaient encore le moral de Lebel. Tout d'abord, ils possédaient des photos de Calthrop assez nettes vu de face et un signalement détaillé. Même si le personnage avait tout fait pour changer son apparence, c'était mieux que rien.

En outre, aucun membre de la commission n'aurait à suggérer d'initiatives autres que celle qu'il avait déjà prise : intensifier au maximum les vérifications.

Caron avait émis l'idée que peut-être la police britannique avait pris Calthrop par surprise, alors qu'il s'était absenté pour une simple course et donc que, privé de passeport, il en était réduit à se terrer dans un coin quelconque.

— N'y comptez pas trop, avait répondu Lebel avec un soupir. D'après les résultats de l'enquête, toutes ses affaires de toilette avaient disparu. Non, si Calthrop a laissé son passeport derrière lui, c'est qu'il n'en avait plus besoin. N'espérez pas qu'il commette beaucoup d'erreurs. Il commence à m'impressionner, ce Chacal.

L'homme que recherchaient les polices de deux pays avait décidé d'éviter les insupportables encombrements de la Grande Corniche entre Cannes et Marseille et de remonter vers le nord par les Alpes-Maritimes. Il possédait des papiers en règle, pouvait s'accorder de larges délais de route et satisfaire son envie de jouer quelques jours au touriste amateur de paysages et de vastes horizons.

Par la R. N. 85, il gagna Grasse, Castellane et Digne. La chaleur ardente de la plaine provençale avait fait place au milieu des collines à un air doux et frais chargé de la senteur des pins.

Après un déjeuner dans une auberge dominant la Durance, il continua jusqu'à Sisteron et fit

son entrée dans Gap à la tombée de la nuit. Sur
la route de Grenoble, juste en dehors de la ville,
il s'arrêta à l'hôtel du Cerf, un ancien rendez-vous
de chasse des ducs de Savoie à la façade ornée
d'orgueilleux pignons.

Il restait plusieurs chambres libres. Contrairement à son habitude, il prit un bain prolongé
et passa son complet gris pâle sur une chemise
de soie et une cravate tricotée.

La salle à manger aux murs tapissés de boiseries
donnait sur une pinède d'où s'élevait le chant
obsédant des cigales. L'air était encore tiède et
ce ne fut qu'à la moitié du repas qu'une cliente
fit venir le maître d'hôtel pour lui dire que le
courant d'air la gênait.

Comme on demandait au Chacal s'il ne voyait pas
d'objection à ce qu'on fermât la fenêtre près de lui,
il se détourna pour voir la personne qui se plaignait
de la fraîcheur de l'air. Elle était seule à sa table,
belle, proche de la quarantaine, avec des épaules
rondes et satinées et une poitrine opulente. Le
Chacal fit signe au maître d'hôtel et s'inclina
légèrement vers la femme installée derrière lui.
Elle le remercia d'un mince sourire.

Parmi tous les plats alléchants de la carte, le
Chacal choisit une truite saumonée au feu de bois,
et un tournedos grillé aux aromates. Dans une
bouteille sans étiquette, on lui servit le vin de la
maison, un côtes-du-rhône local, riche et velouté,
qui venait à coup sûr de la réserve personnelle
de la maison.

Comme il terminait son sorbet, il entendit la
voix basse et autoritaire de la femme derrière
lui annonçant au maître d'hôtel qu'elle prendrait

le café au petit salon et le maître d'hôtel lui répondit en l'appelant « Madame la baronne ». Quelques instants plus tard, le Chacal demandait également qu'on lui servît le café au petit salon.

Ce fut à dix heures et quart que le commissaire Thomas reçut l'appel de Somerset House.

Installé près de la fenêtre ouverte, il considérait au-dessous de lui la rue silencieuse où tous les bureaux désertés de Millbank à Smith Square étaient maintenant plongés dans l'obscurité. A deux kilomètres de là, environ, sur le Strand toujours bruyant, la lumière brûlait encore dans la section de Somerset House où étaient classés par millions les certificats de décès des sujets britanniques.

Penchés sur d'énormes liasses de papiers, les six hommes de Thomas collationnaient inlassablement liste de noms sur liste de noms, dossier sur dossier.

C'était l'inspecteur-chef qui avait demandé le commissaire par téléphone. Dans sa voix perçait à la fois la lassitude corrigée par un soupçon d'optimisme.

— Alexander James Quentin Duggan, annonça-t-il brièvement lorsque Thomas eut répondu.

— Oui, j'écoute, dit Thomas.

— Né le 3 avril 1929 à Sambourne Fishley. Il a demandé un passeport par les voies normales le 14 juillet de cette année. Ce passeport lui a été adressé le 17 juillet à l'adresse indiquée sur le formulaire. Sans doute s'agit-il d'une adresse de pure circonstance.

— Et pourquoi? demanda Thomas qui détestait qu'on le fît attendre.

— Parce qu'Alexander James Quentin Duggan
a été tué dans un accident de la route à l'âge de
deux ans et demi le 8 novembre 1931 dans son
village natal.

Thomas réfléchit un instant.

— Combien vous reste-t-il à examiner de passeports établis au cours des trois derniers mois?

— Environ trois cents, répondit la voix au
téléphone.

— Que les autres continuent les vérifications
au cas où il y aurait un autre imposteur dans le
tas. Quant à vous, rendez-vous à l'adresse indiquée. Appelez-moi dès que vous êtes sur place.
Si l'endroit est habité, questionnez l'occupant.
Ramenez-moi tous les détails sur le faux Duggan
et la photo jointe à la demande. Je veux voir
la tête de ce Calthrop dans son nouveau personnage.

Ce fut vers onze heures que l'inspecteur rappela
Thomas. L'adresse en question était celle d'un
buraliste marchand de journaux de Paddington,
une boutique dont la vitrine s'ornait de cartes
de prostituées avec toutes les coordonnées nécessaires. Le propriétaire, qui dormait dans son
logement au-dessus du magasin, reconnut qu'il
servait souvent de boîte aux lettres pour ses clients
moyennant finances. Il ne se rappelait pas le
nommé Duggan mais celui-ci n'était peut-être
venu que deux fois. La première pour régler les
arrangements nécessaires à la réception de son
courrier, la seconde pour venir chercher l'enveloppe qui l'attendait. L'inspecteur avait montré

au buraliste une photo de Calthrop mais sans
résultat positif. Il lui avait également soumis
la photo de Duggan figurant sur la demande de
passeport et l'homme avait répondu que celui-là
lui disait vaguement quelque chose, sans plus
de précisions.

— Embarquez-le, dit Thomas et amenez-le-moi.

L'instant d'après, il reprenait le téléphone
pour demander Paris.

Une seconde fois, ce fut au milieu de la réunion
du soir que parvint l'appel téléphonique. Le commissaire Lebel avait expliqué qu'on n'avait
relevé jusque-là aucune trace de Calthrop sur le
territoire français et que, de l'avis presque una-
nime de ses collègues anglais, il opérait ses déplacements muni d'un faux passeport. Était-il
encore à l'étranger ou bien avait-il franchi les
frontières, c'est ce qu'il n'avait pas encore été
possible de vérifier.

Ce fut à ce point de son exposé que plusieurs
membres de la commission se récrièrent.

— Vous voulez dire qu'il serait déjà en France,
à Paris peut-être ? s'exclama Sanguinetti.

— Le problème, répondit Lebel, c'est qu'il
est le seul à connaître son emploi du temps.
Notre seule certitude, à part celle qu'il existe
un complot contre le Président, c'est que notre
homme ne sait pas où nous en sommes de notre
enquête. Ce qui nous laisse une chance de mettre
la main dessus dès qu'on aura pu l'identifier
sous son nouveau nom d'emprunt.

Cet argument ne parut pas suffire à rassurer
l'assemblée.

— Bien entendu, intervint le colonel Rolland,

il se pourrait que, prévenu par cet agent inconnu Valmy que le plan est découvert, ce Calthrop se soit débrouillé pour faire disparaître les traces de ses préparatifs. Par exemple, il a pu aller jeter dans un lac d'Écosse ses armes et ses munitions. Auquel cas, il deviendrait très difficile de l'inculper sans preuves formelles.

Autour de la table il y eut divers signes d'assentiment.

— Voyons, colonel, dit le ministre, en admettant que vous soyez dans le cas de ce tueur à gages, avec le même objectif et dans la même situation, est-ce la solution à laquelle vous vous arrêteriez ?

— Certainement, monsieur le Ministre, répondit Rolland. Je serais trop sûr d'être retrouvé, tôt ou tard, et je me débarrasserais de toute pièce compromettante. Dans le cas d'une arme, quoi de mieux qu'un lac d'Écosse ?

Quelques sourires approbateurs accueillirent cette déclaration.

— Néanmoins, reprit Rolland, je n'abandonnerais pas pour autant les recherches. Ce M. Calthrop, il faut à mon avis continuer à s'en occuper.

Les sourires s'effacèrent, il y eut un silence.

— Je ne vous suis pas, colonel, dit le général Guilbaud.

— Je veux simplement dire, reprit Rolland, que nous avons reçu l'ordre de retrouver et mettre hors d'état de nuire cet individu. Or, il se peut qu'il ait caché son matériel et se prépare à reprendre plus tard l'opération sur de nouvelles bases.

— Mais enfin, si la police britannique le retrouve, elle l'arrêtera, dit quelqu'un.

— Pas nécessairement. Ils n'auront sans doute que des soupçons. Et nos amis anglais sont très chatouilleux sur la question des libertés civiques. Il se peut très bien qu'on le retrouve, qu'on le questionne et qu'on le laisse aller, faute de preuves.

— Eh bien, commissaire, dit le ministre en se tournant vers Lebel, croyez-vous que ce Calthrop ait renoncé à son projet ?

— J'espère, répondit calmement Lebel, que le colonel a raison, mais je n'en suis pas trop sûr.

— Pourquoi ?

— Parce que cette théorie se fonde sur l'idée que Calthrop a été alerté par Chazanet et qu'il en a tenu compte. Supposons que ce soit précisément l'inverse.

Des murmures de protestations s'élevèrent. Rolland silencieux considérait le commissaire d'un œil songeur. Les autres, semblait-il, ne faisaient pas assez confiance à Lebel et à sa logique sans défaut. Peut-être ses idées étaient-elles tout aussi réalistes que les siennes.

Ce fut alors qu'on vint prévenir Lebel qu'on l'appelait au téléphone.

Cette fois il ne reparut qu'au bout de plus d'un quart d'heure ; après quoi, dans une salle où régnait un profond silence, il reprit la parole pendant dix bonnes minutes.

— Alors que faisons-nous maintenant ? s'enquit le ministre lorsqu'il eut fini.

Toujours aussi placide et sans hâte apparente, Lebel énonça ses directives comme un général déployant ses troupes et nul autour de la table ne songea à contester le bien-fondé de ses initiatives.

— Nous allons donc rechercher ce Duggan

sous son nouvel aspect, conclut-il, parallèlement à l'enquête poursuivie par les Anglais. Si par hasard on le retrouve ailleurs qu'en Grande-Bretagne ou en France, on pourra soit attendre qu'il cherche à passer la frontière, soit... envisager d'autres mesures. Donc, jusqu'à ce que nous mettions la main dessus, puis-je espérer, messieurs, votre approbation vis-à-vis de l'ensemble de mon projet ?

Lebel faisait preuve d'une telle assurance, d'une assurance confinant presque à l'arrogance, que les assistants se contentèrent d'acquiescer de la tête. Saint-Clair de Villauban lui-même ne souffla mot.

Ce ne fut que rentré chez lui après minuit qu'il trouva enfin un public devant lequel il pouvait librement déverser son trop plein de bile et stigmatiser la prétention grotesque de ce petit policier qui prétendait imposer sa conception des choses au mépris de toute hiérarchie et de toute compétence.

Jacqueline l'écouta avec sympathie, avec sollicitude tout en lui massant la nuque tandis qu'il était allongé à plat ventre sur le lit. Elle dut attendre jusqu'à l'aube qu'il fût profondément endormi avant de pouvoir aller donner un bref coup de téléphone à son habituel correspondant.

Le commissaire Thomas considéra les deux demandes de passeport placées côte à côte et les deux photos vivement éclairées par le réflecteur de sa lampe de bureau.

— Voyons, reprenons ça, dit-il à l'inspecteur assis près de lui. Paré ?

24

— Paré.

— Calthrop, 1 m 77. D'accord ?

— D'accord.

— Duggan, 1 m 80.

— Talons compensés, commissaire ; on peut gagner jusqu'à cinq centimètres avec des souliers spéciaux. Beaucoup de gens qui se trouvent trop petits utilisent le procédé dans le monde du spectacle. D'ailleurs, qui vous regarde les pieds pendant l'examen d'un passeport ?

— D'accord, admit Thomas. Chaussures spéciales. Calthrop : cheveux châtains ; de clair à foncé il y a toute une gamme, ça ne signifie pas grand-chose. Pour Duggan aussi c'est châtain quoiqu'il ait plutôt l'air blond filasse.

— C'est vrai, commissaire, mais sur les photos c'est difficile de juger de la teinte des cheveux. De toute façon, il a pu se décolorer pour devenir Duggan.

— Admettons. Calthrop, yeux marron. Duggan, yeux gris.

— Des verres de contact, commissaire, rien de plus simple.

— D'accord. Calthrop : trente-sept ans. Duggan : trente-quatre ans en avril dernier.

— Il fallait qu'il se donne trente-quatre ans, expliqua l'inspecteur, puisque le vrai Duggan, le bébé mort à deux ans et demi, était né en avril 1929. Et d'ailleurs entre trente-quatre et trente-sept, qui pourrait voir la différence ?

Thomas examinait les photos.

Calthrop semblait plus massif, avec un visage plus plein, des traits plus forts ; mais pour devenir Duggan, il avait pu s'arranger pour changer

d'apparence. Pour échapper à toutes les polices
du monde, il avait dû acquérir en ce domaine
une technique particulière.

En tout cas, il était maintenant devenu Duggan,
avec des cheveux teints, des verres de contact
colorés, des traits affinés, des talons surélevés.
Tel était le signalement de Duggan qui, accompagné du numéro du passeport et d'une photo,
avait été transmis par télex à Paris. Lebel, es-
tima-t-il, en consultant sa montre, devrait les
recevoir vers deux heures du matin.

— Après ça, fit observer l'inspecteur, à eux de
jouer.

— Oh non, après ça il y a encore beaucoup à
faire, corrigea Thomas. Demain matin à la première heure, il faut vérifier toutes les agences
aériennes, les services de ferry, les gares... le grand
jeu... Il ne suffit pas de savoir qui il est maintenant,
mais où il est...

La sonnerie du téléphone l'interrompit. L'appel
venait de Somerset House où les dernières demandes de passeport avaient été vérifiées ; toutes
étaient en ordre.

— Parfait, dit Thomas. Remerciez les employés
du service et trouvez-vous dans mon bureau
à huit heures et demie précises. L'équipe au
complet.

Un sergent de police entra avec une copie de
la déclaration du buraliste qui avait été interrogé
à son commissariat de quartier. Thomas y jeta
un bref coup d'œil. La déposition n'en disait
guère plus que ce qu'il avait expliqué à l'inspecteur
du Service spécial sur le seuil de sa porte.

— Il n'y a aucun élément qui permette de le

coffrer, constata Thomas. Dites-leur au quart
de Paddington qu'ils peuvent le renvoyer à son
plumard et à ses photos cochonnes.

— Bien, commissaire, dit le sergent ; et il
sortit.

Thomas se renfonça au creux de son fauteuil
pour essayer de faire un petit somme. On était
maintenant le 15 août.

18

Mme de La Chalonnière s'arrêta devant la porte de sa chambre et se tourna vers le jeune Anglais qui l'avait escortée jusque chez elle.

Au fond du couloir mal éclairé, elle distinguait mal ses traits aux contours imprécis dans la demi-obscurité.

Elle avait passé une soirée agréable et n'avait pas encore décidé s'il fallait y mettre un terme ou non au seuil de sa chambre. Bien qu'elle n'en fût pas à sa première aventure, elle n'avait pas pour habitude de se laisser séduire par des hommes qui lui étaient totalement inconnus ; mais elle était aussi assez sincère avec elle-même pour prendre clairement conscience de sa vulnérabilité.

Elle avait passé l'après-midi à l'école militaire de Barcelonnette où elle avait regardé défiler son fils qui venait de recevoir son galon de sous-lieutenant de chasseurs alpins dans les rangs du vieux régiment de son père.

Bien qu'elle fût sans aucun doute la mère de famille la plus séduisante assistant à cette prise d'armes, elle s'était brusquement rendu compte

qu'au seuil de la quarantaine, elle était la mère
d'un homme fait, d'un homme qui menait de son
côté sa vie d'aventures, et ne revenait plus au
moment des vacances pour chasser sur les terres
environnant le château familial.

Elle avait accepté les pesants et peu subtils
hommages du vieux colonel commandant l'unité
aussi bien que les regards admiratifs des camarades
de promotion de son fils et elle s'était soudain
sentie très solitaire.

De son mariage, elle le savait depuis des années,
il ne restait que la façade ; le baron était beaucoup
trop occupé à chasser les nymphettes entre Castel
et le Bilboquet pour apparaître au château ou
même assister à la promotion de son rejeton.

Elle ne se sentait prête à se résigner ni à d'ab-
surdes flirts sans lendemain avec de jeunes gode-
lureaux ni à une existence de dame patronnesse
accaparée par ses bonnes œuvres.

Elle se savait encore belle, encore attirante et
commençait à ressentir un besoin lancinant de se
l'entendre dire. Et lorsque cet Anglais s'était
approché d'elle, dans le petit salon, et lui avait
demandé l'autorisation de prendre son café en sa
compagnie, elle était précisément en train de songer à cet avenir incertain qui l'attendait, à ces
quelques années pendant lesquelles elle pourrait
encore vivre pleinement avant d'en être réduite
à survivre simplement.

Et après quelques instants d'hésitation, elle avait
accepté. Il ne manquait pas de charme, parlait
le français couramment, avait su lui faire les
compliments qu'elle attendait de lui. Et maintenant ils étaient là, debout près de la fenêtre du

couloir donnant sur les pinèdes baignées de clair
de lune.

Ils avaient un instant contemplé le paysage
nocturne et puis elle avait surpris son regard qui
s'était détourné de la vitre et qui ne se détachait
pas de son décolleté généreux dont le clair de lune
accentuait la pâleur laiteuse.

Il avait alors souri et murmuré en se penchant
à son oreille :

— Des nuits comme celle-là peuvent transformer les hommes les plus civilisés en primitifs.

Elle s'était écartée d'un pas, avait tendu la
main vers la poignée de sa porte en disant d'un
ton un peu froid.

— J'ai passé une agréable soirée, monsieur.

Vaguement, elle se demandait s'il allait essayer
de l'embrasser. Elle l'espérait même sans trop oser
se l'avouer. Était-ce simplement le vin, ou le cognac
qu'il avait commandé après le café, ou l'ambiance
créée par la claire nuit d'été, elle ne souhaitait
pas que la soirée se terminât si tôt, si vite.

Elle sentit alors cet inconnu qui l'enlaçait d'un
geste enveloppant, mesuré, sans un mot. Puis
leurs bouches se rencontrèrent. Sa tête tournait
un peu. Leurs langues se mêlèrent. Il resserra son
étreinte. De tout son corps elle se pressa contre
lui, submergée par le désir.

A tâtons, derrière elle, elle ouvrit la porte de sa
chambre, recula d'un pas sans qu'il relâchât son
étreinte.

— Venez, dit-elle.

Il franchit le seuil de la pièce et referma la porte.

Tout au long de la nuit, les recherches s'étaient poursuivies aux archives du Panthéon pour retrouver un nommé Duggan, et cette fois avec plus de succès. Une carte révéla en effet qu'Alexander James Quentin Duggan était entré en France venant de Bruxelles par le Brabant Express, le 22 juillet.

Une heure plus tard, un autre rapport du même poste frontière signala que le nom de Duggan figurait également parmi les passagers de l'Étoile du Nord, de Paris à Bruxelles, le 31 juillet.

De la préfecture de police parvint une fiche d'hôtel remplie au nom de Duggan avec le numéro du passeport correspondant, attestant que Duggan avait séjourné dans un petit hôtel près de la place de la Madeleine du 22 au 30 juillet.

L'inspecteur Caron était partisan d'une descente éclair mais Lebel préféra faire une visite discrète à l'établissement tôt le matin et bavarder avec le propriétaire. Il put s'assurer que l'homme recherché n'était pas à l'hôtel le 15 août et le patron lui fut reconnaissant de n'avoir pas réveillé tous ses pensionnaires. Lebel installa un policier en civil à titre de client dans l'hôtel avec mission de ne pas en bouger au cas où Duggan réapparaîtrait. Le propriétaire n'opposa aucune objection à cet arrangement.

— Cette visite en juillet, dit Lebel à Caron lorsqu'il eut regagné son bureau à quatre heures trente, était une expédition de reconnaissance. Quel que soit son plan, tout doit être décidé maintenant.

Là-dessus, il se renversa dans son fauteuil, considéra le plafond et réfléchit.

Pourquoi choisir un hôtel ? Pourquoi ne pas s'installer plutôt chez un sympathisant de l'O. A. S. comme la plupart des agents de l'organisation en fuite? Parce qu'il craint les bavards. Et il a parfaitement raison. Il opère donc seul, ne faisant confiance à personne, passant vraisemblablement inaperçu partout. Le propriétaire de l'hôtel venait juste de confirmer ce détail. « Un monsieur très bien », avait-il déclaré. Un monsieur très bien, songeait Lebel, et plus dangereux qu'un crotale. Pour les policiers, rien de pire que les messieurs très bien. Jamais ils n'éveillent les soupçons.

Il examina les deux photos de Calthrop et Duggan qu'il avait reçues de Londres et il s'efforça d'élaborer mentalement un portrait du personnage. Sûr de lui? Certain de son immunité? Méticuleux, ne laissant rien au hasard? Armé, bien sûr, mais avec quelles armes? Un automatique sous l'aisselle? Un couteau de lancer plaqué contre les côtes? Un fusil? Mais où irait-il cacher un fusil? Comment le transporterait-il, le passerait-il à la douane?

Tout bien pesé, le seul avantage qu'il possédait, lui le policier, le chasseur, c'était qu'une fois encore, à l'insu du gibier, il en connaissait le nouveau nom d'emprunt; mais si jamais il en était informé et changeait encore d'identité, alors, là, mon petit père, songea-t-il, tu vas encore te casser le nez.

A haute voix, il déclara : « Te casser le nez, et comment. »

Caron leva les yeux.

— Vous avez raison, patron. Il n'a pas une chance.

Contrairement à son habitude, Lebel réagit sans aménité. Le manque de sommeil commençait à se faire sentir.

Le pinceau lumineux que promenait le clair de lune pâlissant dans le ciel de l'aube par la fente entre les rideaux coula lentement sur le bord du couvre-pied en bataille et accrocha un reflet sur le satin froissé de la robe qui gisait sur le sol entre le pied du lit et la porte.

Sur le lit, les deux silhouettes nues étaient noyées dans l'ombre.

Colette, étendue sur le dos, les yeux fixés dans le vague au-dessus d'elle, laissait paresseusement errer ses doigts dans la tête blonde qui reposait au creux de son ventre. Un demi-sourire se forma sur ses lèvres à l'idée des heures qui venaient de s'écouler. Elle devait se rendre à l'évidence. Depuis longtemps couvait en elle le besoin d'une nuit comme celle-là. Il y avait bien des années qu'elle n'avait pas éprouvé une telle sensation d'abandon et de plénitude.

Elle alluma la lampe de chevet et jeta un coup d'œil à la pendulette de voyage sur la table de nuit. Il était près de cinq heures. Ses doigts se resserrèrent sur les cheveux blonds qu'elle tira légèrement en arrière.

— Hé, fit-elle.

L'Anglais, encore endormi, émit des grognements indistincts. Colette tirailla encore deux ou trois fois la chevelure blonde.

— Allons. Réveille-toi.

Il se laissa rouler mollement de côté et lui passa un bras autour de la taille.

— Allez, mon chou. Je dois me lever dans deux heures. Il faut que tu retournes dans ta chambre.

Calthrop entrouvrit les yeux. Colette le regar-

dait en souriant mais avec un sourire qui cachait
mal un début d'impatience.

Sans hâte, il se redressa sur un coude, puis
s'assit sur le bord du lit.

— Je suis désolée, dit-elle, mais il est temps que
tu sortes d'ici.

Pleinement réveillé cette fois, il acquiesça, se
leva et chercha des yeux ses affaires éparpillées
sur le sol.

Lorsqu'il fut rhabillé, avec son veston et sa cravate sur un bras, il revint vers le lit, s'assit au bord
et se pencha en souriant sur Colette qui avait
remonté les couvertures sous son menton. Puis,
inclinant son visage sur le sien, il murmura :

— Ça t'a plu ?

— Mmmm. Ça m'a plu. Et toi ?

Il sourit à nouveau.

— Qu'est-ce que tu crois ?

Elle éclata de rire.

— Comment t'appelles-tu ?

— Alex, dit-il après un instant d'hésitation.

— Eh bien, Alex, ça m'a beaucoup plu, mais
maintenant il faut que tu files.

Il se pencha et l'embrassa légèrement sur la
bouche.

— Bon, alors, bonne nuit, Colette.

L'instant d'après, il quittait la chambre et fermait la porte sans bruit.

A sept heures du matin, alors que le soleil commençait à monter dans le ciel, un gendarme local
arriva à bicyclette à l'hôtel du Cerf et entra dans
le hall de réception. Le propriétaire, déjà à son

bureau pour vérifier la liste des réveils demandés
et les heures des petits déjeuners, l'accueillit aima-
blement.

— Alors, en pleine forme ?

— Comme toujours, rétorqua le gendarme. Ça
fait un sacré bout de chemin jusqu'ici en vélo
mais je sens une odeur qui me ravigote.

— Ah! ça, dit le propriétaire, nous faisons sûrement le meilleur café dans le pays. Marie-Louise,
apportez son jus à M. Grall et n'oubliez pas d'y
rajouter une petite goutte.

Le gendarme eut un large sourire.

— Voilà les fiches, dit le propriétaire en tendant au représentant de l'ordre les petits car-
tons blancs remplis la veille par les nouveaux
clients.

— Il n'en est arrivé que trois hier soir.

Le gendarme prit les fiches et les glissa dans sa
sacoche de cuir.

— Ça ne valait guère la peine de se déranger,
fit-il, puis il s'assit sur une banquette dans le hall
en attendant son café-calva. Marie-Louise lui
apporta sur un petit plateau la tasse et le petit
verre en échange desquels il lui décocha quelques
gaudrioles appuyées.

Ce ne fut que vers huit heures qu'il rentra à
Gap pour aller porter sa moisson matinale de
cartes au commissariat. Un inspecteur local les
feuilleta distraitement et les rangea dans un casier.
Plus tard elles seraient transmises au quartier
général de Lyon pour être ensuite acheminées vers
les Archives centrales à Paris.

A l'heure où l'inspecteur mettait les cartes de
côté, Colette de La Chalonnière réglait sa note,

montait dans sa voiture et mettait le cap à l'ouest.
A l'étage au-dessus le Chacal continuait à dormir.

Le commissaire Thomas s'était assoupi lorsque
retentit à côté de lui la sonnerie stridente du téléphone. C'était l'intercom qui le reliait à la pièce
au bout du couloir où les six sergents et les deux
inspecteurs n'avaient cessé de s'activer depuis son
briefing autour d'une véritable batterie de téléphones.

Il jeta un coup d'œil à sa montre. Dix heures.
Bon sang, ça ne me ressemble pas de flancher
comme ça. Puis, il fit le compte des heures de
sommeil qu'il avait réussi à glaner depuis que
Dixon l'avait convoqué le lundi après-midi. Les
doigts d'une main y suffisaient largement.

A nouveau la sonnerie retentit.

— Allô.

L'inspecteur-chef était au bout du fil.

— Notre ami Duggan, fit-il sans préambule. Il
a quitté Londres lundi matin sur un avion de la
B. E. A. La place avait été retenue samedi. Pas
d'erreur possible sur le nom : Alexander Duggan.
Il a payé son billet comptant à l'aérodrome.

— Destination ? Paris.

— Non, commissaire. Bruxelles.

Thomas était maintenant tout à fait réveillé.

— Parfait. Écoutez. Il se peut qu'il revienne
de là-bas. Continuez à vérifier toutes les réserva-
tions d'avion dans toutes les compagnies. Si
jamais il est rentré de Bruxelles, je veux le savoir,
mais j'en doute. A mon avis, nous l'avons perdu.
Enfin il a quitté Londres plusieurs heures avant

que nous commencions l'enquête, nous ne sommes donc pas fautifs. D'accord ?

— D'accord. Et toutes ces recherches lancées pour retrouver le vrai Calthrop ? Ça mobilise plus de la moitié de la police provinciale et le Yard n'a pas caché que ça l'agaçait.

— Suspendez-les, dit Thomas après un instant de réflexion. Je suis à peu près certain qu'il est parti.

Il décrocha le téléphone correspondant à la ligne internationale et demanda le bureau du commissaire Lebel à la P. J.

A dix heures cinq Caron reçut l'appel de Londres et comme le commissaire Thomas insistait pour parler à Lebel en personne, il alla secouer son chef endormi sur son lit de camp. Lebel avait l'air frais comme une huître de huit jours, mais avec l'aide de Caron comme interprète il réussit à mener à bien la conversation.

— Expliquez-lui, dit Lebel une fois mis au courant, que nous prenons le relais en ce qui concerne la Belgique. Faites-lui tous mes sincères remerciements pour son aide. Si jamais nous localisons notre bonhomme sur le continent, je le préviens immédiatement.

A peine le récepteur était-il raccroché que Lebel disait à Caron :

— Demandez-moi la Sûreté à Bruxelles.

Le Chacal se leva alors que le soleil était déjà haut au-dessus des collines. La journée promettait d'être aussi belle que les précédentes.

Il prit sa douche, mit son complet à carreaux et à dix heures et demie entrait dans Gap au volant de son cabriolet. Il se rendit droit à la poste et demanda Paris sur l'inter.

Vingt minutes après, il sortait du bâtiment, l'air crispé ; toute trace de nonchalance avait disparu dans son attitude. A la première droguerie, il acheta une série de bombes de laque glycérophtalique bleu marine à séchage instantané, deux petits pots de peinture noire et blanche pour maquettes et deux pinceaux fins. Il fit également l'acquisition d'un tournevis.

Revenu directement à l'hôtel du Cerf, il demanda sa note. Pendant qu'on la lui préparait, il monta faire ses valises, puis les redescendit lui-même jusqu'à sa voiture. Le réceptionniste du jour devait déclarer plus tard qu'il semblait pressé, plutôt nerveux, et qu'il avait payé sa note avec un billet de cent francs flambant neuf.

Ce qu'il ne dit pas, parce qu'il n'en fut pas témoin, c'est que, pendant qu'il était allé faire de la monnaie, son client avait rapidement consulté le registre posé sur le comptoir et qu'il y avait relevé l'adresse de la baronne de La Chalonnière : à la Haute-Chalonnière, Corrèze.

Vers midi, une série de nouveaux messages parvint au bureau de Claude Lebel. La Sûreté de Bruxelles appela pour signaler que Duggan n'avait passé que cinq heures en ville le lundi. Il était arrivé de Londres par la B. E. A. mais était reparti par Alitalia pour Milan. Il avait payé cash son

billet mais la place avait été réservée par téléphone
de Londres le samedi précédent.

Lebel demanda aussitôt la police de Milan.

A peine avait-il raccroché que la D. S. T. l'appelait pour l'informer que, la veille au matin, était
entré en France à Vintimille venant d'Italie le
nommé Alexander James Quentin Duggan.

Lebel avait explosé.

— Près de trente heures! tonna-t-il. Plus d'une
journée! et il reposa brutalement l'appareil.

Caron haussa le sourcil.

— La carte a fait le trajet de Vintimille à Paris,
expliqua Lebel écœuré. Ils sont seulement en train
de classer les cartes d'entrée d'hier matin dans tout
le pays. Il paraît qu'il y en a plus de vingt-cinq
mille. Pour un jour seulement, vous vous rendez
compte! Enfin on est toujours fixés. Cette fois, il
est en France. Si je n'ai rien à leur mettre sous la
dent ce soir, ils vont m'écorcher vif. Oh, à propos,
rappelez le commissaire Thomas et remerciez-le
encore. Dites-lui que le Chacal est en France et
qu'on va s'occuper de lui.

A peine Caron avait-il achevé de parler avec
Londres que le Q. G. régional de la P. J. à Lyon le
demandait.

Lebel écouta un instant et lança un coup d'œil
triomphant à Caron, puis, la main plaquée sur le
récepteur, il déclara :

— Ça y est. On le tient. Il s'est inscrit à l'hôtel
du Cerf, près de Gap, hier soir.

Otant la main de l'appareil, il répondit :

— Écoutez-moi bien, commissaire. Je ne peux
pas vous expliquer pourquoi nous tenons à mettre
la main sur ce Duggan. Mais dites-vous bien que

c'est capital. Voici ce que je voudrais que vous fassiez.

Il parla durant dix minutes et comme il raccrochait, l'appareil sur le bureau de Caron se mit à sonner. C'était à nouveau la D. S. T. qui précisait que Duggan était entré en France au volant d'un cabriolet Alfa Romeo blanc immatriculé MI 61741.

— Je demande l'alerte générale ? s'enquit Caron.

Lebel réfléchit un instant.

— Non, pas encore. Si jamais il se fait ramasser en pleine nature par un gendarme quelconque qui se croit à la recherche d'une voiture volée, il tuera quiconque voudra l'intercepter. L'important, c'est qu'il ait pris une chambre dans cet hôtel. Allons-y si on ne veut pas rater l'hélicoptère, il n'est que temps.

Au même moment, la totalité des forces de police de Gap était mobilisée pour installer des barrages sur toutes les routes sortant de la ville et sur toutes les voies d'accès à l'hôtel. Ils avaient reçu leurs ordres de Lyon. A Grenoble et Lyon, des hommes armés de mitraillettes s'entassaient dans des paniers à salade. Au camp de Satory, près de Paris, un hélicoptère attendait le commissaire Lebel pour l'emmener à Gap.

Même à l'ombre des arbres, la chaleur en ce début d'après-midi était accablante. Torse nu, avec une vieille culotte de sport pour éviter de tacher ses vêtements, le Chacal travailla sur sa voiture durant trois heures.

Après avoir quitté Gap, il s'était dirigé vers l'ouest par Veynes et Aspres-sur-Buech. Tout au

long des innombrables virages de la route qui descendait vers la plaine, il avait poussé le cabriolet
aux limites de l'adhérence et dans le hurlement
de ses pneus il avait deux ou trois fois failli expé-
dier dans le ravin les voitures qu'il croisait.

Peu après Luc-en-Diois, il s'était dit qu'il était
temps de quitter la nationale. Au petit bonheur,
il s'était engagé sur une route étroite, montant
vers les villages des hauteurs et s'était enfoncé
dans un chemin de terre qui se perdait au milieu
des bois.

Vers le milieu de l'après-midi, son travail était
terminé. La voiture blanche était devenue d'un
bleu profond et la laque séchait déjà. Bien sûr, en
dépit du soin qu'il avait apporté à vaporiser également la peinture, certains raccords de couche
étaient bien visibles mais, au crépuscule et à moins
d'un examen attentif, ce travail d'amateur pouvait faire illusion. Sur les deux plaques d'immatri-
culation dévissées et posées à plat dans l'herbe,
le Chacal avait peint des numéros imaginaires se
terminant par 75. Il lui semblait bien que les voitures immatriculées à Paris étaient les plus répan-
dues sur les routes, surtout en période de vacances.

Bien entendu, les numéros ne correspondaient
plus à aucun des papiers de la voiture et s'il était
arrêté sur la route, il était flambé, mais pour une
fois, pris de court, il n'avait guère le choix.

Le problème immédiat, songeait-il tout en trem-
pant le bout d'un chiffon dans le réservoir pour
se nettoyer les mains, c'était de savoir s'il se remet-
tait en route tout de suite en pleine lumière ou s'il
attendait la tombée de la nuit.

Avec son faux nom découvert, on saurait vite

par où il était entré en France et on risquait de
retrouver sa trace à bref délai. Il avait encore un
certain nombre de journées d'avance sur son programme, il importait donc de trouver une planque
sûre jusqu'au jour J.

Autrement dit, le mieux, était de rallier la Corrèze,
à plus de trois cent cinquante kilomètres de là et
par les voies les plus rapides, c'est-à-dire en voiture.

Il y avait là un gros risque à prendre mais il
fallait tenter le coup et le tenter sans attendre.
Tout délai supplémentaire accroissait le danger
d'une course-poursuite éventuelle avec les motards
qui bientôt sillonneraient les routes à sa recherche.

Rapidement, il revissa les plaques, jeta les bombes vides et le pinceau, se rhabilla, regagna la
R. N. 93 et lança sa voiture à pleine vitesse. Il
allait être quatre heures de l'après-midi.

Haut dans le ciel, il aperçut un hélicoptère qui
volait en direction de l'est. Quinze kilomètres
plus loin, il arrivait à Die. Soudain, il ressentit
comme un pincement fugitif. En anglais, le nom
de cette ville signifiait mourir et il était difficile de
négliger cette coïncidence.

Bien qu'il ne fût nullement superstitieux, le
Chacal avait les traits un peu crispés en entrant
dans le centre de la petite ville. Sur la grand-place,
près du monument aux morts, un athlétique
motard vêtu de cuir noir arrêté au milieu de la
chaussée lui fit signe de s'arrêter et de se garer sur
le côté droit de la rue. Le fusil était toujours fixé
sous le châssis et il ne transportait d'armes ni sur
lui ni dans la voiture.

Une seconde il hésita, se demandant s'il n'allait
pas renverser le policier d'une brusque embardée

et filer pour abandonner la voiture quelques kilomètres plus loin, puis, sans glace ni lavabo, essayer
de se métamorphoser tant bien que mal en pasteur
Jensen.

Ce fut le policier qui décida pour lui. Cessant
totalement de s'occuper de lui tandis que le cabriolet ralentissait, le motard s'était détourné pour
regarder dans la direction opposée. Le Chacal
se rangea le long du trottoir et attendit.

De l'autre bout de la ville lui parvint un écho
modulé de sirènes. Quoi qu'il pût arriver, il était
trop tard maintenant pour prendre le large.

Quelques instants plus tard apparaissait un
convoi composé de quatre Citroën de la police
suivies de six cars grillagés. Le motard, qui s'était
rangé lui aussi au bord du trottoir, salua de la main
ses collègues casqués assis en rangs d'oignons dans
les fourgons. Le convoi défila sans ralentir devant
l'Alfa Romeo arrêtée et s'éloigna dans la direction
d'où le Chacal venait d'arriver.

Le convoi disparu, le motard signala d'un geste
vague au Chacal qu'il pouvait repartir et retraversa
vers sa moto garée devant le monument.

Il actionnait encore le démarreur du talon quand
l'Alfa Romeo prenait de la vitesse à la sortie de
l'agglomération.

Ils arrivèrent à l'hôtel du Cerf à cinq heures
moins dix. Claude Lebel, qui avait atterri à deux
kilomètres de là, de l'autre côté de la ville où était
venu le chercher une voiture de police, s'avança
vers le perron, flanqué de Caron, qui, sous son
imperméable, l'index sur la détente, portait à
l'épaule droite un pistolet mitrailleur MAT 49.

Tout le monde dans le pays savait qu'il y avait

du grabuge dans l'air, sauf le propriétaire de
l'hôtel. L'auberge avait été isolée depuis cinq
heures et rien ne s'était produit d'anormal sinon
que le vendeur de truites n'était pas venu proposer sa pêche du jour au chef cuisinier.

Appelé par l'employé de la réception, l'hôtelier
sortit de son bureau où il vérifiait ses comptes.

Lebel l'écouta répondre aux questions que lui
posait Caron tout en jetant des coups d'œil in-
quiets à cette protubérance étrange qui déformait
le manteau de son interlocuteur.

Cinq minutes plus tard, l'hôtel était envahi
d'uniformes. Les policiers questionnèrent le personnel, examinèrent la chambre, inspectèrent
tous les bâtiments annexes et leurs alentours.

Lebel, planté au milieu de l'allée d'entrée,
considérait l'horizon proche des collines. Caron vint
le rejoindre.

— Vous croyez qu'il a filé, patron ?

Lebel acquiesça.

— Tout ce qu'il y a de plus filé.

— Mais est-ce qu'il ne devait pas rester deux
jours d'après sa fiche ? Pourquoi est-il parti si
vite ? Le propriétaire ne serait pas dans le coup,
d'après vous ?

— Non, ni lui ni ses employés ne racontent
d'histoires. Il a dû, pour changer d'avis, avoir
vent de quelque chose dans la matinée, se douter
qu'on avait détecté sa nouvelle identité.

— Mais comment ? Ce n'est pas possible. Ça
doit être une simple coïncidence.

— Espérons, mon cher Lucien. En attendant,
ce que j'aimerais savoir, c'est de quel côté il est
parti.

— Enfin, il nous reste le numéro de sa bagnole.

— Oui. Là, j'ai commis une erreur. On aurait
dû lancer l'avis de recherches pour la voiture.
Appelez Lyon tout de suite d'une de nos voitures
et demandez l'alerte générale. Priorité absolue.
Avec toutes les caractéristiques du véhicule. A
approcher avec précaution, chauffeur dangereux,
sans doute armé. Mais surtout, et comme toujours,
pas un mot à la presse. Signalez que notre homme
ne doit pas se croire soupçonné. Moi, je vais prévenir le commissaire Gaillard de Lyon que je lui
laisse l'affaire ici et on rentre dare-dare à Paris.

Il était près de six heures lorsque le roadster
bleu entra dans Valence où le flot métallique des
voitures charrié par la N. 7 grondait de façon
ininterrompue le long du Rhône. L'Alfa traversa
la grande nationale, prit le pont sur le fleuve et la
N. 533 jusqu'à Saint-Peray sur la rive droite.

Au-delà du Rhône, tandis que le crépuscule
noyait lentement la vallée derrière lui, le Chacal
lança son cabriolet à grande allure dans les premiers contreforts du Massif central.

Passé Le Puy, les routes qui s'enfonçaient au
cœur de l'Auvergne se firent plus escarpées mais
la circulation y était presque nulle. Dans la descente vers Brioude et la vallée de l'Allier, l'air
nocturne était chargé de parfums de bruyère et
de foin séché.

Il s'arrêta pour refaire le plein à Issoire, traversa
le Mont-Dore et La Bourboule illuminés. Lorsqu'il
atteignit la Dordogne, il était près de minuit. Sur

la R. N. 89 en direction d'Ussel, il put de nouveau appuyer sur le champignon.

— Vous êtes un sot, monsieur le Commissaire, un sot. Vous l'aviez littéralement sous la main et vous l'avez laissé filer.

Saint-Clair de Villauban s'était à demi soulevé de son siège pour donner plus de poids à son apostrophe, et au-delà de la table d'acajou luisant dardait un œil furibond sur le sommet du crâne de Lebel.

Le commissaire étudiait les papiers dans son dossier comme s'il ne s'était pas même rendu compte de l'existence de Saint-Clair. Il avait résolu que c'était la seule façon de traiter l'arrogant colonel et Saint-Clair ne savait pas trop si cette attitude exprimait la honte et la confusion ou une insolente indifférence. Lorsqu'il eut terminé son algarade, Claude Lebel releva le nez.

— Si vous voulez bien consulter le rapport ronéotypé placé devant vous, mon colonel, vous verrez que nous n'avions pas exactement la main dessus, dit-il posément. L'avis signalant la présence de Duggan à l'hôtel de Gap n'est parvenu à la P. J. qu'aujourd'hui à midi et quart. Nous savons maintenant que le Chacal a quitté brusquement l'hôtel à onze heures cinq. De toute façon, il avait donc une heure d'avance sur nous. En outre, je me permets de vous rappeler les ordres stricts de la présidence : agir dans le plus grand secret. L'alerte générale dans tout le pays était donc impossible car la presse s'en serait aussitôt fait l'écho. Étant donné les restrictions qui m'étaient imposées, le délai imputable à la transmission de la fiche de Duggan de Gap à Lyon, et de Lyon à Paris était inévitable.

Saint-Clair poussa un soupir excédé en haussant les épaules.

— Vous ne me direz pas tout de même, commissaire, qu'il n'y a pas eu négligence de la part de la police ?

— Messieurs, voilà qui va bien, interrompit le ministre. Nous avons joué de malchance, c'est un fait. Toutefois, une question reste posée : pourquoi n'a-t-on pas immédiatement lancé l'ordre de recherche pour la voiture ?

— Je reconnais que c'est une erreur, monsieur le Ministre. J'avais des raisons de penser qu'il prolongerait son séjour d'au moins quelques heures à Gap. Néanmoins, s'il avait été intercepté par des motards, il aurait très vraisemblablement tenté de les abattre et aurait pris la fuite, et cette fois bien mis en garde. Alors qu'actuellement, on peut penser qu'il a simplement décidé d'aller ailleurs. S'il s'arrête ce soir dans un autre hôtel, il sera signalé. D'autre part, il le sera également dès que sa voiture sera repérée.

— Quand l'alerte a-t-elle été donnée pour l'Alfa Romeo ? demanda le directeur de la P. J., Max Fernet.

— J'ai donné toutes les instructions nécessaires de la cour de l'hôtel à dix-sept heures quinze, répondit Lebel. Tous les services de patrouilles routières ont dû être prévenus vers sept heures. Tout renseignement recueilli sera immédiatement transmis au Q. G. régional. En raison du danger que représente cet homme, j'ai spécifié qu'aucun

policier seul ne devait tenter de l'arrêter au volant
ou non. Si à l'issue de cette réunion, ces instructions doivent être modifiées, je dois demander
que toutes responsabilités soient prises à cet égard
par les membres de cette commission.

Il y eut un silence prolongé.

— C'est fort regrettable, mais la vie d'un simple
policier ne peut entrer en ligne de compte s'il
s'agit de la protection du président de la République, murmura le colonel Gallon.

Il y eut quelques légers signes d'assentiment
autour de la table.

— C'est exact, dit Lebel. Encore faut-il qu'un
policier seul puisse affronter cet homme. La plupart des policiers de province, agents de ville ou
motards, ne sont pas des tireurs professionnels.
Le Chacal, oui. Si jamais on l'arrête et qu'il
s'échappe après avoir abattu un ou deux de nos
hommes, nous aurons deux nouveaux problèmes
sur les bras : d'abord, il est probable qu'il changera
d'identité, ensuite la publicité dans les journaux
deviendra inévitable, et dans les quarante-huit
heures tout le monde sera au courant du complot.
Si l'un des membres de cette commission veut bien
prendre l'initiative d'aller expliquer la situation
au Général, je suis tout prêt à renoncer à la poursuite de cette enquête...

Nul ne se porta volontaire. La réunion s'acheva
comme d'habitude aux environs de minuit.

19

L'Alfa Romeo bleue déboucha sur la place de la Gare à Ussel quelques minutes avant une heure du matin.

Du côté opposé à la gare, un café était encore ouvert où quelques voyageurs nocturnes attendaient un dernier train devant des cafés-filtre.

Le Chacal se donna un coup de peigne, descendit de voiture, passa entre les tables et les chaises empilées à la terrasse et vint s'accouder au comptoir.

Il avait négligé de mettre la capote en roulant dans la montagne et, engourdi de froid, il se sentait endolori à force d'avoir conduit trop vite, les bras crispés sur le volant tout au long d'un trajet où s'étaient multipliés courbes et virages. Et n'ayant rien mangé depuis son dîner vingt-huit heures plus tôt, il était affamé.

En guise de casse-croûte, il commanda deux tartines de beurre avec un grand café au lait et prit quatre œufs durs dans leur support sur le comptoir.

Puis, tandis que le café passait lentement dans son filtre, il chercha des yeux la cabine télépho-

nique. Il n'y avait qu'un appareil posé à l'extrémité du comptoir.

— Vous avez l'annuaire du département ? demanda-t-il au serveur.

Sans un mot, celui-ci, qui rinçait des verres dans
le bac de zinc, lui désigna du menton une pile
d'annuaires sur une tablette derrière le comptoir.
Du tas de volumes à demi déchirés et crasseux, le
Chacal extirpa celui qu'il cherchait et trouva le
baron de La Chalonnière au hameau du même nom
avec comme simple adresse : Château de La Chalonnière.

Le hameau ne figurait pas sur sa carte routière,
mais le central téléphonique indiqué était Égletons.
Il lui restait donc à faire environ trente kilomètres
au-delà d'Ussel par la R. N. 89. Il reposa l'annuaire, replia sa carte et revint vers ses œufs durs
et ses tartines.

Vers deux heures du matin, il passait à la hauteur d'une borne qui indiquait « Égletons 6 km ».
Il décida alors d'abandonner la voiture dans l'une
des forêts en bordure de la route. Les fourrés
étaient épais. Le bois appartenait sans doute à
quelque hobereau des environs qui devait organiser
parfois des battues de sangliers sous les mêmes
couverts où ses lointains ancêtres avaient chassé
à l'épieu avec des meutes de molosses.

Au bout d'une centaine de mètres, il s'arrêta à
l'entrée d'un layon que barrait une chaîne avec
un poteau indiquant « Chasse privée ».

Il décrocha la chaîne dont le cadenas n'était
pas fermé, engagea sa voiture dans l'allée et remit
la chaîne en place. A la lueur des phares, les
branches enchevêtrées aux ombres dansantes sem-

blaient escorter la voiture d'un ballet fantastique.
Au bout d'un kilomètre environ, le Chacal stoppa,
éteignit les phares et prit dans le coffre à gants les
pinces et la torche électrique.

Près d'une heure, il resta allongé sous le véhicule, le dos peu à peu pénétré par l'humidité qui
montait du sol à travers le bout de plastique qu'il
avait étalé sur l'humus.

Une fois les tubes contenant les éléments du
fusil dégagés des longerons qui leur avaient servi
de cachette depuis soixante heures, le Chacal les
remit dans la valise avec les vieux vêtements et
la capote militaire. Une dernière fois, il inspecta
la voiture pour s'assurer qu'il ne laissait aucun
indice permettant de mettre d'éventuels poursuivants sur sa trace, se remit au volant et lança
brutalement le cabriolet dans un épais taillis de
buis. Il passa encore trois bons quarts d'heure à
tailler des branches de buis dont il colmata la
brèche ouverte dans la verdure par la carrosserie
jusqu'à ce que l'Alfa fût pratiquement invisible.

Il noua un bout de sa cravate à la poignée d'une
des valises, l'autre à celle de la deuxième et les
balança de chaque côté de son épaule à la manière
d'un porteur. Puis, de ses mains libres, il ramassa
ses deux derniers bagages et repartit en direction
de la route.

Pliant sous le poids, avec les valises qui lui
ballottaient contre la poitrine et les omoplates, il
ne progressait que lentement. Tous les cent mètres,
il s'arrêtait, déposait ses fardeaux et armé d'une
branche feuillue s'efforçait d'effacer ses traces et
de repousser brins de mousse et brindilles dans les
deux légères ornières creusées par les pneus de l'Alfa.

Il lui fallut encore une heure pour atteindre la
route et mettre environ un kilomètre entre lui et
l'entrée du layon.

Son complet à carreaux était sale et fripé. Son
polo empoissé de transpiration lui collait à la
peau et les courbatures qui lui tiraillaient bras et
jambes ne faisaient qu'empirer.

Alignant côte à côte ses bagages, il s'assit pour
attendre sur une borne tandis qu'à l'est s'étalaient
dans le ciel les premières lueurs de l'aube.

Après tout, songea-t-il, les autocars de campagne
prenaient souvent la route dès le petit jour.

Encore une fois la chance le servit. Vers cinq
heures et demie le camion d'une ferme traînant
une remorque chargée de foin s'arrêta à sa hauteur.

— Vous êtes en panne de voiture ? lui cria le
chauffeur.

— Non, j'ai une perm de quarante-huit heures,
alors je rentre chez moi en stop. Hier soir, je suis
arrivé jusqu'à Ussel et j'ai décidé de pousser
jusqu'à Tulle. Là-bas j'ai un oncle qui me mettra
dans un camion jusqu'à Bordeaux.

Le chauffeur sourit en haussant les épaules.

— Faut être dingue pour marcher comme ça à
des heures pareilles. Sur ces routes-là y a jamais
personne la nuit. Enfin, sautez sur la remorque.
Je vais toujours vous conduire jusqu'à Égletons.
De là, vous vous débrouillerez.

Ils entrèrent dans la ville à sept heures moins le
quart. Le Chacal remercia le fermier, le quitta en
faisant le tour de la gare et entra dans un café-tabac.

— On peut trouver un taxi dans le pays ?
demanda-t-il au serveur qui lui avait apporté un
café noir.

Le serveur lui donna un numéro de téléphone qu'il appela aussitôt et on lui annonça au bout du fil qu'on pourrait lui envoyer une voiture dans une demi-heure.

Il profita de cette attente pour aller se rincer le visage et les mains à l'eau froide d'un petit lavabo douteux, se laver les dents et passer un complet propre.

A sept heures et demie, le taxi stoppait devant le café. C'était une vieille Frégate cabossée d'un vert pisseux.

— Vous connaissez le village de la Haute-Chalonnière ? demanda-t-il au chauffeur.

— 'Videmment.

— C'est loin ?

— A dix-huit kilomètres d'ici — l'homme fit un geste du pouce en direction des collines qui se profilaient au-delà des toits — dans la montagne.

— Alors conduisez-moi là-bas, dit le Chacal, et il hissa ses bagages sur la galerie rouillée à l'exception d'une valise qu'il conserva à côté de lui sur la banquette arrière.

Le Chacal insista pour se faire déposer devant l'épicerie-buvette sur la place du village. Il était inutile que le chauffeur sache qu'il allait au château.

Déjà il régnait au soleil une chaleur écrasante. Sur la petite place, deux bœufs au pelage beige attelés à un char de foin ruminaient placidement tandis que des mouches aux reflets bleuâtres tournaient autour de leurs gros yeux voilés de cils décolorés.

Dès que la voiture eut disparu, le Chacal entra avec ses bagages dans l'épicerie. A l'intérieur, il

faisait sombre et frais. Sans trop les voir, il entendit
les quelques consommateurs assis au fond de la
salle qui se détournaient pour examiner le nouveau
venu tandis qu'une vieille paysanne en robe noire
passait en claquant des sabots derrière une sorte
de comptoir de bois éraillé.

— Monsieur ? fit-elle d'une voix croassante.

Il posa ses valises et se pencha sur le comptoir.
Les indigènes, remarqua-t-il, buvaient tous du
vin rouge.

— Une chopine, s'il vous plaît, madame.

Sans hâte, elle le servit dans un gros verre à
fond épais.

— Le château est loin, madame ? reprit-il tandis
qu'elle rebouchait la bouteille.

Les petits yeux noirs et fureteurs de la vieille
l'examinèrent avec une expression rusée.

— Deux kilomètres, monsieur.

Il exhala un soupir.

— Et cet imbécile de chauffeur qui me disait
qu'il n'y avait pas de château ici. Et du coup voilà
qu'il me laisse sur cette place.

— Il était d'Égletons ? s'enquit-elle.

Le Chacal acquiesça.

— Des pauvres idiots, ceux d'Égletons, fit-elle
observer.

— En attendant, il faut que j'aille au château,
dit le Chacal.

Les paysans qui le considéraient de leurs tables
ne firent pas un geste. Personne n'émit de suggestion sur les moyens de faire le trajet.

Il tira de sa poche un billet de cent francs flambant neuf.

— Combien je vous dois pour le vin, madame ?

Elle lança un coup d'œil aigu à la coupure encore raide. Un mouvement se fit parmi les paysans attablés derrière lui.

— J'ai pas de monnaie pour un gros billet comme ça, pensez donc, dit la vieille.

A nouveau, il soupira.

— Si seulement il y avait une poste ici... à moins que quelqu'un ait une camionnette dans le pays...

Quelqu'un se leva et s'approcha derrière lui.

— Y en a une de camionnette, dans le village, grogna une voix.

Le Chacal pivota d'un air étonné.

— Elle est à vous, peut-être, fit-il.

— Non, m'sieur, mais je connais bien son propriétaire. Il pourrait peut-être bien vous conduire là-bas.

Le Chacal hocha la tête comme s'il étudiait cette suggestion.

— En attendant, vous prendrez bien un verre ?

Le paysan fit un signe de tête à la vieille qui lui servit sur le comptoir un grand verre de rouge.

— Et vos copains ? Avec cette chaleur-là, ils doivent avoir soif.

Un large sourire éclaira le visage hirsute du paysan. La vieille se pencha sur le comptoir et ramassa deux bouteilles qu'elle alla poser sur la grande table dans la salle.

— Benoît, va donc chercher la camionnette, commanda le premier paysan, et l'un des hommes, vidant son verre d'une lampée, se leva et sortit.

Le gros avantage avec les Auvergnats, songeait le Chacal tandis qu'il ballottait sur le siège du véhicule brinquebalant sur la route du château, c'est qu'il y a peu de chances pour qu'ils deviennent bavards, du moins devant des étrangers.

Colette de La Chalonnière, assise dans son lit, buvait son thé à petits coups.

De la main gauche, elle tenait une photo découpée dans un magazine qu'elle considérait d'un œil excédé.

On y voyait au premier plan un homme vieillissant, un sourire stupide aux lèvres, le cheveu rare, penché sur l'épaule d'une quelconque starlet peu vêtue tenant une coupe de champagne : la légende de la photo disait : « Peut-être un jour épouserai-je le baron. Pour l'instant, nous sommes très bons amis. » Bons amis !... C'était aussi une de ces bonnes amies, bien intentionnée, qui avait eu la sollicitude de lui envoyer quelques nouvelles de Paris assorties d'échos du carnet mondain.

Colette émit un bref soupir en haussant les épaules. Que restait-il du brillant capitaine qu'elle avait rencontré, admiré, aimé et épousé sous la Résistance ? Un vieux beau — un vieux beau démodé, qui n'avait plus même le sens du ridicule.

Et d'elle-même, femme mal aimée, solitaire, sans aspiration ni but précis, que restait-il ?

D'un coup de reins, elle se redressa, repoussa le plateau du petit déjeuner, sauta à bas du lit. Son reflet dans une haute glace en pied l'arrêta. A travers son mince peignoir de soie, elle se campa les mains aux hanches. Une femme dans la maturité, un peu alourdie mais avec des courbes encore harmonieuses... et désirable aussi, n'en avait-elle pas eu tout récemment la preuve ? Elle secoua la tête

et sa longue chevelure brune s'étala sur ses épaules.
Pourquoi donc n'avait-elle pas un peu prolongé
son séjour à Gap ? Quel préjugé absurde, quelles
craintes, l'avaient incitée à couper court ?

Ç'aurait pu être si agréable, si inattendu, de
passer quelques jours ensemble, de flâner dans un
joli pays en jouant les amoureux en vacances.
Pourquoi diable était-elle rentrée dans ce château
sinistre, désert, avec pour seuls interlocuteurs un
vieux couple de domestiques fantômes ?

Un bruit dans la cour l'interrompit dans ses
réflexions. Elle s'approcha d'une des hautes fenêtres, écarta le rideau. Une camionnette s'était
engagée sur l'allée de gravier et s'arrêtait devant
le grand perron. Les portes arrière s'ouvrirent.
Deux hommes qu'elle distinguait mal en sortaient
des colis. Louis, le vieux jardinier, approchait, un
sécateur à la main.

L'un des hommes, à demi masqué par le toit du
véhicule, enfonça des papiers dans sa poche puis
remonta dans la cabine. La camionnette démarra,
laissant apparaître trois valises et un sac, alignés
sur le sol. Colette réprima un cri de surprise. A
côté des bagages, elle avait tout de suite reconnu
les reflets blonds et la silhouette élancée du voyageur.

— L'animal, murmura-t-elle en esquissant
malgré elle un sourire de plaisir. Le bel animal, il
m'a suivie à la trace.

Vivement, elle alla s'enfermer dans la salle de
bains pour s'y habiller.

Lorsqu'elle sortit sur le grand palier, elle entendit un écho de voix dans le hall du rez-de-
chaussée.

— Mais oui, monsieur, disait la voix d'Ernestine. Je vais aller la prévenir tout de suite.

Quelques instants plus tard, Ernestine gravissait les marches aussi vite que pouvaient la porter ses jambes fatiguées.

— Madame la baronne, y a un monsieur qui vous attend en bas.

La réunion du vendredi soir au ministère fut plus courte que d'habitude. Le seul point à signaler ce jour-là c'est qu'il n'y avait précisément rien à signaler. Au cours des dernières vingt-quatre heures, la description de la voiture avait été diffusée dans toute la France. Personne ne l'avait retrouvée. De même tous les Q. G. régionaux de la Police judiciaire avaient donné des ordres pour que le ramassage des fiches d'hôtel sur tout le territoire fût terminé au plus tard à huit heures du matin.

Dans tous les commissariats et bureaux de police, l'examen méthodique de ces fiches ne donna aucun résultat, le nommé Duggan restait introuvable. Il semblait donc logique d'en conclure qu'il n'avait pas passé cette dernière nuit à l'hôtel, du moins sous ce nom.

— Nous avons le choix entre deux hypothèses, expliqua Lebel devant ses auditeurs silencieux. Ou il se croit toujours à l'abri de tout soupçon, autrement dit il n'a aucune raison de se cacher et on va lui mettre la main dessus d'un moment à l'autre, ou il se méfie, et il a décidé d'abandonner la voiture pour semer des poursuivants éventuels. En ce cas, il faut supposer qu'il a prévu un nouveau change-

ment d'identité, ce qui le rend toujours aussi
dangereux.

— Sur quoi fondez-vous cette supposition ?
demanda le colonel Rolland.

— Cet homme, reprit Lebel, a certainement
reçu une somme considérable pour exécuter son
contrat. C'est un professionnel expérimenté. Jusqu'ici, il n'a encore été ni inquiété ni soupçonné
dans sa carrière. Il y a tout à parier pour que ce
soit aussi un spécialiste du déguisement, de la
transformation. Remarquez qu'il nous a déjà
fourni un échantillon de ses talents dans la mutation de Calthrop en Duggan.

— J'ai noté dans le dossier de Calthrop qu'il
avait fait son service en Angleterre dans les parachutistes. Peut-être profite-t-il de l'expérience
qu'il a pu y acquérir d'une certaine forme de
survie en pleine nature, suggéra Max Fernet.
Peut-être se planque-t-il dans la cambrousse en
attendant.

— Peut-être, admit Lebel sans conviction.

— Dans ce cas, il ne représenterait plus qu'un
danger assez hypothétique.

— Personnellement, je ne dirais ça d'un individu dans ce genre que lorsque je le verrais sous
les verrous.

— Ou mort, renchérit Rolland.

— S'il a un minimum de jugeote, opina Saint-
Clair, il devrait essayer de filer rapidement de
ce pays pendant qu'il est encore en vie.

Sur cette remarque, la réunion s'était terminée.

— Pour moi, déclara Lebel à Caron quand ils
eurent regagné leur bureau, ce type est vivant,
libre, bien portant et armé. Tant qu'on ne les

aura pas repérés, lui et sa bagnole, on ne dormira
pas tranquilles.

Celui que toutes les polices de France recherchaient était allongé sur un lit confortable dans
un château au cœur de la Corrèze. Il avait pris
un bain prolongé et, rasé de frais, s'était gavé de
terrine de lièvre, arrosée de vieux bordeaux ;
un café noir et un cognac moelleux avaient cou-
ronné son repas.

Les yeux fixés sur les arabesques délavées du
plafond peint, il tirait des plans pour les dernières
journées qui lui restaient avant l'accomplissement
de sa mission à Paris. Dans une semaine au plus
tard, il devrait se remettre en route et son départ
poserait un certain nombre de problèmes.

La porte de la chambre s'entrouvrit et la baronne entra.

Elle portait un léger peignoir blanc transparent
négligemment noué à la taille ; ses pieds étaient
chaussés de mules de velours noir.

Le Chacal se redressa sur un coude tandis
qu'elle s'approchait lentement du lit.

Sans un mot elle s'inclina légèrement sur lui.
Tendant les deux mains vers elle, il dénoua la
fragile ceinture en satin du peignoir dont les deux
pans s'écartèrent, révélant son opulente poitrine,
la courbure laiteuse de son ventre, ses hanches
aux formes pleines.

Toujours en silence, elle lui posa les mains sur
les épaules, le repoussa en arrière, et le saisit aux
poignets tout en l'enjambant d'un mouvement
souple. Puis, lui serrant les côtes de ses genoux

pliés, elle se pencha sur lui et ses longues mèches
brunes effleurèrent le torse du Chacal. D'un geste
vif, il dégagea le peignoir léger de ses épaules.

— Alors, primitif, murmura-t-elle en souriant,
j'espère que tu es en forme.

Durant trois jours, les enquêtes de Lebel restèrent au point mort. A chaque réunion du soir
tendait à se confirmer, parmi les membres de la
commission, l'hypothèse selon laquelle le Chacal,
contraint à l'abandon, avait quitté le pays en
secret.

Le soir du 19, le commissaire était le seul à
soutenir que le tueur se trouvait toujours en
France et que, planqué dans un trou quelconque,
il attendait...

— Attendre quoi? s'exclama Saint-Clair de
Villauban. Tout ce qu'il peut attendre, isolé et
traqué comme il l'est, en admettant qu'il soit
encore là, c'est le moment propice pour filer vers
la frontière et prendre le large.

Il y eut des murmures d'assentiment autour
de la table. L'opinion commençait à se faire jour
que les policiers avaient échoué dans leur tâche
et que la détection du suspect, contrairement
aux assertions initiales de Bouvier, ne relevait
pas des purs services de police.

Lebel, lui, ne désarmait pas. Épuisé par le
manque de sommeil, la tension permanente,
harcelé de critiques par des hommes qui devaient leurs positions éminentes au jeu politique
plus qu'à l'expérience, il s'obstinait dans ses théo-
ries. Certes, s'il avait tort, il ne s'en relèverait

pas. Un bon nombre des membres de cette commission y veilleraient. Mais s'il avait raison ?
Si le Chacal en voulait toujours à la vie du Président ? S'il passait à travers le filet et atteignait
sa victime ? Alors ce serait lui, Lebel, le bouc
émissaire, immanquablement. Il pourrait tirer
un trait sur sa carrière de policier. A moins que...
à moins que, contre toute espérance, il ne réussisse
à mettre la main sur l'introuvable Chacal.

— Attendre je ne sais pas quoi au juste, répliqua Lebel, mais il attend quelque chose ou
une certaine date. Je ne crois pas, messieurs,
que ce Chacal ait dit son dernier mot. Je ne peux
peut-être pas m'en expliquer, mais je le sens.

— Vous le sentez ! ironisa Saint-Clair, une
certaine date ! Vraiment, commissaire, vous lisez
trop de romans policiers. Nous sommes en pleine
réalité, pas dans la fiction. Notre homme a plié
bagage et voilà tout.

Et il se rassit avec un sourire assuré.

— J'espère que vous avez raison, dit Lebel
d'un ton calme. Dans ce cas, monsieur le Ministre,
puis-je vous demander de me relever de cette
mission particulière pour reprendre mes fonctions
habituelles ?

Le ministre le considéra d'un œil incertain.

— Croyez-vous que cela vaille la peine de poursuivre l'enquête, commissaire ? Pensez-vous qu'il
subsiste un danger véritable ?

— A la seconde question, monsieur le Ministre,
je répondrai que je n'en sais rien. Quant à la première, je suis convaincu qu'il faut continuer les
recherches jusqu'à ce que nous ayons une certitude
absolue.

— Très bien. Messieurs, voici ma décision. Le commissaire va donc poursuivre son enquête et nous, nous continuerons à nous réunir ici le soir pour entendre ses rapports — jusqu'à nouvel ordre.

Le matin du 20 août, Jean-François Callet, garde-chasse, chassait les nuisibles sur les terrains de chasse de son patron entre Égletons et Ussel, lorsqu'il se mit à la poursuite d'un blaireau qu'il avait blessé d'un coup de six et qui s'était enfoncé dans un épais massif de buis. Au centre du massif, il découvrit la bête qui se débattait sur le siège d'une voiture de sport visiblement abandonnée.

Tout d'abord, tandis qu'il achevait le blaireau d'un coup de gourdin sur la nuque, il pensa que l'auto avait été laissée là par des amoureux qui s'étaient enfoncés dans la forêt en dépit des pancartes en interdisant l'accès à l'entrée des layons, puis il remarqua l'écran de branches coupées volontairement accumulées et les cassures fraîches du bois. Enfin, à en juger par les fientes déposées par les oiseaux sur la banquette, la voiture devait être là depuis plusieurs jours au moins. Après avoir ficelé le blaireau sur son porte-bagages et remis son fusil en bandoulière, le garde-chasse repartit sur son vélo pour rentrer chez lui, tout en songeant qu'il faudrait signaler sa découverte aux gendarmes dès qu'il aurait regagné le village.

Ce fut aux alentours de midi que le commissariat d'Ussel reçut le coup de fil des gendarmes

le prévenant qu'on avait trouvé une voiture
abandonnée dans les bois. Cette voiture était-
elle blanche ? demanda le policier. Non, elle était
bleue. Avait-elle un numéro italien ? Non, elle
était immatriculée à Paris. Quant à la marque,
elle n'avait pas été relevée.

— Très bien, dit le policier d'Ussel, on va envoyer une remorque dans l'après-midi. Que le
garde-chasse soit prêt à guider l'équipe de dépan-
nage parce qu'il y avait beaucoup de boulot et
qu'on était sur les dents, surtout avec cette
histoire de voiture italienne blanche que les
grosses légumes de Paris tenaient à retrouver
coûte que coûte.

Lorsque le cabriolet Alfa Romeo déboucha
derrière le camion-remorque dans la cour du
commissariat d'Ussel, il était quatre heures
passées et une demi-heure encore s'écoula avant
qu'un mécanicien du service d'entretien remar-
quât que la peinture bleue n'était sûrement pas
d'origine.

Armé d'un tournevis, il gratta l'une des ailes ;
la mince couche bleue aussitôt s'écailla, laissant
apparaître une estafilade blanche.

Perplexe, le mécanicien examina les plaques
minéralogiques ; elles semblaient avoir été re-
tournées. Quelques instants plus tard, sur la
plaque dévissée se lisait son numéro véritable :
MI 61 741 et le mécano se précipitait vers le
bureau.

L'information parvint à Claude Lebel juste
avant six heures. Elle avait été transmise par le

commissaire Valentin du Q. G. régional de la
P. J. à Clermont-Ferrand.

Lebel sursauta sur son fauteuil et interrompit
Valentin au beau milieu de ses explications.

— Oui, je vois. Écoutez, il s'agit là d'une affaire
capitale. Je ne peux pas vous expliquer pourquoi
mais c'est capital... Oui, je sais que c'est irrégulier
mais c'est comme ça. Je sais, je sais... si vous
désirez avoir confirmation de mes pouvoirs en
la matière, je peux vous passer tout de suite le
directeur général de la P. J... Bon... Voilà, il faut
que vous envoyiez une équipe sûre à Ussel. Faites
partir votre enquête du point où a été découverte
la voiture. Ratissez tout le pays. Chaque ferme,
chaque masure, chaque boutique dans chaque
village. Vous cherchez un homme grand et blond,
anglais d'origine mais parlant parfaitement français avec pour bagages trois valises et un sac... Ah,
j'oubliais, que rien de tout cela ne transpire dans
la presse. Comment dites-vous? Impossible...
Écoutez, arrangez-vous pour parler d'un accident
d'un homme recherché en état d'amnésie. Dé-
brouillez-vous pour atténuer les choses au maximum. Et dernière recommandation, si jamais
vous repérez le bonhomme, que personne ne s'en
approche. Contentez-vous de l'encercler et de le
surveiller à distance. Je débarquerai dès que je
serai prévenu.

Lebel raccrocha et se tourna vers Caron.

— Filez au ministère tout de suite. Demandez
si la réunion de ce soir peut être avancée à huit
heures. Je sais que c'est l'heure du dîner mais
il n'y en aura pas pour longtemps. Ensuite,
appelez Satory et demandez l'hélicoptère : un

vol de nuit pour Ussel, et qu'ils précisent bien le point d'atterrissage, que j'aie sur place une voiture pour m'emmener. Je vous confie la baraque ici pendant mon absence.

Au coucher du soleil, les cars de police venus de Clermont et d'Ussel installèrent leur Q. G. sur la place du village le plus proche de l'endroit où avait été trouvée la voiture.

De la voiture-radio, Valentin donna ses instructions à tous les autres véhicules qui convergeaient vers les autres agglomérations de la zone de surveillance. Il avait décidé d'attaquer les recherches dans un rayon de huit kilomètres autour du point où avait été retrouvée la voiture et de progresser méthodiquement jusqu'à l'aube. Il y avait plus de chances de trouver les gens chez eux en pleine nuit. D'un autre côté, on courait le risque, dans une région aussi accidentée et boisée, de manquer une cabane de bûcheron où pouvait se cacher le fugitif.

Par ailleurs, les policiers risquaient de buter sur un autre obstacle dont Valentin avait hésité à parler à Lebel au téléphone. Cet obstacle, un groupe de ses hommes venait de s'y heurter aux alentours de minuit.

Planté sur le seuil de sa ferme, en chemise de nuit, une lampe à pétrole à la main, un fermier refusait obstinément de laisser entrer les gendarmes.

— Allons, Gaston, tu la prends souvent cette route pour aller au marché. Est-ce que par hasard tu serais allé à Égletons vendredi matin ?

Le paysan les observait, les yeux plissés.

— Ça se pourrait bien.

— Alors, tu y es allé ou non ?

— Je me rappelle pas.

— As-tu vu un homme sur la route ?

— Je m'occupe de mes affaires.

— C'est pas ça qu'on te demande. Est-ce que tu as vu un homme ?

— J'ai vu personne... Rien du tout.

— Un type blond, grand, costaud. Avec trois valises et un sac de voyage.

— J'ai rien vu, j'vous dis, rien de rien.

Le dialogue se poursuivit ainsi durant un bon quart d'heure. Enfin les policiers se lassèrent et partirent dans le concert d'aboiements des chiens dressés sur les pattes de derrière au bout de leurs chaînes. Dès que le ronflement des moteurs se fut éteint dans la nuit, le paysan claqua la porte, poussa le verrou, regagna sa chambre d'un pas lourd et se recoucha auprès de sa femme.

— C'est de c'type que t'as ramassé sur la route qu'ils parlaient, s'enquit-elle. Qu'est-ce qu'ils lui veulent ?

— Sais rien, grogna Gaston. Toujours est-il que personne ira dire que Gaston Grosjean a fait le mouchard.

Il se détourna vers le bord du lit et lança un jet de salive précis dans les cendres du foyer. « Saleté de flics. » Puis il descendit la mèche de la lampe, la souffla au-dessus du verre avec la main en écran, et se renfonça sous le couvre-lit contre l'ample silhouette de son épouse. « J'sais pas qui que t'es mon gars, marmonna-t-il. Enfin, tâche de t'en tirer. »

Lebel considéra les membres de la Commission réunis autour de lui et reposa ses papiers.

— Dès que cette réunion sera terminée, messieurs, dit-il, je prends l'hélicoptère pour Ussel pour aller superviser les recherches.

Il y eut un silence prolongé.

— Quelles conclusions tirez-vous des derniers événements, commissaire ?

— Il y a deux points à considérer, monsieur le Ministre. S'il a repeint sa voiture, vraisemblablement avant son trajet de nuit de Gap à Ussel, c'est qu'il a dû être alerté d'une façon ou d'une autre. Il a dû recevoir ou donner un coup de fil qui l'a prévenu qu'il était brûlé sous le nom de Duggan. D'où l'abandon ensuite de la voiture.

Lebel eut un instant l'impression que le noble plafond de la pièce allait se fissurer tant était tendue l'atmosphère.

— Entendez-vous sérieusement par là, demanda une voix à des millions de kilomètres, que des fuites se soient produites ici-même ?

— Je me garderais bien de dire une chose pareille. Il y a des standardistes, des employés du télex, des subalternes qui ont reçu certaines instructions, certains ordres. L'un d'entre eux pourrait être un agent de l'O. A. S. Pour ma part, j'inclinerais à croire que son informateur, celui qui l'a prévenu que le projet d'attentat était découvert et que son pseudonyme de Duggan l'était aussi, pourrait être le nommé Valmy, dont le message à destination de Rome a été intercepté par la D. S. T.

Le directeur de la D. S. T. esquissa un geste comme s'il allait intervenir mais resta silencieux.

— Et quelle est votre seconde observation, commissaire ? demanda le ministre.

— Eh bien, c'est qu'une fois mis en garde, il n'a pas cherché à quitter la France. Au contraire, il s'est dirigé vers le centre même du pays. Autrement dit, il semble bien nous avoir lancé un défi à tous.

Le ministre se leva et rassembla ses documents.

— Nous n'allons pas vous retenir plus longtemps, commissaire. Trouvez-le. Trouvez-le et cette nuit même. Liquidez-le s'il le faut. Tels sont mes ordres, au nom du chef de l'État.

Une heure plus tard, l'hélicoptère de Lebel s'élevait au-dessus de l'aire de Satory et, dans le ciel nocturne où s'étalait le halo lumineux de la ville, mettait le cap vers le sud.

— Il a un culot, ce petit policier, c'est incroyable. Insinuer que dans cette commission où sont réunis certains des plus hauts personnages de l'État, des négligences ont été commises... Ça, je ne le raterai pas dans mon prochain rapport.

Jacqueline, allongée dans le lit, les cheveux noirs épars sur l'oreiller, se tourna vers Saint-Clair qui s'était redressé, appuyé sur un coude, le menton agressif. D'un mouvement souple, elle tendit le bras en travers du maigre torse de son amant et se laissa basculer contre lui. Puis, elle lui prit la tête à deux mains, l'attira vers sa gorge tiède et parfumée.

— Allons, allons, raconte-moi donc tout ça, murmura-t-elle d'une voix câline.

20

Le matin du 21 août, le temps était toujours
aussi radieux comme il l'avait été chaque jour
depuis le début de cette longue vague de chaleur.
Les collines fleuries de bruyère que l'on voyait
des fenêtres du château offraient un paysage
paisible ne laissant rien prévoir de la fièvre policière qui s'était emparée d'Égletons, à dix-huit
kilomètres de là.

Le Chacal, nu sous sa robe de chambre, installé
dans la bibliothèque du baron, donnait son habituel coup de fil matinal à Paris. Il avait quitté
Colette endormie dans sa chambre du premier
étage après une nouvelle nuit d'étreintes passionnées.

La communication établie, il commença comme
d'habitude :

— Ici, Chacal.

— Ici Valmy, répondit une voix rauque. Les
complications recommencent. Ils ont retrouvé la
voiture.

Il écouta encore durant deux ou trois minutes,
n'interrompant son informateur qu'une fois ou
deux d'une brève question. Avec un « merci » final,

il reposa l'appareil et fouilla dans ses poches à la recherche de ses cigarettes et de son briquet.

Bon gré, mal gré, il lui fallait donc maintenant changer ses plans. Il avait souhaité rester au château deux ou trois jours encore mais cette fois il devait prendre le large. Et aussi vite que possible.

Dans ce coup de fil, un détail le tracassait, un détail insolite, anormal, qu'il fallait tirer au clair. Il y réfléchissait tout en tirant des bouffées de sa cigarette, puis d'une pichenette, il expédia le mégot à peine entamé par la fenêtre. Ce léger déclic qu'il avait perçu dans l'écouteur au moment où il décrochait... ce déclic ne s'était pas produit les trois jours précédents. Il y avait une extension téléphonique dans la chambre mais pourtant Colette dormait à poings fermés lorsqu'il était sorti de la pièce. A moins que... Rapidement, pieds nus, il remonta l'escalier et fit irruption dans la chambre.

Le téléphone était en place mais la penderie était ouverte et ses valises s'alignaient par terre, ouvertes toutes les trois. La baronne, agenouillée parmi ses affaires éparpillées, releva vers lui des yeux dilatés de surprise et de crainte. Tout autour d'elle gisait une série de tubes métalliques dont les capsules de caoutchouc qui les fermaient aux deux bouts avaient été enlevées. De l'un d'eux sortait l'extrémité d'une lunette télescopique, de l'autre, le cylindre d'un silencieux. A la main, Colette tenait le canon et la culasse de l'arme.

Il y eut un silence de plusieurs secondes, puis le Chacal recouvra le premier son sang-froid.

— Tu écoutais ?

— Je... Je me demandais à qui tu téléphonais tous les matins.

— Je te croyais endormie.

— Non, je me réveille toujours quand tu sors du lit. Ce... ce machin, c'est un fusil, non ?... un fusil de précision.

Le ton sur lequel elle avait achevé de parler tenait à la fois de l'interrogation et de l'affirmation. Elle semblait espérer une réponse rassurante, apprendre qu'il s'agissait de toute autre chose, d'un objet parfaitement inoffensif.

Il baissa les yeux sur elle et pour la première fois, elle remarqua que les petites taches grises qui ponctuaient ses yeux s'étaient comme étalées sur tout l'iris, éteignant leurs reflets, leur conférant une expression terne et sans vie.

Lentement elle se leva et lâcha le canon du fusil qui tomba sur le sol avec un choc sonore parmi les autres pièces détachées.

— Tu veux l'abattre, hein, c'est ça, murmura-t-elle. Tu fais partie de la bande... Tu es de l'O. A. S.

Le silence du Chacal valait pour elle une réponse. Elle se précipita vers la porte. Sans effort, il la rattrapa d'un bond et la projeta avec force en travers du lit. Comme elle rebondissait parmi les draps en désordre, elle ouvrit la bouche pour hurler. Le coup terrible qu'elle reçut du tranchant de la main contre la carotide sur le côté du cou étouffa net le cri qu'elle allait pousser. De la main gauche, il la saisit aux cheveux avec une force irrésistible et lui ploya la tête en avant vers le bord du lit. Elle eut encore le temps d'entrevoir un instant le dessus du tapis puis, imparable, une manchette sur la nuque assenée à toute volée la tua net.

Vivement, il alla vers la porte et tendit l'oreille. Aucun bruit. Ernestine devait être en train de préparer le pain grillé et le thé dans la cuisine au fond du rez-de-chaussée. Quant à Louis, il allait bientôt partir pour le marché. De toute façon, tous deux étaient à demi sourds.

Rapidement, le Chacal replaça les éléments du fusil dans leurs gaines métalliques, rangea les tubes dans la troisième valise avec la capote et les vêtements crasseux d'André Martin, en prenant la précaution de lisser bien à plat les documents cousus dans la doublure. La seconde valise qui contenait la tenue du pasteur danois Per Jensen était également ouverte, mais Colette n'avait pas eu le temps de la fouiller.

En cinq minutes, il était lavé et rasé puis, armé de ciseaux, il passa encore une dizaine de minutes à raccourcir avec soin ses longues mèches blondes. Après quoi, débouchant un des flacons de teinture, il s'en imprégna les cheveux jusqu'à ce qu'il eût obtenu une nuance gris fer qui le vieillissait d'une bonne dizaine d'années. Après avoir posé le passeport danois sur la tablette au-dessus du lavabo, il s'efforça de coiffer ses cheveux encore humides de teinture comme l'étaient ceux du pasteur Jensen sur sa photo. Enfin, il ajusta avec précaution les lentilles de contact bleues.

Toutes traces de ses préparatifs une fois effacées, il rassembla ses affaires de toilette et regagna la chambre.

Sans même accorder un coup d'œil au cadavre de sa victime, il s'habilla avec les vêtements qu'il avait achetés à Copenhague, fixa le rabat noir à son cou et compléta le tout du col dur du pasteur.

Il endossa l'habit noir et chaussa d'anodins souliers de marche. Il glissa les lunettes cerclées d'or dans sa poche de poitrine, et rangea son nécessaire de toilette dans le sac en compagnie du livre danois sur les cathédrales de France.

Dans sa troisième valise, il casa ce qui restait de ses vêtements anglais et groupa ses bagages à proximité de la fenêtre. Puis il consulta sa montre. Bientôt huit heures. Ernestine monterait d'ici peu avec le plateau du petit déjeuner.

Dans la mesure où tous deux s'étaient déjà occupés du baron lorsqu'il était enfant et étaient restés depuis à son service, Colette de La Chalonnière s'était efforcée de cacher à ses vieux domestiques la nature de ses relations avec le voyageur de passage. Mais cette fois, il n'y avait plus les moindres apparences à sauver.

Par la fenêtre, le Chacal aperçut Louis le jardinier qui roulait à vélo vers la grille d'honneur dans l'allée le long des communs, son panier ballottant au guidon. L'instant d'après Ernestine frappait à la porte. Il ne réagit pas. Elle frappa de nouveau.

— Voilà vot' thé, madame, cria-t-elle derrière la porte close.

Prenant sa décision, le Chacal répondit en français d'une voix endormie.

— Posez-le devant la porte. Je vais aller le chercher.

Dans le couloir, la bouche d'Ernestine s'arrondit pour former un O presque parfait. Quel scandale! Des horreurs pareilles au château... Et dans la chambre du maître, par-dessus le marché. Aussi vite qu'elle le put, elle redescendit pour prévenir

Louis mais il était déjà parti et elle en fut réduite
à adresser à l'évier de la cuisine une longue ha-
rangue sur le déclin des mœurs modernes, et c'était
pas du temps du vieux baron que ça se serait
passé comme ça et si c'était pas malheureux de
voir des horreurs pareilles.

Il ne fallut que quelques instants au Chacal
pour allonger le cadavre sous les draps dans la position du sommeil, sa longue chevelure rabattue sur
le visage.

Tout occupée à exhaler son indignation, Ernestine n'entendit pas la série de chocs sourds et
amortis que firent les bagages du Chacal lancés
par la fenêtre sur l'épais gazon de la pelouse. Elle
entendit encore moins le déclic du loquet fermé de
l'intérieur dans la chambre de sa maîtresse.

Elle n'entendit pas plus l'homme aux cheveux
gris sauter par la fenêtre pour atterrir dans le sol
meuble à côté de ses bagages.

Mais elle entendit le moteur de la Renault de
Madame qui ronflait devant le garage aménagé
dans les anciennes écuries et, par la petite fenêtre
de l'office, elle aperçut l'arrière de la voiture qui
virait dans la grande allée et fonçait à vive allure
vers le portail ouvert.

Perplexe, elle quitta la cuisine, revint dans le
hall et se remit en devoir de gravir l'escalier.

— Mais qu'est-ce qui lui prend donc à la patronne, marmonna-t-elle d'une voix essoufflée.

Devant la porte de la chambre, le plateau servi
était toujours là, intact. Après avoir frappé plusieurs fois, la vieille servante tenta d'ouvrir ; la
porte était fermée à clef. Celle de la chambre du
voyageur était également verrouillée. Personne

ne répondait. Ernestine conclut qu'il se passait vraiment des choses bizarres dans la maison. Des choses pas catholiques comme il n'en était pas arrivé depuis l'envahissement du château par les Allemands sous l'occupation quand ils avaient posé tellement de drôles de questions au vieux baron sur son fils.

Elle résolut de consulter Louis au plus vite. Puisqu'il était au marché, quelqu'un du café sur la place pourrait bien aller le chercher. Elle ne savait pas trop comment fonctionnait le téléphone mais il lui semblait bien que quand on décrochait, il y avait quelqu'un qui parlait dans l'appareil, quelqu'un à qui on devait pouvoir dire ce qu'on voulait.

Elle souleva donc le récepteur et l'approcha de son oreille. Pendant plusieurs minutes, elle écouta, immobile, retenant sa respiration. Rien ne se produisait.

Elle ne pouvait remarquer la fine coupure qui entaillait le fil au point où il pénétrait dans la boiserie de la bibliothèque.

Claude Lebel reprit l'hélicoptère pour Paris peu après le café du matin. Comme il l'expliqua plus tard à Caron, Valentin avait très bien fait son boulot, en dépit de l'inertie et de l'hostilité manifestées par la plupart de ces fichus paysans.

Dès l'aube, il avait retrouvé la trace du Chacal jusqu'à un café d'Égletons où il avait convoqué le chauffeur d'un taxi local. Entre-temps, il avait pris des dispositions pour que des barrages soient installés d'urgence sur toutes les routes dans un

rayon de vingt kilomètres autour d'Égletons et on
pouvait espérer que le dispositif serait entièrement
mis en place avant midi. En raison du grade de
Valentin et de la compétence dont il avait fait
preuve, Lebel lui avait vaguement laissé entrevoir
pourquoi il était si important d'arrêter le Chacal,
et Valentin lui avait assuré que le filet posé autour
d'Égletons aurait des mailles si serrées qu'une anguille ne passerait pas à travers.

Depuis la Haute-Chalonnière, le Chacal fit rendre
à la petite Renault tout ce qu'elle pouvait en la
poussant dans les collines en direction de Tulle,
vers le sud.

D'après ses déductions, les policiers à sa poursuite avaient dû atteindre Égletons au petit jour ;
le serveur du café parlerait, le chauffeur du taxi
parlerait. Ils seraient sûrement au château dès le
début de l'après-midi.

Bien sûr, c'était un Anglais blond qu'ils recherchaient mais le jeu n'en commençait pas moins à
devenir de plus en plus dangereux.

A dix-huit kilomètres d'Égletons, il déboucha sur
la R. N. 89. Tulle était encore à vingt kilomètres.
Il jeta un coup d'œil à sa montre. Dix heures moins
vingt. Comme la Renault disparaissait dans une
courbe après une longue ligne droite, un petit
convoi automobile surgit descendant d'Égletons.
Il se composait d'une voiture de police et de deux
cars. Au milieu de la ligne droite, le convoi s'arrêta
et aussitôt six policiers s'activèrent à dresser un
barrage fait de hérissons de métal.

— Comment ça, il est parti ? rugit Valentin à
la femme du chauffeur en larmes. Et où est-il allé ?

— Je sais pas, m'sieur. Je sais pas. Tous les
matins, il stationne devant la gare en attendant
le train qui vient d'Ussel. S'il n'y a pas de clients,
il revient ici et il bricole dans le garage. S'il ne
revient pas, c'est qu'il a trouvé une course à faire.

Valentin promena autour de lui un regard sombre.
A quoi bon houspiller cette femme. Elle n'y était
vraiment pour rien.

— Et il n'a pas conduit quelqu'un quelque part
vendredi matin ? s'enquit-il d'un ton plus patient.

— Oui, m'sieur. Il était rentré de la gare où y
avait personne et on a appelé du café pour le
demander. Il avait démonté une roue ; alors il
était dans tous ses états à l'idée qu'il allait perdre
un client. Enfin, il a fait sa course mais il ne m'a
jamais dit où il l'avait emmené. (Elle renifla.)
C'est pas souvent qu'il me parle, précisa-t-elle
en guise d'explication.

Valentin lui donna une petite tape sur l'épaule.

— Allons, madame, ne vous tourmentez pas.
Nous attendrons son retour. Il se tourna vers l'un
de ses brigadiers. Placez un homme à la gare, un
autre sur la place, un autre au café. Dès qu'il
arrive, je veux le voir immédiatement.

Il quitta le garage et regagna sa voiture.

— Au commissariat, dit-il.

Il avait installé son Q. G. opérationnel au bureau
de police d'Égletons qui depuis bien des années
n'avait pas connu une telle activité.

Dans un ravin, à dix kilomètres de Tulle, le Chacal expédia la valise contenant tous ses vêtements anglais et le passeport d'Alexander Duggan. La valise fit un plongeon par-dessus le parapet du pont et disparut en s'écrasant dans l'épaisse végétation au fond de la gorge.

Après avoir roulé dans Tulle jusqu'à ce qu'il eût repéré la gare, il alla parquer la voiture dans une petite rue tranquille à une centaine de mètres et revint à pied vers la gare, portant ses deux valises et son sac.

— Une seconde, aller simple pour Paris, dit-il au guichet des billets. C'est combien ?

Il considéra par-dessus ses lunettes l'employé assis derrière sa grille.

— Quatre-vingt-dix-sept nouveaux francs.

— Et à quelle heure est le prochain train ?

— Onze heures cinquante. Vous avez une bonne heure d'attente. Il y a un buffet au bout du quai.

Le Chacal ramassa ses bagages et se dirigea vers le portillon. Le poinçonneur lui perfora son billet en annonçant : Paris, quai 1.

Comme le Chacal débouchait sur le quai, un uniforme bleu lui barra la route.

— Vos papiers, s'il vous plaît.

C'était un tout jeune C. R. S. qui réussissait mal, en dépit de ses efforts, à prendre un air inquisiteur. Le Chacal posa ses valises une fois de plus et tendit son passeport.

Le C. R. S. le lui prit des mains et le feuilleta sans comprendre un mot.

— Vous êtes danois ?

— Pardon ?

— Vous... Danois ?

Il tapotait la couverture du passeport. Le Chacal arbora un large sourire et acquiesça avec énergie.

— *Danske... ja, ja.*

Le C. R. S. lui rendit son passeport et d'un vague signe de tête lui désigna le quai à peu près désert. Puis, sans plus s'intéresser à cette espèce de prêtre étranger, il s'avança pour arrêter au passage un autre voyageur qui venait de franchir le portillon.

Louis ne rentra qu'aux environs d'une heure et, à en juger par sa mine un peu congestionnée, il avait dû siroter un ou deux verres de trop.

Aux cent coups, Ernestine s'empressa de lui raconter sa dramatique et inexplicable aventure. Louis aussitôt prit l'affaire en main.

— Je vas monter jusqu'à la fenêtre pour me rendre compte, déclara-t-il.

Non sans peine, il réussit à mettre l'échelle d'aplomb contre les briques en saillie de la façade et grimpa en vacillant de façon inquiétante de barreau en barreau.

Cinq minutes après, il redescendait.

— Elle est endormie, la baronne, annonça-t-il.

— Jamais elle dort si tard, protesta Ernestine.

— Ça se peut, mais aujourd'hui c'est comme ça, insista Louis. Et faut pas la déranger.

Le train de Paris avait un léger retard. Lorsqu'il entra en gare de Tulle, la pendule sur le quai disait presque midi. Parmi les voyageurs qui montèrent dans le train se trouvait un pasteur aux cheveux grisonnants. Il prit un coin dans un compartiment qui n'était occupé que par deux femmes d'un certain âge, chaussa son nez de lunettes cerclées d'or, tira de son sac de voyage un album grand format sur les églises de France et se plongea dans la lecture. La voix de l'employé annonçant le départ dans un haut-parleur lui apprit que le train arriverait à Paris à huit heures dix du soir.

Charles Bobet, planté sur le bord de la route à côté de son taxi immobilisé, regarda sa montre et lâcha un chapelet de jurons. Une heure et demie. Il devrait être en train de boire tranquillement son jus et le voilà coincé sur un bout de route entre Égletons et Lamazière. Tout ça pour un arbre de transmission cassé. Merde, la vraie poisse. Il pourrait laisser la bagnole sur place et marcher jusqu'au prochain village, arrêter le car d'Égletons, et revenir dans la soirée avec la dépanneuse. Mais les serrures des portières ne fonctionnent plus depuis longtemps et il a peur que tous ces sales mômes des fermes voisines mettent son véhicule à sac. Mieux vaut attendre le passage d'un camion qui le ramènera à Égletons.

Et son ventre creux le tenaille. Enfin, il y a une bouteille dans le coffre à gants. Mais maintenant il n'en reste pas lourd. Ça donne soif de travailler sous un châssis.

Il grimpa à l'arrière de sa voiture pour attendre. On crève de chaud sur la route et si un camion s'amène, il l'entendra bien à temps pour descendre lui faire signe.

Il se renfonce contre la banquette et tombe dans un profond sommeil.

— Comment ça, il n'est pas rentré? Mais enfin, où est-il ce bougre? tonna le commissaire Valentin dans le téléphone.

Assis dans son bureau du commissariat d'Égletons, il avait appelé un de ses acolytes au garage du chauffeur de taxi. Au bout de la ligne, il y eut un bredouillement d'excuses. Valentin raccrocha brutalement l'appareil. Depuis le matin lui étaient parvenus des rapports radio de toutes les voitures de patrouille installées aux barrages routiers. Personne ressemblant de près ou de loin à un grand Anglais blond n'avait été entrevu dans un rayon de vingt kilomètres autour d'Égletons.

Maintenant, le silence était revenu sur la place du marché assoupie dans la grosse chaleur de l'été comme si les deux cents policiers venus d'Ussel et de Clermont n'y avaient jamais débarqué.

Vers quatre heures seulement Ernestine réussit à convaincre Louis.

— Faut que tu remontes là-haut pour réveiller Madame, dit-elle à Louis d'un ton pressant. C'est pas naturel de rester endormie comme ça toute la journée.

Le vieux Louis qui ne voyait aucun argument valable à opposer à cette injonction d'Ernestine gravit à nouveau les barreaux de l'échelle, cette fois d'un pied plus sûr que la précédente et enjamba le seuil de la fenêtre.

Ernestine le surveillait d'en bas.

Au bout de quelques instants, la tête du vieux réapparut.

— Ernestine, dit-il d'une voix étranglée. On dirait bien que Madame est morte.

Il était sur le point de redescendre par le même chemin quand Ernestine lui cria d'ouvrir la porte de la chambre du dedans.

Ensemble, ils se penchèrent sur le bord du drap rabattu au niveau des yeux grands ouverts et sans vie de Colette de La Chalonnière.

Ernestine réagit la première.

— Louis.

— Oui.

— Tu vas descendre tout de suite au village pour aller chercher le docteur Mathieu. Dépêche-toi.

Quelques minutes plus tard, Louis pédalait de toute l'énergie de ses jambes encore flageolantes. Il trouva le docteur qui avait soigné toutes les maladies des habitants de Haute-Chalonnière depuis quarante ans, endormi sous l'abricotier au fond de son jardin. Le vieux médecin déclara qu'il venait immédiatement.

A quatre heures et demie il entrait dans la cour du château au volant de sa bruyante 2 C. V. et un quart d'heure après, lorsqu'il eut achevé son examen pour se retourner vers les deux vieux domestiques figés sur le seuil de la pièce, il déclara :

— Votre patronne est morte. Elle a eu la nuque brisée. Il faut prévenir les gendarmes immédiatement.

Le brigadier Pouillon était un homme méthodique. Il avait pleinement conscience du sérieux de sa fonction et de la nécessité de relever la succession des faits. D'un stylo-bille appliqué et la langue à demi tirée, il recueillit les dépositions successives d'Ernestine, de Louis et du docteur assis autour de la table de la cuisine.

— Il n'y a pas de doute qu'il s'agit d'un meurtre, déclara-t-il lorsque le docteur eut signé sa déclaration. Le suspect numéro 1 est cet Anglais qui habitait ici et qui a disparu avec la voiture de Mme de La Chalonnière. Je vais signaler l'affaire au commissariat d'Égletons.

Sur quoi il enfourcha sa bicyclette et s'éloigna à grands coups de pédale le long de la grande allée du château.

Claude Lebel appela le commissaire Valentin de Paris à six heures et demie.

— Alors, Valentin ?

— Rien encore. Les barrages routiers sont en place depuis la fin de la matinée. Il doit être encore à l'intérieur du cercle... à moins qu'il n'ait filé après avoir abandonné la voiture. Ce fichu chauffeur de taxi n'a pas encore refait surface... Attendez, voilà un rapport qui arrive.

Il y eut une pause au bout du fil et Lebel entendit Valentin qui parlait avec un interlocuteur au débit précipité, puis la voix de Valentin résonna dans l'appareil.

— Nom de Dieu ! explosa-t-il, mais qu'est-ce qui se passe dans le secteur ? On me signale un meurtre maintenant.

— Où ça ? demanda vivement Lebel.

— Dans un château des environs. Le rapport m'est transmis à l'instant par la gendarmerie.

— Quel est le nom de la victime ?

— C'est la propriétaire du château. Attendez...
la... la baronne de La Chalonnière.

Caron vit Lebel devenir très pâle.

— Valentin, écoutez-moi bien. C'est lui. Il a
filé, naturellement?

L'écho d'un rapide échange de répliques s'éleva
au bout de la ligne.

— Oui, dit Valentin. Il est parti ce matin avec
la voiture de la baronne. Une Dauphine. Le jardinier n'a découvert le corps que cet après-midi.
Il la croyait endormie...

— Vous avez le numéro et le signalement exact
de la voiture?

— Oui.

— Alors, lancez un avis de recherches général.
Plus besoin de secret maintenant. Il s'agit d'épingler un assassin. Dès que vous avez quelque chose,
prévenez-moi.

Lebel raccrocha.

— Bon Dieu, fit-il, vraiment je commence à
devenir lent. Le nom de La Chalonnière figurait
sur la liste des clients de l'hôtel du Cerf la nuit
où le Chacal y a couché.

La voiture fut retrouvée dans une petite rue
de Tulle à sept heures et demie par un agent qui
faisait une ronde. Un quart d'heure plus tard il
était de retour au commissariat.

Dix minutes encore s'écoulèrent avant que
Tulle eût pris contact avec Valentin. Le commissaire appela Lebel à huit heures cinq.

— A trois cents mètres environ de la gare, pré-
cisa-t-il.

— Vous avez un horaire des chemins de fer sous la main ?

— Oui. Sûrement. On va le chercher.

— Trouvez-moi l'heure du train du matin pour Paris et l'heure d'arrivée à Austerlitz. Vite, hein, le plus vite possible.

Au bout d'un instant de silence, Valentin déclara :

— Il n'y a que deux trains par jour. Celui du matin part à onze heures cinquante et arrive à Paris à... voyons... à huit heure dix.

Lebel ne prit même pas le temps de raccrocher et se rua vers la porte du bureau en criant à Caron de le suivre.

L'express de huit heures dix pénétra lentement en gare d'Austerlitz sans une minute de retard. Parmi le flot des voyageurs qui envahit aussitôt le quai se trouvait un grand pasteur grisonnant avec un col dur blanc. Il atteignait l'un des tout premiers la file des taxis en attente et lança ses trois bagages à l'intérieur de la Mercedes Diesel.

Le chauffeur rabattit la manette de son compteur et amorça un virage pour sortir de la cour. Comme il franchissait la grille, l'écho d'une sirène de police à deux tons s'éleva à proximité, par-dessus les rumeurs de la circulation. Le chauffeur laissa passer une file de voitures le long du quai, profita d'un moment de répit du trafic pour braquer brusquement en traversant la chaussée. Au moment où le taxi accélérait en direction du pont d'Austerlitz, le Chacal entrevit par la portière trois voitures de police et un panier à salade qui s'engouffraient dans la cour de la gare à l'autre extrémité et stoppaient dans un crissement de pneus le long du trottoir à hauteur de la sortie « Grandes Lignes ».

— Eh ben, y z'ont l'air pressés les poulets, fit remarquer le chauffeur de taxi. Où je vous conduis, m'sieur l'abbé ?

Le pasteur lui donna l'adresse d'un petit hôtel du quai des Grands-Augustins.

Claude Lebel était de retour dans son bureau à neuf heures. Il y trouva un message lui demandant d'appeler le commissaire Valentin au commissariat de Tulle. Cinq minutes plus tard, il obtenait la communication. Tandis que Valentin parlait, il griffonnait rapidement des notes sur un feuillet de papier.

— Vous avez relevé les empreintes dans la voiture ? demanda Lebel.

— Bien sûr et d'autres aussi dans la chambre du château. On en a une collection complète. Toutes concordent.

— Expédiez-les-nous le plus vite possible.

— D'accord. Voulez-vous que je vous envoie aussi le C. R. S. factionnaire de la gare de Tulle ?

— Non, merci. Il n'aura rien de plus à dire. Merci de votre aide, Valentin, vos hommes vont pouvoir souffler un peu. Maintenant c'est à nous de jouer.

— Vous êtes sûr que c'est le pasteur danois ? demanda Valentin. Ce pourrait être une coïncidence.

— Non, répliqua Lebel. C'est sûrement lui. Il a

bazardé l'une de ses valises que vous trouverez
sans doute quelque part entre la Haute-Chalonnière et Tulle. Mais, pour le reste des bagages, pas
d'erreur.

Et il raccrocha.

— Un pasteur, cette fois, dit-il amèrement à
Caron. Un pasteur danois. Nom inconnu... Le
C. R. S. ne s'en souvient pas naturellement. Toujours la même chose, la petite défaillance imprévisible : le chauffeur de taxi qui s'endort, le jardinier
trop stylé, le C. R. S. qui manque de mémoire.
En tout cas, je peux vous dire une chose, Lucien,
c'est ma dernière affaire. Je suis trop vieux. Et
trop lent. Après ça, je prends ma retraite. Vous,
faites prévenir le chauffeur. Il va être temps d'aller
se faire retourner sur le gril.

Au ministère de l'Intérieur, le climat était particulièrement tendu dans la salle de réunions. Durant
plus d'une demi-heure les membres de la commission écoutèrent Lebel leur exposer l'enchaînement
des insuccès de la journée.

— Enfin avec tout ça, intervint le premier
Saint-Clair lorsqu'il eut terminé, le tueur est bel
et bien à Paris maintenant avec une identité et
un visage nouveaux. Si je ne me trompe, vous avez
encore échoué, mon cher commissaire.

— Remettons les remontrances à plus tard,
voulez-vous, coupa le ministre. Combien y a-t-il
de Danois ce soir à Paris ?

— Plusieurs centaines probablement, monsieur
le Ministre.

— Peut-on en établir et en vérifier la liste ?

28

— Seulement demain matin quand toutes les fiches d'hôtel arriveront à la préfecture, dit Lebel.

— Je peux prendre des dispositions pour que des vérifications soient opérées dans tous les hôtels à minuit, deux heures et quatre heures, proposa le préfet de police.

— En admettant, bien entendu, qu'il soit descendu dans un hôtel, fit observer Lebel.

Cette remarque lui attira quelques regards dénués d'aménité.

— Au point où nous en sommes, messieurs, je ne vois qu'une mesure à envisager, dit le ministre. Je vais demander une nouvelle audience au Président et le prier d'annuler toutes ses apparitions publiques jusqu'à ce qu'on ait retrouvé cet homme et qu'on l'ait mis hors d'état de nuire. Entre-temps, il sera bien entendu procédé à des vérifications d'identité de tous les Danois séjournant à Paris. Puis-je compter sur vous, commissaire ? Et sur vous, monsieur le Préfet ?

Lebel et Papon acquiescèrent.

— Eh bien, messieurs, la séance est levée.

— Ce qui me fiche vraiment en boule, confia Lebel à Caron un peu plus tard dans leur bureau, c'est qu'ils ont l'air de croire que tout tient à sa chance et à notre bêtise. De la chance, il en a eu, d'accord, mais il est aussi drôlement habile. Et puis nous, nous en avons manqué de chance, et nous avons fait des boulettes... Enfin, j'ai fait des boulettes... Le pire, c'est qu'on l'a plusieurs fois loupé d'un cheveu. Et comme par hasard, chaque fois, c'est le lendemain du jour où j'ai annoncé au ministre qu'on le tenait, que c'était dans la poche. Lucien, mon vieux, je crois que je vais utiliser mes pouvoirs illimités et jouer un peu de la table d'écoute.

Accoudé à la barre d'appui de la fenêtre, il considérait au-delà de la Seine où passait lentement un bateau-mouche brillamment éclairé et chargé de touristes, les superstructures indistinctes du Quartier latin.

A trois cents mètres de là, un autre homme, également penché à sa fenêtre, considérait pensivement, dans la nuit d'été, la longue et massive façade de la Préfecture à gauche des tours de Notre-Dame illuminées.

Il portait un pantalon noir et un léger polo de soie par-dessus une chemise blanche avec un rabat noir.

Et tandis que les deux hommes se regardaient sans le savoir de part et d'autre de la Seine, l'heure s'égrena çà et là, proche ou lointaine, au-dessus des toits de la ville. La journée du 22 août commençait.

TROISIÈME PARTIE

Anatomie d'un meurtre

21

Claude Lebel commençait mal la nuit. Il était une heure et demie et à peine s'était-il assoupi que Caron le secouait avec insistance.

— Patron, excusez-moi, hein, mais il m'est venu une idée. Ce type, le Chacal, a un passeport danois, non ?

Lebel s'ébroua pour mieux se réveiller.

— Continuez.

— Il l'a bien ramassé quelque part ce passeport. Ou il l'a volé, ou c'est un faux. Mais puisqu'il a changé la couleur de ses cheveux, on peut à la rigueur pencher pour le vol de préférence.

— Logique, ensuite ?

— Eh bien, à part son voyage de reconnaissance à Paris en juillet, c'est bien à Londres qu'il avait son camp de base. Il a donc dû voler son passeport dans l'une de ces deux villes. Autrement dit, il y a des chances pour qu'une déclaration de perte ait été enregistrée au consulat du Danemark.

Lebel d'un coup de reins se leva de son lit de camp.

— Mon cher Lucien, fit-il en souriant, je me dis quelquefois que vous irez loin. Demandez-moi, dans l'ordre, le commissaire Thomas et le consul général du Danemark à Paris. Tous deux à leur domicile.

Au bout d'une bonne heure de conversation téléphonique, il avait réussi à persuader les deux hommes de quitter leur lit, de s'habiller et de se rendre à leurs bureaux respectifs. Il était environ trois heures du matin lorsque Lebel regagna sa couchette.

A quatre heures, un coup de fil de la Préfecture lui annonça que plus de neuf cent quatre-vingts fiches avaient été remplies par des ressortissants danois dans les hôtels de la capitale et qu'on était en train d'opérer leur triage en trois catégories : probable — possible — et divers.

A six heures, il était toujours réveillé et buvait du café lorsque lui parvint une communication des spécialistes de la D. S. T. à qui il avait donné des instructions juste après minuit. On avait capté une conversation intéressante. Aussitôt, il sauta dans une voiture avec Caron pour se rendre au standard spécial du service. Dans un laboratoire en sous-sol, on leur fit écouter une bande magnétique. Après un déclic sonore, venait une série de bourdonnements correspondant à la formation d'un numéro de sept chiffres. Ensuite ce fut une succession de sonneries jusqu'au déclic annonçant qu'on avait décroché.

— Allô, fit une voix un peu rauque.

— Ici, Jacqueline, répondit une voix de femme.

La voix d'homme annonça : « Ici Valmy. »

Très vite, la femme déclara :

— Ils savent qu'il est en pasteur danois. Des vérifications de fiches dans tous les hôtels sont prévues à minuit, deux heures et quatre heures.

Après un court silence, la voix d'homme dit merci et la communication fut interrompue.

Lebel considéra la bobine qui tournait lentement sur son axe.

— Vous avez noté le numéro qu'elle a appelé ? demanda Lebel à l'un des techniciens.

— Bien sûr. Avec les variations de durée dans le retour du ressort, c'est facile. Le voilà votre numéro : Molitor 59.01.

— Et vous avez l'adresse ?

L'homme lui tendit un bout de papier. Lebel y jeta un coup d'œil.

— Allez, Lucien. En route. On va aller faire une petite visite à M. Valmy.

Le professeur était en train de se concocter un chocolat en poudre sur le réchaud à gaz lorsque les coups retentirent à la porte. Il était sept heures.

Sourcils froncés, il sortit de la cuisine, traversa le salon et alla ouvrir. Quatre hommes se tenaient devant lui sur le palier. Les deux qui étaient en uniforme semblaient prêts à lui sauter dessus. Le plus petit, l'air d'un père tranquille, leur fit signe de ne pas bouger.

— Nous avons mis la ligne sur la table d'écoute, dit calmement le petit homme. Vous êtes Valmy.

Le professeur ne donna aucun signe d'émotion. Il recula d'un pas et les laissa franchir le seuil.

— Je peux m'habiller ? demanda-t-il.

— Mais oui, bien sûr.

Il ne lui fallut que quelques minutes, sous l'œil vigilant des deux flics en uniforme, pour passer un pantalon et une chemise sans même se soucier d'ôter son pyjama.

Le policier en civil, le plus jeune, était resté près de la porte. L'autre faisait un tour d'inspection de l'appartement, examinait les piles de livres et les papiers.

— Il faudra des semaines pour répertorier tout ça, Lucien, dit-il et, du seuil de l'appartement, le jeune acquiesça.

— Enfin, c'est pas notre boulot, Dieu merci !

— Vous êtes prêt ? demanda le petit homme au professeur.

— Oui.

— Accompagnez-le jusqu'à la voiture.

Une fois les quatre acolytes partis, le commissaire s'attarda dans l'appartement pour étudier de plus près les documents sur lesquels, apparemment, le professeur avait travaillé la nuit précédente. Sans doute ne devait-il guère bouger de chez lui pour ne pas manquer les coups de fil éventuels du Chacal.

Dix secondes plus tard retentissait la sonnerie du téléphone. Lebel considéra l'appareil sans bouger durant plusieurs secondes. Puis il tendit la main et décrocha.

— Allô ?

La voix à l'autre bout du fil était neutre, plate, sans timbre.

— Ici Chacal.

Lebel réfléchissait de toutes ses forces.

— Ici Valmy, dit-il, puis il s'arrêta. Il ne savait pas quoi ajouter.

— Quoi de neuf ? demanda la voix au bout de la ligne.

— Rien. Ils ont perdu la trace en Corrèze.

Lebel sentait son front se couvrir de sueur. Il
était vital que le Chacal restât où il était encore
quelques heures. Il y eut un déclic et la communication fut coupée. Lebel raccrocha et dévala l'escalier quatre à quatre jusqu'à la voiture.

— Au bureau, vite, lança-t-il au chauffeur.

Enfermé dans la cabine téléphonique au rez-
de-chaussée, le Chacal, perplexe, regardait sans
le voir, à travers le panneau vitré, le hall d'entrée
de l'hôtel donnant sur le quai.

Rien ? Rien c'était vraiment trop peu. Ils avaient
sûrement retrouvé le chauffeur de taxi d'Égletons
et découvert le cadavre au château de la Chalonnière. Ils avaient dû retrouver aussi la Dauphine
abandonnée à Tulle et questionné le personnel de
la gare... Et d'ailleurs, Valmy avait une drôle de
voix, un peu étouffée, tendue...

Il sortit de la cabine et alla droit à la réception.

— Voulez-vous me préparer ma note, dit-il à
l'employé. Je redescends dans cinq minutes.

L'appel du commissaire Thomas parvint à Lebel
à sept heures trente alors qu'il entrait dans son
bureau.

— Excusez-moi de mon retard, dit le policier
britannique. Il m'a fallu un temps fou pour remuer
ces Danois. Mais vous aviez raison. Le 14 juillet,
un pasteur danois a signalé la perte de son passeport. Il pensait qu'on le lui avait volé dans sa
chambre d'hôtel — un hôtel du West End — mais

il n'a pu fournir aucune preuve. Du coup, il n'a pas déposé plainte. Voilà son nom : Pasteur Per Jensen, de Copenhague. Signalement : 1 m 80 — yeux bleus, cheveux gris.

— C'est bien lui. Merci, commissaire.

Lebel raccrocha et se tourna vers Caron.

— Demandez-moi la Préfecture.

Les quatre cars de police arrivèrent au quai des Grands-Augustins à huit heures et quart. Le trajet n'avait pas été long à parcourir. Les policiers mirent la chambre 37 sens dessus dessous jusqu'à ce qu'elle donnât l'impression d'avoir été ravagée par une tornade.

— Je suis désolé, monsieur le Commissaire, dit le propriétaire au policier à l'air défait qui dirigeait l'opération. Le pasteur Jensen est parti il y a environ trois quarts d'heure.

Le Chacal avait sauté dans un taxi et s'était fait ramener à la gare d'Austerlitz où il avait débarqué la veille, estimant que c'était l'un des derniers endroits où on irait le chercher maintenant.

Il déposa à la consigne la valise contenant le fusil et la capote et le costume du Français fictif André Martin et ne conserva que celle où se trouvaient les vêtements et les papiers de l'étudiant américain Marty Schulberg, plus le sac avec tout le nécessaire de maquillage.

Toujours vêtu de son complet noir, mais avec un col roulé cachant son rabat de pasteur, il se rendit dans un hôtel minable à proximité de la gare.

Un jeune garçon blafard, à l'œil morne, aussi

crasseux que le décor avec lequel il semblait se
confondre, lui tendit une fiche à remplir sans lui
demander son passeport et lui remit une clef en
articulant péniblement « deuxième étage ».

Enfermé dans sa chambre, le Chacal se mit aussitôt au travail sur son visage et ses cheveux. A
l'aide d'un solvant spécial, il fit disparaître la
teinture grise et sa chevelure blonde réapparut
intacte. Quelques minutes plus tard, elle reper-
dait sa couleur naturelle retrouvée au profit d'une
nuance châtain foncé qui correspondait à la teinte
des cheveux de Marty Schulberg.

Il ne toucha pas aux lentilles de contact bleues
mais remplaça les lunettes cerclées d'or par de
grosses lunettes à monture épaisse de style très
américain. Chaussures montantes, chaussettes, chemise, rabat et complet noir furent empilés dans
une valise avec le passeport du pasteur Jensen.
Le Chacal les avait remplacés par des mocassins,
un blue-jean, un T-shirt et un blouson de toile
avec un écusson du collège de Syracuse, dans l'État
de New York.

Vers dix heures du matin, avec le passeport du
jeune Américain dans une poche et une liasse de
billets français dans l'autre, il était à nouveau prêt
à passer à l'action.

La valise contenant la défroque du pasteur Jensen une fois bouclée dans l'armoire, il en cacha
la clef sous un bout de lino déchiré à la base du
lavabo puis, et sans difficulté majeure, il réussit
à filer par l'échelle de secours donnant sur l'arrière-
cour et l'on n'eut plus jamais de ses nouvelles
dans cet hôtel miteux.

Peu après il déposait de nouveau son sac de

voyage à la consigne de la gare voisine et montait
dans un taxi. Il se fit déposer à l'angle du boulevard Saint-Michel et de la rue de La Huchette et
se perdit dans la foule bigarrée des étudiants,
des semi-clochards et des touristes qui se pres-
saient dans cette annexe grouillante et pseudo-
orientale du Quartier latin.

Assis au fond d'un vague bistrot grec enfumé
devant un déjeuner graisseux, il commença à se
demander où il passerait la nuit suivante. Lebel,
c'était probable, avait maintenant démasqué le
faux pasteur danois. Quant à Marty Schulberg
il ne lui accordait guère plus de vingt-quatre heures.
Il fallait donc aviser, songea-t-il sombrement et,
de toutes ses dents, il décocha un brillant sourire
à la petite serveuse brune qui lui apportait son
café.

A dix heures du matin, Lebel relançait une fois
de plus Thomas à Londres. Sa requête suscita un
grognement indistinct de la part de son interlocuteur mais Thomas répondit néanmoins avec
courtoisie qu'il ferait tout son possible.

Dès qu'il eut raccroché, il convoqua l'inspecteur
qu'il avait chargé de l'enquête la semaine précédente.

— Bon. Asseyez-vous, dit-il. Ces sacrés Français ont encore manqué leur coup. Maintenant,
leur bête noire est en plein Paris, et très probablement avec une nouvelle identité d'emprunt. Il
s'agit donc pour nous d'appeler tous les consulats
de Londres pour établir une liste des passeports
signalés volés ou perdus depuis le 1er juillet. Lais-

sez tomber les Noirs ou les Orientaux. Pour chaque
cas, notez bien la taille du personnage. Tout individu dépassant 1 m 75 est suspect. Exécution.

La réunion quotidienne au ministère de l'Intérieur avait été avancée à deux heures de l'après-
midi.

Lebel exposa son rapport de sa même voix
monotone et posée mais reçut un accueil particulièrement froid.

— C'est incroyable, s'exclama le ministre au
beau milieu de l'exposé. Ce type a vraiment trop
de chance.

— Non, monsieur le Ministre, ce n'est pas de la
chance. Du moins pas entièrement. Il a été constamment tenu au courant de nos démarches et
des progrès de notre enquête. C'est bien ce qui
explique son départ précipité de Gap, le meurtre
de Mme de La Chalonnière et ainsi de suite. Chaque
soir, j'ai fait mon rapport au cours de cette commission. Trois fois nous avons failli mettre la main
dessus. Ce matin, je reconnais que je n'ai pas été
capable de me faire passer pour Valmy au téléphone mais dans les deux premiers cas, il a été
prévenu dans le courant de la nuit même ou le
lendemain très tôt.

Un lourd silence plana dans la grande salle.

— Puis-je vous rappeler, commissaire, dit le
ministre d'un ton sec, que vous avez déjà formulé
cette suggestion. J'espère que vous pouvez fournir des preuves à l'appui.

Pour toute réponse, Lebel posa un petit magnétophone à transistors sur la table et le mit en mar-

che. Dans le silence de la pièce, la conversation captée au téléphone avait des accents métalliques et un peu nasillards.

Lorsque Lebel arrêta la bande, l'assistance entière regardait fixement l'appareil. Le colonel Saint-Clair de Villauban était devenu d'un gris cendreux et ses mains tremblaient légèrement tandis qu'il rassemblait d'un geste machinal les papiers épars devant lui.

— Pouvez-vous mettre un nom sur cette voix? demanda enfin le ministre.

Lebel ne répondit pas. Lentement, Saint-Clair de Villauban se leva et tous les regards convergèrent vers lui.

— J'ai le grand regret de vous informer... monsieur le Ministre... que c'est la voix... d'une de mes... amies. Elle vit actuellement avec moi... Veuillez accepter mes excuses.

Sans que personne esquissât un geste, murmurât un mot, il se dirigea vers la porte, la démarche raide, sa serviette mal fermée à la main. On l'entendit balbutier... Rentre à l'Élysée... Lettre de démission... Et il disparut.

Tous les membres de la commission, immobiles, considéraient la table devant eux. Nul ne souffla mot.

— Très bien, commissaire, enchaîna le ministre d'une voix très calme. Vous pouvez continuer.

Lebel reprit son rapport, expliqua comment il avait prié Thomas de lui établir un relevé de tous les passeports signalés manquants depuis deux mois.

— J'espère, conclut-il, avoir déjà un début de liste dans la soirée. Dès que je serai informé, je demanderai qu'on me fasse parvenir dans les plus brefs délais les photos des intéressés. Nous pouvons être certains maintenant que le Chacal s'efforcera de ressembler à celui dont il usurpe actuellement l'identité. Avec un peu de chance, j'espère avoir ces photos demain à midi, à moins qu'il ne faille les faire venir d'un pays très éloigné.

— Pour ma part, enchaîna le ministre, je peux vous faire part de mon entretien avec le général de Gaulle. Il a refusé net de modifier d'un iota le programme de ses déplacements. Très franchement, c'était à prévoir. Toutefois, j'ai obtenu une concession de sa part. Il est possible d'envisager la levée de l'interdiction concernant la publicité faite à cette affaire. Le Chacal est maintenant un vulgaire assassin. Il a tué la baronne de La Chalonnière chez elle au cours d'un cambriolage dont l'objectif était un vol de bijoux. Il y a tout lieu de croire qu'il est venu se terrer à Paris.

« Voilà ce qui sera publié dans les journaux du soir, du moins les dernières éditions. Dès que vous serez certain de sa nouvelle identité ou que vous aurez le choix entre deux ou trois noms, vous serez autorisé, commissaire, à révéler ce ou ces noms à la Presse.

« Lorsque la photo du propriétaire du passeport volé ou perdu vous parviendra demain, vous pourrez également la communiquer aux journaux du soir et à l'O. R. T. F. en vue d'une diffusion générale de l'affaire.

« Par ailleurs, dès que nous aurons un nom, des vérifications d'identité seront effectuées en ville sur une grande échelle. »

Le préfet de police, le chef des C. R. S. et le

directeur de la P. J. prenaient rapidement des notes.

— Quant à la D. S. T., reprit le ministre, elle opérera des vérifications de tous les sympathisants O. A. S. notoires figurant sur ses fichiers.

Le ministre marqua une courte pause et poursuivit :

— La P. J. mobilisera tous ses inspecteurs disponibles ou non et les affectera à une chasse à l'homme sans merci. Quant à l'Élysée même, il faut à coup sûr que je sois au courant de tous les déplacements envisagés par le chef de l'État, même s'il n'est pas informé des mesures exceptionnelles prises pour assurer sa sécurité... Et, bien entendu, je peux compter sur le service de sécurité personnelle de la Présidence pour faire preuve d'une vigilance accrue... commissaire Ducret ?

Jean Ducret, chef de la garde personnelle du général de Gaulle, inclina la tête.

— La Brigade criminelle — le ministre lança un coup d'œil au commissaire Bouvier — mobilisera tous les informateurs qu'elle possède dans la pègre pour qu'ils s'emploient à retrouver cet homme dont il leur sera fourni un signalement complet.

Maurice Bouvier acquiesça brièvement, l'air impassible. En fait, s'il avait assisté à bien des chasses à l'homme au long de sa carrière, celle-là lui semblait prendre des dimensions exceptionnelles. Dès que Lebel aurait fourni un nom et un numéro de passeport, ce serait une force de près de cent mille hommes qui se lancerait dans le ratissage et l'inspection de toutes les rues, hôtels, bars, restaurants, etc. à la recherche d'un seul homme.

— Ai-je par hasard oublié une source d'information possible ? demanda le ministre.

Le colonel Rolland lança un bref coup d'œil
au général Guilbaud puis au commissaire Bouvier
et se racla la gorge.

— Il y a toujours l'Union corse.

Le général Guilbaud examinait ses ongles.
Bouvier avait l'air furieux. La plupart des autres
semblaient embarrassés. L'Union corse, association issue des Frères d'Ajaccio, fils de la vendetta,
était et demeure le syndicat du crime le plus important et le mieux organisé de France. Selon certains
experts, il était même plus ancien et plus redoutable
que la Mafia. N'ayant jamais émigré comme cette
dernière en Amérique au début de ce siècle, il
avait évité cette publicité qui avait donné à la
Mafia une notoriété mondiale.

A deux reprises déjà, le gaullisme avait fait
appel aux services de l'Union et les deux fois avait
trouvé cette collaboration efficace mais embar-
rassante. Car l'Union demandait toujours une
contrepartie, en général sous la forme d'un relâchement de la surveillance exercée sur l'ensemble
de ses rackets criminels. L'Union avait aidé les
Alliés à débarquer dans le midi de la France
en août 1944 et depuis avait assuré son emprise
sur Marseille et Toulon. Elle avait également
contribué à la lutte contre l'O. A. S. en Algérie après
le mois d'avril 1961, et par la suite avait étendu
ses tentacules vers le nord jusqu'à Paris même.

Maurice Bouvier, en tant que policier, méprisait
cordialement cette organisation, mais il savait
que le service Action de Rolland lui faisait volontiers appel.

— Vous croyez qu'ils pourraient rendre des services ? s'enquit le ministre.

— Si ce Chacal est aussi astucieux qu'on le dit, répondit Rolland, je dois reconnaître que l'Union est mieux que personne en mesure de le retrouver.

— Combien sont-ils à Paris ? demanda le ministre dubitatif.

— Environ quatre-vingt mille. Certains appartiennent à la police. D'autres aux douanes, aux C. R. S., au Service secret. Bien entendu, la majorité constitue la pègre. Et ils sont parfaitement organisés.

— Servez-vous d'eux, dit le ministre.

Aucune autre suggestion ne fut émise.

— Bon, eh bien voilà, commissaire Lebel. Tout ce que nous attendons de vous, c'est un nom, un signalement, une photo. Après quoi, j'accorde au Chacal six heures de liberté au plus.

— En fait, nous disposons de trois jours, intervint Lebel de sa voix douce.

— Expliquez-vous, dit Max Fernet.

Lebel cligna des yeux à plusieurs reprises.

— Je dois vous présenter mes excuses. J'aurais dû y songer beaucoup plus tôt. Depuis près d'une semaine, il me semblait évident que ce Chacal avait un plan et qu'il avait déjà fixé le jour de l'attentat. Quand il a quitté Gap, pourquoi n'est-il pas devenu tout de suite le pasteur Jensen ? Pourquoi n'a-t-il pas pris directement le train pour Paris de Valence ? Pourquoi une fois en France a-t-il passé une semaine à flâner dans le pays ?

— Eh bien, pourquoi ? demanda une voix.

— Parce qu'il a choisi son jour, reprit Lebel. Commissaire Ducret, le Président a-t-il des engagements hors de l'Élysée aujourd'hui, ou demain, ou samedi?

Ducret secoua la tête.

— Et le dimanche 25 août? questionna Lebel.

Il y eut un remous sensible parmi les assistants autour de la grande table.

— C'est évident, murmura le ministre. Le jour de la Libération. Quand je pense que plusieurs d'entre nous ici présents l'accompagnaient ce jour-là en 1944...

— Précisément, dit Lebel. Le Chacal sait bien que pour le général de Gaulle c'est une des dates les plus importantes de sa carrière. Voilà donc la journée qu'il attendait, la journée où, quoi qu'il arrive, le Président apparaîtra en public.

— Vous avez très probablement raison, commissaire. Et, dans ce cas, à mon avis, avec les moyens mis en œuvre, nous le tenons. Coupé de ses sources d'information, il aura beaucoup de mal à s'en tirer. Donnez-nous le nom de cet homme et il n'en réchappera pas.

Claude Lebel se leva et se dirigea vers la porte. Les autres rangeaient leurs dossiers et se préparaient à l'imiter.

— Oh, dites-moi, Lebel, encore une chose, lança le ministre au commissaire. Comment saviez-vous que la ligne à brancher sur la table d'écoute était celle du colonel Saint-Clair?

Lebel, qui s'était arrêté sur le seuil de la pièce, répondit d'un ton mesuré :

— Je ne le savais pas, monsieur le Ministre. Je me suis donc permis hier soir de surveiller les

téléphones de tous les membres de la commission.
Bonsoir, monsieur le Ministre. Bonsoir messieurs.

Cet après-midi-là, à cinq heures, assis devant
une bière à la terrasse d'un café place de l'Odéon,
les yeux abrités du soleil par des lunettes noires
comme en portaient une bonne moitié des autres
consommateurs, le Chacal découvrit la solution
de son problème.

Elle lui vint au spectacle de deux garçons qui
déambulaient sur le trottoir. Il régla sa bière,
se leva et partit. Cent mètres plus loin, il trouva
ce qu'il cherchait, une parfumerie. Il y entra et
fit quelques emplettes.

A six heures du soir, les gros titres des journaux
changèrent. Les dernières éditions proclamaient
en première page : « L'ASSASSIN DE LA BELLE
CHÂTELAINE SE CACHE À PARIS. »

Une photo de la baronne, prise au cours d'une
soirée mondaine cinq ans plus tôt, accompagnait
l'article. Elle avait été dénichée dans les archives
d'une agence de presse et figurait en bonne place
à la une de tous les journaux.

A six heures et demie, un numéro de *France-
Soir* sous le bras, le colonel Rolland entrait dans
un bar discret à proximité de la rue Washington.

Le barman, aux favoris noirs, lui lança un
regard aigu et fit un bref signe de tête en direction
d'un homme qui se tenait à l'autre bout de la
salle. Celui-ci se leva et vint vers Rolland.

— Colonel Rolland ?

Le chef du service Action inclina la tête.

— Veuillez me suivre, s'il vous plaît.

Il le précéda vers le fond de la pièce, en sortit dans un couloir étroit et le conduisit jusqu'à une sorte de petit salon au premier étage qui devait être l'appartement privé du propriétaire. Au bout de ce salon, il frappa à une porte et une voix dit : « Entrez. »

Comme la porte se refermait derrière lui, Rolland saisit la main que lui tendait l'homme qui s'était levé à son entrée.

— Colonel Rolland. Enchanté. Je suis le nouveau capu de l'Union corse. Si je comprends bien, vous êtes à la recherche d'un homme qui...

Le commissaire Thomas rappela Lebel de Londres, à huit heures. La lassitude perçait dans sa voix. La journée n'avait pas été de tout repos. Certains consulats s'étaient montrés compréhensifs. D'autres avaient fait les pires difficultés.

Mis à part les femmes, les Noirs, les Jaunes et les nabots, huit touristes étrangers du sexe mâle avaient perdu leur passeport à Londres, au cours des trois derniers mois. Rapidement, il énuméra la liste complète en précisant à chaque fois les raisons pour lesquelles, taille, poids, nationalité, teint, âge, il lui semblait logique d'éliminer tel ou tel.

— Finalement, il en reste deux, l'un Norvégien, l'autre Américain, précisa Thomas. Tous deux sont grands, athlétiques, entre vingt et cinquante ans. Toutefois, le Norvégien est blond et, à mon avis, le Chacal, après s'être fait passer pour Duggan,

ne serait pas revenu à sa couleur de cheveux
d'origine. En outre, ce Norvégien affirme que
son passeport a glissé de sa poche alors qu'il était
en barque sur la Serpentine à Hyde Park. Par
contre, l'Américain a déclaré officiellement à
l'aéroport de Londres qu'on lui avait volé une
mallette de voyage avec son passeport pendant
qu'il contemplait l'aire d'envol où il avait cru
reconnaître un de ses amis qu'il attendait. Qu'en
pensez-vous ?

— La même chose que vous, répondit Lebel.
Envoyez-moi donc tous les détails sur ce Marty
Schulberg. Je me ferai adresser sa photo par le
bureau des passeports à Washington. Et merci
encore de tout le mal que vous vous êtes donné.

Il y eut une deuxième réunion au ministère
à dix heures du soir. Ce fut, jusque-là, la plus
courte.

Une heure plus tôt, tous les services de sécurité
avaient reçu les informations nécessaires concernant Marty Schulberg, recherché pour meurtre.
Les photos arriveraient, espérait-on, avant le
lendemain matin, à temps pour paraître dans
les éditions des quotidiens.

Le ministre évoqua rapidement la succession
des démarches entreprises par le commissaire
Lebel, précisa que toutes mesures avaient été
prises pour qu'on pût raisonnablement tabler
sur l'arrestation de Chacal avant le lendemain
midi. Puis il conclut en rendant hommage à la
perspicacité de Lebel.

— Et maintenant, permettez-moi de vous

féliciter, commissaire. Vous pouvez considérer
que la responsabilité de l'enquête a cessé de vous
peser sur les épaules. Votre tâche est accomplie.
Elle ne pouvait l'être mieux. Je vous en remercie.

Lebel, l'air gêné, se mit à cligner des yeux,
puis il se leva de son siège et opina du bonnet
en regardant tour à tour les membres de la commission qui lui souriaient avec bienveillance. Puis,
gauchement, il pivota sur les talons et quitta
la pièce.

Pour la première fois depuis dix jours, le commissaire Claude Lebel allait pouvoir coucher dans
son lit. Comme il tournait la clef dans la serrure
de son appartement et essuyait les premiers piaille-
ments de son épouse retrouvée, tintèrent au carillon
de la cuisine les douze coups de minuit annonçant
l'avènement du 23 août.

22

Le Chacal pénétra dans l'établissement à onze heures du soir.

Sous un éclairage tamisé, un bar courait le long du mur de gauche, tapissé d'une série de glaces devant lesquelles s'alignaient verres et bouteilles. Tout au fond la pièce s'élargissait en rotonde où étaient disposées en étoile des tables pour cinq à six personnes.

La plupart des banquettes ainsi que les tabourets du bar étaient occupés par les habitués.

Aux petites tables les plus proches de la porte, les conversations s'étaient arrêtées. Le silence se propagea rapidement vers le fond et quelques instants plus tard, la grande majorité des clients jaugeaient d'un œil expert la silhouette athlétique plantée près de l'entrée. Puis il y eut quelques chuchotements, un ou deux petits rires gloussés.

Le Chacal repéra un tabouret libre au bout du comptoir et alla s'y percher.

— Tu as vu ça, mon chou, murmura une voix derrière lui. Sensass, ces dorsaux...

Le barman ondula jusqu'à l'extrémité du bar

pour voir de plus près le nouveau venu et sur ses
lèvres peintes se forma un sourire enjôleur.

— Bonsoir..., monsieur.

Il y eut un concert de ricanements du côté
des tables.

— Un scotch, commanda le Chacal.

Le barman ravi s'éloigna d'une démarche dan-
sante. Un homme, un homme, on n'allait pas
s'embêter ce soir. Du coin de l'œil, il vit les
« petites folles » dans le fond qui affûtaient leurs
griffes. La plupart attendaient leurs Jules mais
plusieurs étaient disponibles. Cet outsider, songea-t-il, allait faire sensation.

Le voisin le plus proche du Chacal se tourna
vers lui et le dévisagea avec une curiosité marquée.
Il avait des cheveux dorés à reflets métalliques,
ramenés en bouclettes sur le front à la façon d'un
jeune dieu grec. La ressemblance s'arrêtait là.
En dépit de ses yeux faits, de ses lèvres luisantes
rouge corail, de ses pommettes poudrées, tout
ce maquillage ne dissimulait ni les traits tirés de
l'inverti vieillissant ni l'avidité malsaine de son
regard.

— Tu m'invites? fit-il avec une voix de fausset.

Le Chacal secoua lentement la tête. La tante,
avec un haussement d'épaules, se tourna vers son
compagnon et reprit à voix basse une conversation
émaillée de petits rires étouffés.

Le Chacal avait ôté son blouson et comme il
tendait la main vers son whisky, sa puissante mus-
culature roula sous le T-shirt qui lui moulait le
torse.

Le barman était aux anges. Un hétéro? Non,
pas possible. Il ne serait pas entré là-dedans. Et

pas un Jules à la recherche d'une tata, sinon il n'aurait pas rembarré cette pauvre petite Corinne. Non... ça devait être un cas... exceptionnel. Un beau gosse vicelard qui cherchait à se faire draguer par une vieille tantouse.

Décidément, la soirée s'annonçait bien.

Les Jules commencèrent à débarquer vers minuit. Ils allaient s'installer au fond d'où ils pouvaient surveiller la salle et de temps en temps faire signe au barman qui se chargeait de transmettre leurs messages aux « filles ».

— M. Pierre voudrait te dire un mot, chéri. Tâche de te montrer à ton avantage et surtout ne chiale pas comme la dernière fois.

Un quart d'heure plus tard, le Chacal avait fixé son choix. Deux des clients vers le fond de la salle l'observaient depuis un moment. Ils occupaient des tables différentes et de temps à autre échangeaient des regards venimeux. Tous deux étaient entre deux âges.

L'un adipeux, avec des petits yeux bouffis de graisse et une nuque qui cascadait en plis mous sur son col.

L'autre était mince, élégant, avec un cou de vautour et une calvitie artistement garnie de longues mèches collées. Il portait un complet parfaitement coupé avec des pantalons étroits et un flot de dentelle garnissant les poignets de sa chemise dépassait de ses manches. Un foulard de soie négligemment noué autour de son cou complétait sa tenue.

Le gros fit signe au barman et lui chuchota quelque chose à l'oreille. Un billet grand format disparut prestement dans la poche du barman. Il revint de sa démarche glissante vers le comptoir.

— Ce monsieur demande si vous accepteriez de boire une coupe de champagne avec lui, susurra-t-il au Chacal, le sourcil en accent circonflexe.

Le Chacal reposa son verre.

— Dites à ce monsieur, répliqua-t-il à voix haute, qu'il ne m'attire pas du tout.

Il y eut des « oh » et des « ah » horrifiés et plusieurs des jeunes efféminés descendirent avec grâce de leurs tabourets, se rapprochèrent du Chacal pour ne pas perdre un mot de la conversation. Le barman ouvrait de grands yeux effarés.

— Mais il vous offre du champagne, mon chou. On le connaît bien ici. Il est plein aux as. Vous avez fait une touche terrible.

Pour toute réponse, le Chacal se glissa à bas de son tabouret et, son scotch à la main, se dirigea vers l'autre vieux pédé.

— Me permettez-vous de m'asseoir à votre table, dit-il. Cet individu n'est pas tolérable.

L'élu du Chacal manqua s'évanouir de joie. Quelques minutes plus tard, le gros poussah, visiblement encore sous le coup de l'affront qu'il avait subi, sortait du bar, l'air furieux, tandis que son rival, une main osseuse négligemment posée sur celle du jeune Américain installé près de lui, confiait à son nouvel ami que certaines personnes avaient vraiment des manières odieuses.

Le Chacal et son compagnon quittèrent le bar à une heure passée. Quelques minutes plus tôt seulement, le maigre et élégant homosexuel qui s'appelait Frédéric Bernard avait demandé au Chacal où il habitait. Celui-ci, feignant la honte et l'embarras, avait avoué qu'il était sans toit,

complètement fauché, le véritable étudiant dans
la débine. Quant à Bernard, il n'en croyait pas sa
chance. Heureuse coïncidence, expliqua-t-il à
son jeune ami, il possédait un bel appartement,
très joliment décoré et tout à fait tranquille. Il y
vivait seul, personne ne le dérangeait, il avait
rompu toutes relations avec ses voisins qui s'étaient
montrés si grossiers avec lui.

Il serait ravi si le jeune Martin acceptait de
loger chez lui pendant son séjour à Paris. Affec-
tant cette fois une gratitude intense, le Chacal
avait accepté sa proposition. Juste avant de partir, il s'était isolé aux toilettes et en était ressorti
un peu plus tard, les sourcils rimmelisés, et les
lèvres luisantes de rouge. Bernard était très déçu
mais avait caché sa déconvenue jusqu'à ce qu'ils
fussent sortis. Dès qu'ils furent sur le trottoir, il
protesta.

— Tu ne me plais pas du tout barbouillé comme
ça. Ça te fait ressembler à toutes ces affreuses
petites coquettes. Tu es très beau gosse naturellement et tu n'as pas besoin de te peinturlurer.

— Excuse-moi, Freddy. Je pensais que tu
aimerais ça. Je ferai disparaître tout ça dès qu'on
sera chez toi.

Rasséréné, Bernard mena le Chacal jusqu'à sa
voiture. Il consentit à conduire son nouvel ami
jusqu'à la gare d'Austerlitz pour y prendre ses
bagages. Au premier croisement de rues, un agent
de police leur barra le passage et leur fit signe de
s'arrêter. Tandis que le policier tendait le cou par
la vitre baissée, le Chacal alluma la lampe du plafonnier. L'agent le considéra un bref instant puis
retira la tête d'un air dégoûté.

— Allez, filez, dit-il entre ses dents puis, comme la voiture démarrait, il ajouta en marmonnant : Sales pédés!

Juste avant la gare, ils furent encore arrêtés et le gardien de la paix leur demanda leurs papiers.

Le Chacal émit un petit rire suggestif.

— C'est tout ce qui vous tente? demanda-t-il d'un ton équivoque.

— Foutez-moi le camp, dit le policier en s'écartant de la voiture.

— Ne les provoque pas comme ça, protesta Bernard à mi-voix. Tu vas nous faire arrêter.

Le Chacal, en retirant ses deux valises de la consigne, fut gratifié par l'employé d'un regard de mépris bien senti mais ne parut pas s'en affecter et revint d'un pas égal jusqu'à la voiture de Bernard dans le coffre de laquelle il casa ses valises.

A nouveau, sur le trajet menant à l'appartement, ils tombèrent sur un barrage. Cette fois, c'étaient deux C. R. S. qui les arrêtèrent à un carrefour à une centaine de mètres de chez Bernard. L'un des deux vint se pencher à la portière du côté du Chacal puis il eut un mouvement de recul.

— Merde alors. Et où est-ce que vous allez comme ça tous les deux? gronda-t-il.

Le Chacal fit la moue.

— Qu'est-ce que tu crois, mon canard.

Le C. R. S. fit une grimace horrifiée et se redressa.

— Ah! Vous me faites gerber, tiens. Barrez-vous.

— T'aurais dû leur demander leurs papiers, fit observer le sergent à son acolyte tandis que les feux rouges de la voiture s'éloignaient vers le bout de la rue.

— Oh, tu te rends compte, protesta l'autre. On

cherche un gars qui s'est farci une baronne et qui
lui a fait la peau ; pas deux pédales en goguette.

Bernard et le Chacal étaient dans leur appartement à deux heures. Le Chacal insista pour
coucher sur le divan du salon. Bernard fit taire
ses objections mais s'arrangea pour jeter un coup
d'œil par l'entrebâillement de la porte de sa
chambre tandis que le jeune Américain se dévêtait.
La conquête de cet étudiant new-yorkais aux
muscles d'acier promettait d'être une entreprise
délicate mais passionnante.

Au cours de la nuit, le Chacal alla inspecter le
frigidaire dans la cuisine parfaitement équipée,
décorée avec une recherche très féminine. Il y avait
de quoi nourrir une personne pendant trois jours,
décida-t-il, mais pas deux.

Le lendemain matin, Bernard voulut aller chercher du lait frais mais le Chacal l'en dissuada,
affirmant qu'il préférait le lait concentré dans
son café. Ils passèrent donc la matinée à bavarder
sans mettre le nez dehors.

A midi, le Chacal insista beaucoup pour voir le
journal parlé à la télévision.

La première séquence concernait la vaste chasse
à l'homme déclenchée depuis quarante-huit heures
pour retrouver l'assassin de la baronne de La Chalonnière. Freddy Bernard se récria avec indignation.

— Oooh! Je ne peux pas supporter la violence.

L'instant d'après un visage en gros plan occupait tout l'écran. Des traits bien dessinés, des cheveux châtains, des lunettes à lourde monture
d'écaille. Ce visage, annonça le speaker, était
celui de l'assassin, un étudiant américain du nom

de Marty Schulberg. Si quiconque avait vu cet homme ou pouvait fournir le moindre...

Bernard, assis sur le divan, se détourna et leva la tête. Son ultime impression en ce bas monde fut que le speaker avait fait erreur en déclarant que Schulberg avait les yeux bleus, car ceux de l'homme qui, penché sur lui, lui étreignait la gorge avec des doigts de fer, étaient tout à fait gris.

Quelques instants plus tard, la porte du placard dans l'entrée se refermait sur le cadavre de Frédéric Bernard au visage violacé et figé dans les convulsions de l'asphyxie.

Revenu dans le salon, le Chacal y prit un illustré sur une table basse et s'installa dans un fauteuil pour une attente de deux jours.

Durant ces deux journées, Paris fut fouillé de fond en comble comme il ne l'avait jamais été. Chaque hôtel, du palace le plus chic à la maison de passe la plus sordide, fut visité. Bars, restaurants, night-clubs, cabarets et cafés furent passés au crible. Les maisons et appartements de tous les partisans connus de l'O. A. S. furent mis sens dessus dessous.

Plus de soixante-dix jeunes gens qui pouvaient éventuellement passer pour le Chacal furent interpellés, interrogés, puis relâchés avec de vagues excuses, et encore parce qu'ils étaient pour la plupart étrangers et que les étrangers devaient être mieux traités que les indigènes.

Des centaines de milliers de personnes dans les rues, en taxi ou à bord des autobus, furent ques-

tionnées et sommées de montrer leurs papiers.
Des barrages furent mis en place sur la plupart
des voies d'accès à Paris. Il arriva à des noctam-
bules d'être arrêtés trois ou quatre fois sur une
distance d'un kilomètre.

Dans les bas-fonds, les Corses étaient à l'œuvre,
faisant la tournée de tous les repaires où se plan-
quaient maquereaux, putains en rupture de ban,
escrocs, casseurs, truands, avertissant que quiconque gardant pour lui des tuyaux utiles s'atti-
rerait les foudres de l'Union avec toutes les consé-
quences que cela comportait.

Cent mille fonctionnaires de tout poil appartenant à tous les services de sécurité étaient en
état d'alerte. Les agences spécialisées dans les
échanges internationaux d'étudiants furent mises
en garde. Tous les clubs, groupes et groupuscules
de jeunes reçurent la visite d'inspecteurs spécialistes du noyautage.

Ce fut le soir du 24 août que le commissaire
Lebel, qui avait passé son samedi après-midi
à gratter la terre dans son petit jardin, fut convoqué par téléphone à venir se présenter au bureau
du ministre.

Une voiture vint le chercher à six heures.

Lorsqu'il vit le ministre, il dut réprimer sa surprise ; le dynamique responsable de la sécurité
intérieure du pays entier semblait las, vieilli,
avec des traits tirés et des yeux cernés par le
manque de sommeil. Il fit signe à Lebel de s'asseoir en face de lui, et, penché en avant, les mains
à plat sur son bureau, déclara :

— Impossible de le trouver. Il s'est volatilisé.
Les gens de l'O. A. S., nous en avons la quasi-

certitude, n'en savent pas plus que nous. L'Union
corse n'a obtenu aucun résultat.

Il s'interrompit et exhala un soupir en dévisa-
geant le petit policier qui cligna des yeux à plusieurs reprises mais ne souffla mot.

— Je ne crois pas que nous nous soyons jamais
fait une idée exacte de celui que nous pourchassons.
Quel est votre avis ?

— Il est ici, quelque part, affirma Lebel. Quel
est le programme de la journée de demain ?

Le ministre esquissa une fugitive grimace.

— Le Président ne changera rien à ses horaires
ni à ses déplacements. Vous le savez. Je lui ai
parlé ce matin. Il était fort mécontent. Donc,
demain à dix heures, il ranime la flamme à l'Arc
de triomphe. A onze heures, grand-messe à Notre-
Dame. A douze heures trente, il se recueille devant
l'ossuaire du Mont-Valérien puis il rentre à l'Élysée.
L'après-midi est prévue une cérémonie : une
remise de décorations à un groupe de dix anciens
du maquis dont on avait oublié jusqu'ici de sanc-
tionner les mérites. Cette cérémonie aura lieu à
quatre heures sur la place devant la gare Montparnasse. Le général a choisi lui-même l'endroit.

— Et le contrôle de la foule...

— La foule sera maintenue à distance plus
grande que d'habitude. Les barrières seront mises
en place plusieurs heures avant chaque cérémonie,
et la zone à l'intérieur des barrières sera fouillée
de fond en comble, égouts compris. Sur tous les
toits à proximité seront postées des sentinelles
armées qui se feront vis-à-vis et exerceront une
surveillance constante des façades. Personne ne
franchira les barrières sinon les officiels et les

participants aux cérémonies. Nous avons pris des précautions extraordinaires, y compris à Notre-Dame où des policiers occuperont tous les points stratégiques à l'intérieur et à l'extérieur de la cathédrale. Tous les membres des services d'ordre recevront un insigne spécial demain matin au cas où le tueur choisirait cette forme de déguisement. Par ailleurs, nous avons fait placer des vitres blindées à la voiture du Président. A son insu, bien entendu. Sinon il serait furieux. Toute personne s'approchant de lui à moins de deux cents mètres sera fouillée, sans exception. Cette mesure va provoquer de sérieux remous dans le corps diplomatique et les représentants de la presse menacent de faire un scandale. Tous leurs laissez-passer seront changés demain à l'aube au cas où le Chacal tenterait de se faufiler dans le nombre. Voilà, mon cher commissaire. Avez-vous des suggestions à faire ?

Lebel réfléchit un moment, les mains jointes entre les genoux comme un écolier interrogé par le maître.

— Je ne crois pas, dit-il enfin, qu'il prendra le risque de se faire descendre. C'est un mercenaire. Il a sûrement l'intention de profiter de l'argent qu'il a demandé pour exécuter sa mission. S'il avait des doutes sur l'issue de l'opération, il y aurait renoncé maintenant. Donc, il a certainement mis au point un procédé qu'il juge toujours capable de mettre en échec toutes les mesures de sécurité prises.

Lebel se leva et, en dépit de cette entorse au protocole, se mit à faire les cent pas.

— Ce procédé peut être une bombe à retardement ou un fusil. Mais une bombe, difficile à poser, risque d'être découverte. Donc, c'est un fusil. C'est d'ailleurs pour cette raison qu'il devait rentrer en France en voiture.

— Mais comment voulez-vous qu'il s'approche suffisamment du Président ? objecta le ministre. N'oubliez pas que les toits et les façades des immeubles seront surveillés.

Lebel cessa ses allées et venues et fit face au ministre.

— Je sais, monsieur le Ministre, mais il sera là demain, avec peut-être encore un autre visage, une autre identité. Les mesures de sécurité envisagées me semblent parfaites. Il n'y a rien à ajouter. Il reste donc à ouvrir l'œil. Et si vous permettez, j'assisterai au déroulement de chacune des cérémonies et ferai tout pour essayer de le repérer. Je ne vois pas d'autre solution.

Le ministre était un peu déçu. Il avait espéré quelque éclair de génie, quelque intuition miraculeuse de la part de ce policier que Bouvier lui avait décrit comme le meilleur de France. Et voilà que tout ce qu'il avait à suggérer, c'était d'ouvrir l'œil. Le ministre se leva.

— Très bien, dit-il d'un ton froid. Eh bien, je compte sur vous, monsieur le Commissaire.

Vers la fin de la journée, le Chacal commença ses préparatifs dans la chambre de Frédéric Bernard. Sur le lit, il posa la paire de souliers noirs éculés, des chaussettes de laine grise, le vieux pantalon et la chemise à col ouvert, la capote militaire défraîchie et le béret noir de l'ancien combattant

André Martin. Sur le tout, il jeta les faux papiers, fabriqués à Bruxelles, qui conféraient au personnage sa nouvelle identité.

Il posa ensuite, côte à côte, le harnais de toile légère qu'il avait fait faire à Londres, les cinq tubes métalliques qui composaient la crosse, la culasse, le canon, le silencieux et la lunette de son arme et la butée de caoutchouc noir qui contenait les cinq balles explosives.

Après avoir extrait de la butée deux des projectiles, armé d'une pince qu'il avait trouvée dans une boîte sous l'évier, il en rogna avec soin l'extrémité, en extirpa les petits bâtonnets de cordite qui s'y trouvaient et les mit de côté. Puis il jeta les douilles inutilisables dans la poubelle. Il lui restait trois cartouches, plus qu'il ne lui en fallait.

Depuis deux jours, il ne s'était pas rasé et son menton se hérissait de poils drus et blonds. Cette barbe naissante, il avait prévu de la raser avec le rasoir sabre qu'il avait acheté en entrant à Paris.

Sur la tablette de la salle de bains, il avait rangé les flacons de teinture grise et le solvant spécial. Déjà il avait rincé la chevelure châtain de Marty Schulberg et, assis devant la grande glace près de la baignoire, il s'était mis à couper ses cheveux de plus en plus court jusqu'à ce qu'ils fussent devenus une sorte de brosse hirsute et mal taillée. Après avoir vérifié que tout était paré pour le lendemain matin, il se prépara une omelette puis, installé devant la télévision, contempla un spectacle de variétés à la suite duquel il alla se coucher.

Le dimanche 25 août 1963, au point culminant
de la vague de chaleur il régnait une température
étouffante... Et si les Parisiens étaient en fête
pour célébrer l'anniversaire de la Libération, dix-
neuf ans plus tôt, il y avait parmi eux soixante-
quinze mille hommes qui, dans leurs uniformes de
drap bleu, transpiraient profusément pour assurer
le maintien de l'ordre parmi les autres. Annoncées
à son de trompe par tous les organes de presse,
les cérémonies organisées pour célébrer le jour de la
Libération devaient attirer des foules enthousiastes.

Mais encadré des cohortes de fonctionnaires, de
policiers et d'officiers, dont un bon nombre avaient
été choisis pour leur haute taille en vue de lui
servir de bouclier humain, le chef de l'État n'était
guère visible. Et rares étaient ceux qui pouvaient
se vanter d'apercevoir plus que son képi à deux
étoiles. D'autant que, ne le quittant pas d'un pas
et le flanquant de part et d'autre, marchaient ses
gardes du corps personnels, Roger Tessier, Paul
Comiti, Raymond Sasia et Henri Djouder.

Vigilants, surentraînés, experts en toutes formes
de combat, tireurs infaillibles, les « gorilles »
étaient prêts à intervenir, à dégainer, à bondir à la
moindre alerte.

Mais d'alerte, aucune ne se produisait.

La cérémonie à l'Arc de triomphe se déroula
exactement comme prévu. Sur tous les toits des
grands hôtels et des immeubles dont la couronne
cernait l'Étoile, des dizaines d'hommes armés de
jumelles et de fusils, accroupis derrière des chemi-
nées, inspectaient la place.

A Notre-Dame, il en fut de même. Le cardinal

archevêque de Paris célébra l'office, entouré de prélats qui tous avaient été surveillés pendant qu'ils revêtaient leurs vêtements sacerdotaux.

A la tribune de l'orgue, deux hommes, le fusil à la main, ne quittaient pas des yeux la nef. A la foule des fidèles s'étaient mêlés d'innombrables inspecteurs en civil qui ne s'agenouillaient pas, ne se recueillaient pas les yeux fermés, mais qui récitaient en eux-mêmes avec ferveur l'éternelle prière du policier : « Seigneur, je vous en prie, surtout pas pendant que je suis de service. »

Et rien ne se passait. Il n'y avait eu nulle détonation de fusil sur un toit, nulle explosion sourde de bombe. Les policiers se surveillaient entre eux pour s'assurer qu'ils portaient bien l'insigne spécial remis à chacun le matin même. Un C. R. S. qui avait perdu le sien fut arrêté séance tenante et embarqué dans un panier à salade. Il fallut le témoignage formel d'une vingtaine de ses collègues pour persuader les policiers qui l'avaient appréhendé de le relâcher.

Au Mont-Valérien, l'atmosphère était chargée d'électricité encore que le Président, s'il le remarqua, n'en laissât rien paraître.

Dans cette banlieue ouvrière, les responsables des services de sécurité avaient estimé qu'à l'intérieur de l'ossuaire le Général ne craignait rien.

Mais dans les rues étroites et sinueuses qui menaient à la prison, obligeant la voiture à ralentir, l'assassin aurait pu tenter sa chance.

En fait, à ce moment-là, le Chacal était en un tout autre endroit.

Pierre Valrémy en avait plein le dos. Il étouffait de chaleur. Son blouson lui collait aux reins, la bretelle de sa mitraillette lui irritait l'épaule à travers le tissu imprégné de sueur ; il crevait de soif et c'était l'heure du déjeuner sur lequel il pouvait mettre une croix. C'était couru. Il commençait même à regretter d'avoir lâché l'usine à Rouen pour s'engager dans les C. R. S.

Valrémy se détourna pour regarder vers le bout de la rue de Rennes.

La barrière qu'il gardait constituait le maillon d'une chaîne protectrice qui s'étendait d'un trottoir à l'autre à deux cent cinquante mètres environ de la place du 18-Juin. Deux cents mètres au-delà environ se dressait la façade de la gare, précédée de la cour où allait se dérouler la cérémonie. Au loin, il distinguait des silhouettes qui circulaient sur l'esplanade vide, vérifiant sans doute les emplacements où se tiendraient les anciens combattants, les officiels et l'orchestre de la Garde républicaine. Encore trois heures à faire le poireau. Bon Dieu, ça ne finirait jamais...

Le long de la rangée de barrières, les premiers curieux commençaient à s'installer : quelle dose de patience ils pouvaient avoir ces zèbres-là. Et quelle idée de draguer comme ça avec une chaleur pareille, tout ça pour entrevoir à près de trois cents mètres un défilé de têtes parmi lesquelles devait se trouver celle de De Gaulle. Et pourtant, ils se dérangeaient toujours quand le grand Charles était de sortie, ces gars-là.

Ils étaient environ deux ou trois cents rassemblés le long des barrières lorsque le C. R. S. Valrémy aperçut le vieux bonhomme.

A le voir s'approcher en claudiquant péniblement, on aurait pu croire qu'il ne ferait même pas cent mètres de plus. Le bord de son béret noir était taché de sueur et sa vieille capote militaire lui battait le genou. Une rangée de médailles ballottait sur sa poitrine. Dans la foule, plusieurs personnes lui lançaient des regards apitoyés.

Ces vieux croûtons, songea Valrémy, ils y tiennent à leur ferblanterie, comme si c'était tout ce qu'ils possédaient dans la vie. Et, au fond, c'était peut-être vrai. A beaucoup d'entre eux, il ne restait rien d'autre. Surtout s'ils avaient perdu une jambe.

Ce type-là, songeait vaguement Valrémy en regardant le vieux qui s'avançait en boitant bas, il avait dû galoper sur ses deux pattes quand il était jeune.

Bon Dieu, passer tout le reste de sa vie à se traîner comme ça, cramponné à une béquille d'aluminium, quelle misère !

Le vieux clopinant vint vers lui et s'arrêta.

— J'peux passer ? demanda-t-il timidement.

— Une minute, pépé, faudrait d'abord montrer vos papiers.

Le vieux soldat fouilla de sa main libre dans sa chemise imprégnée de crasse. Il en tira deux cartes que Valrémy se mit à examiner attentivement. André Martin, citoyen français, cinquante-trois ans, né à Colmar, Alsace, résidant à Paris. L'autre carte, rédigée au même nom, portait en capitales : Mutilé de guerre.

Comme mutilé, ça, pensa Valrémy, ils ne l'ont pas loupé.

Il étudia les photos sur les deux cartes. Il s'agis-

sait bien du même homme, mais photographié
à deux époques différentes.

— Ôtez votre béret, dit-il en levant les yeux.

Le vieux obtempéra et se mit à rouler son béret
crasseux entre ses doigts.

Valrémy compara avec soin l'invalide et les
photos. Il n'y avait pas à s'y tromper, c'était le
même homme. Son attention se reporta sur l'unijambiste. Le vieux avait l'air salement malade.
Il s'était coupé en se rasant et portait encore au
menton des petits bouts de papier de soie collés
aux coupures par une goutte de sang. Sur sa
peau grisâtre s'étalait comme une fine pellicule de
transpiration. Au-dessus de son front, les mèches
grises hérissées en désordre pointaient dans tous
les sens. Valrémy lui rendit ses cartes.

— Et pourquoi vous voulez passer ?

— J'habite là, dit le vieux. J'ai une chambre
dans le toit. Je vis sur ma pension.

Valrémy lui reprit ses papiers. La carte d'identité
indiquait 154, rue de Rennes. Il jeta un coup d'œil
au-dessus de lui. A hauteur du portail voisin le
numéro indiquait 132. Valrémy s'écarta d'un pas
et regarda le numéro suivant vers Montparnasse :
134. C'était donc régulier. Et après tout, il n'avait
reçu aucun ordre pour empêcher un vieux birbe
de rentrer chez lui.

— Bon, ça va. Allez-y. Mais tenez-vous tranquille, hein. Le grand Charles va débarquer d'ici
deux heures.

Le vieux soldat sourit, rempocha ses cartes et
manqua de perdre l'équilibre. Le C. R. S. le retint
juste à temps en le prenant sous l'aisselle.

— Je sais, dit-il. Y a un de mes copains qui va

se faire décorer. Moi, j'ai reçu la mienne y a deux ans — il tapota la médaille de la Résistance sur sa poitrine — ... mais moi, c'est que le ministre des Forces armées qui me l'a donnée.

Valrémy jeta un coup d'œil à la décoration. Alors, c'était ça la médaille de la Résistance. Récolter ça en échange d'une guibolle... Drôle de marché. Et puis, il se souvint de son rôle et d'un petit signe de tête invita le vieux à circuler. L'invalide repartit en boitant bas tandis que le C. R. S. se tournait vers un autre badaud qui prétendait pénétrer dans la zone interdite.

— Allez, allez, ça va comme ça. Faut rester derrière la barrière, compris ?...

Du coin de l'œil, il entrevit un pan de la capote du vieux soldat qui disparaissait dans l'entrée d'un immeuble vers le bout de la rue à proximité de la place.

Mme Berthe leva la tête, surprise par l'ombre brusquement surgie devant la porte de sa loge. La matinée avait été éprouvante avec ces allées et venues continuelles de policiers qui avaient été inspecter tous les appartements, toutes les chambres, et elle se demandait ce qu'auraient dit les locataires s'ils s'étaient trouvés là. Heureusement tous, sauf trois, étaient partis pour les vacances du mois d'août. Une fois l'immeuble évacué par la police, elle avait enfin pu se réinstaller tranquillement sur le pas de sa porte pour tricoter. La commémoration qui se préparait à une centaine de mètres de chez elle ne l'intéressait nullement.

— Excusez-moi, madame... Je voulais vous demander... Est-ce que vous pourriez me donner un verre d'eau. Il fait terriblement chaud à attendre comme ça la cérémonie.

Elle enveloppa d'un coup d'œil la silhouette misérable de l'invalide pesamment appuyé sur sa béquille, ses médailles ternies, son visage blême et luisant de sueur.

Sans hésiter, Mme Berthe roula son tricot, l'enfouit dans la poche de son tablier, et se leva.

— Oh, mon pauv' monsieur. Marcher comme ça... Et par cette chaleur... Entrez, mais entrez donc.

Elle se détourna et traînant ses chaussons se dirigea vers le fond de sa loge. L'invalide la suivit à l'intérieur. Le bruit de l'eau coulant du robinet dans l'évier l'empêcha d'entendre la porte de la loge qui se refermait. A peine eut-elle le temps de sentir la main de l'homme qui, par derrière, se crispait sur sa mâchoire. Une fraction de seconde plus tard, l'impact brutal du poing serré qui s'abattait sur sa tempe droite fit voler en éclats l'image qu'elle percevait confusément du robinet et de l'eau coulant dans le verre qui débordait. Puis son corps inerte s'effondra sur le sol.

Le Chacal déboutonna sa capote et déboucla rapidement la courroie qui lui maintenait la jambe droite repliée sous la fesse. Comme il s'efforçait d'étendre la jambe et de fléchir son genou ankylosé, il ne put réprimer une grimace de souffrance. Plusieurs minutes lui furent nécessaires pour retrouver le libre exercice de ses muscles et la souplesse de ses articulations.

Quelques instants plus tard Mme Berthe était solidement ligotée, pieds et poings réunis, avec la corde à linge tendue au-dessus de l'évier, et la

bouche recouverte d'une large bande de tissu
adhésif. Après quoi, le Chacal poussa sa victime
au fond d'un petit réduit attenant à la cuisine
et referma la porte. Une fouille rapide de la loge
lui permit de trouver un trousseau avec les clefs
des appartements munis d'étiquettes au nom des
locataires.

Après avoir reboutonné sa capote, il prit la
béquille, celle-là même avec laquelle il avait clau-
diqué à travers les aéroports de Bruxelles et de
Milan douze jours plus tôt et jeta un coup d'œil
à l'extérieur. L'entrée de l'immeuble était déserte.
Il sortit vivement de la loge, en ferma la porte
à clef et gravit rapidement l'escalier.

Au sixième étage, il choisit le logement de
Mlle Béranger et frappa. Personne ne répondit. Il
attendit et frappa de nouveau. Ni de cet appartement ni de l'appartement voisin, celui de M. et
Mme Charrier, ne s'éleva le moindre bruit. Il isola
du trousseau la clef étiquetée Béranger, ouvrit la
porte, se faufila à l'intérieur, referma à clef et
poussa le petit verrou de sûreté.

Dès qu'il se fut débarrassé de sa capote, il
s'approcha prudemment de la fenêtre et jeta un
coup d'œil au-dehors. Au-delà de la rue, sur les
toits des immeubles vis-à-vis, des hommes en
uniforme bleu prenaient position. Il était arrivé
juste à temps. Courbé en deux, à bout de bras,
il tourna doucement le bouton de la fenêtre et
l'ouvrit à deux battants, lentement, puis se recula
vers le fond de la pièce.

Un étroit rectangle ensoleillé s'inscrivit sur le
sol. Par contraste, le reste de la pièce semblait
plongé dans la pénombre. S'il se tenait en retrait

hors de la zone lumineuse, il resterait à coup sûr
invisible aux guetteurs d'en face. Planté de biais
sur le côté de la fenêtre, dans l'ombre du rideau
tiré, il constata qu'il se trouvait dans un angle
favorable pour voir clairement l'esplanade devant
la gare à environ cent trente mètres.

À deux mètres cinquante de la fenêtre, il traîna
la plus grande table de l'appartement et disposa
dessus un tabouret qu'il cala solidement et sur
lequel il posa le coussin d'un fauteuil. Cet édifice
était destiné à lui servir d'affût.

Il déboutonna sa chemise et retroussa ses manches. Élément par élément, il démonta la béquille.
Le tampon de base en caoutchouc une fois dévissé
laissa apparaître les culots luisants des trois cartouches qui lui restaient. Les nausées et la transpiration occasionnées par les bâtonnets de cordite
des deux autres qu'il avait mâchés commençaient
à se dissiper.

D'une pièce de la béquille, il fit sortir le silencieux, de l'autre la lunette télescopique. Dans les
deux branches supérieures étaient logées les pièces formant les montants de la crosse. De la partie
inférieure la plus épaisse, il fit coulisser la culasse
et le canon. Au creux du coussinet rembourré de
la béquille qui formait la plaque d'épaule de la
crosse n'était logée que la détente.

Avec une sorte de tendresse méticuleuse, il
assembla une à une toutes les pièces constituant
le fusil. Pour finir il ajusta le silencieux et la
lunette.

Puis il monta sur la grande table, se plaça derrière le tabouret, accroupi, un genou plié, s'assura
de l'équilibre de son échafaudage, cala le fusil

au creux du coussin et colla l'œil à l'oculaire de
la lunette.

La place ensoleillée, à l'extrémité de la rue vingt
mètres plus bas surgit, soudain très proche, dans
le viseur circulaire. La tête d'un des hommes
encore en train de repérer les emplacements exacts
qui devaient être répartis entre les assistants à la
cérémonie traversa la ligne de tir.

Dans son collimateur, il suivit les déplacements
de la cible. La tête lui apparaissait, très grossie,
parfaitement nette, à peu près aussi volumineuse
que ce melon sur lequel il s'était exercé dans les
Ardennes.

Enfin satisfait, il aligna les trois cartouches sur
le bord de la table comme des soldats de plomb.
Puis, du pouce et de l'index, il fit jouer le levier
de la culasse et introduisit le premier projectile
dans le canon. Un seul devait suffire mais il fallait
tout prévoir, même si le temps lui manquait d'utiliser efficacement les deux autres. Doucement,
il referma le levier de la culasse, le verrouilla et
posa avec soin le fusil en équilibre sur le large
coussin.

Puis, descendu de la table, il alluma une cigarette et alla s'asseoir au fond de la pièce dans le
fauteuil. Il avait encore une heure trois quarts à
attendre.

23

Le commissaire Claude Lebel avait la gorge sèche, la langue collée au palais comme s'il n'avait pas bu depuis quinze jours. Et ce n'était pas tant la canicule qui lui valait cette sensation. Pour la première fois depuis de nombreuses années, il avait vraiment peur.

Quelque chose, quelque chose de grave, allait se produire dans l'après-midi, il en était sûr, il le sentait dans toutes ses fibres et rien ne pouvait laisser prévoir où ni comment.

Il avait été présent le matin à l'Arc de triomphe, puis à Notre-Dame et au Mont-Valérien. Tout s'était bien passé.

Au cours du déjeuner qu'il avait partagé avec certains des membres de la commission d'enquête qui s'étaient rencontrés pour la dernière fois au ministère au petit matin, il avait vu le climat de tension générale se muer peu à peu en une sorte de confiance voisine de l'euphorie.

« Il est parti », s'était même risqué à affirmer Rolland à la fin de ce repas dans une grande brasserie non loin de l'Élysée. « Il a filé, pris ses cliques et ses claques. Et le jour où il fera surface, on ne le ratera pas. »

Lebel avait été, semble-t-il, le seul à trouver alarmant cet optimisme.

Maintenant, rongé d'anxiété, il déambulait en lisière de la foule, maintenue par les barrières à deux cents mètres sur le boulevard Montparnasse, si loin de la place qu'on ne pouvait rien voir de ce qui s'y passait. Chacun des policiers, des agents et des C. R. S. questionnés lui fournissait la même réponse. Non, personne n'avait franchi les barrières depuis qu'elles avaient été mises en place à midi.

Les grandes artères, les rues latérales, les impasses, tout était bloqué. Partout sur les toits des immeubles, sur les longues galeries couvertes de la gare, au-dessus des quais silencieux et déserts d'où les trains avaient tous été détournés pour la journée vers la gare Saint-Lazare, veillaient des hommes armés.

En un mot la place du 18-Juin était bouclée ; comme l'avait dit Valentin, une anguille ne passerait pas par les mailles du filet. Il sourit en évoquant la formule du policier auvergnat, puis soudain le sourire se figea sur ses lèvres. Valentin avait bel et bien laissé passer l'anguille.

Il poursuivit son inspection dans les rues délimitant le périmètre interdit, puis, pour raccourcir le trajet, montra sa plaque et son laissez-passer spécial à l'un des gardes. Quelques instants plus tard, il débouchait dans la rue de Rennes.

Là, comme ailleurs, la foule était maintenue à distance et sur la chaussée déserte n'apparaissaient que les cordons de C. R. S.

Une fois de plus, Lebel alla de factionnaire en factionnaire, posant les mêmes questions.

Vu personne? Non, monsieur. Personne n'est passé, n'a essayé de passer? Non, monsieur.

De l'esplanade devant la gare lui parvinrent les échos discordants des instruments qu'accordaient les musiciens de la Garde républicaine. Il jeta un coup d'œil à sa montre. Le Général allait arriver d'ici peu... Vous n'avez vraiment vu personne? Personne n'a demandé à passer? Non, monsieur. Pas par ici. Très bien, je vous remercie.

Sur la place il entendit crier un ordre et de l'un des côtés du boulevard Montparnasse déboucha une formation de motards suivie d'un défilé de voitures. Il se hissa sur le rebord d'une vitrine et entrevit le cortège qui franchissait l'entrée de l'esplanade devant la gare.

Tous les curieux s'efforçaient d'entrevoir les luisantes limousines noires. A une dizaine de mètres derrière lui, une sorte de poussée en avant s'exerça dans la foule. Lebel jeta un coup d'œil vers les toits. Les braves gars. Visiblement, ils ne s'occupaient pas du spectacle à leurs pieds mais continuaient à guetter les toits et les fenêtres dont ils assuraient la surveillance, en face d'eux.

Lebel avait atteint le côté droit de la rue de Rennes en montant vers la gare. Un jeune C. R. S. était solidement planté sur le trottoir au point où la dernière barrière métallique venait buter contre le mur du numéro 132. Le commissaire montra sa carte au C. R. S. qui le salua en rectifiant la position.

— Personne n'est passé par ici?

— Non, monsieur le Commissaire.

— Vous êtes là depuis quand?

— Depuis midi, monsieur le Commissaire, quand on a barré la rue.

— Et personne n'a essayé de franchir le barrage ?

— Non, monsieur le Commissaire... Enfin, à part le vieil invalide... Il habite là-bas.

— Quel invalide ?

— Le genre ancien combattant, monsieur le commissaire. L'air malade comme un chien avec ça. Il avait sa carte d'identité et sa carte de mutilé de guerre. L'adresse c'était 154, rue de Rennes. Fallait bien que je le laisse passer. Et puis je vous dis, il avait l'air malade à crever. Pas étonnant avec cette capote qu'il portait, par un temps pareil... On a pas idée.

— Une capote ?

— Oui, m'sieur le Commissaire. Une vieille capote militaire. Avec cette chaleur-là, ça doit pas être supportable.

— Et c'était un invalide, vous dites ?

— Oui, monsieur le Commissaire. Un blessé de guerre, pour sûr.

— Quel genre de blessure ?

— Il n'avait qu'une jambe. Il marchait en boitant avec une seule béquille, vous voyez le genre, m'sieur le Commissaire.

De la place au bout de la rue parvinrent les premières mesures de *La Marseillaise*.

Des voix entonnèrent dans la foule : « Allons enfants de la patrie. »

— Une béquille ?

A l'oreille de Lebel, sa propre voix lui paraissait soudain lointaine. Le C. R. S. le considéra avec sollicitude.

— Oui, m'sieur le Commissaire, une béquille, une béquille d'unijambiste. Une béquille d'aluminium.

Mais déjà Lebel avait pris le pas de course en criant au C. R. S. de le suivre.

Sous le soleil étincelant, tous les participants à la cérémonie formaient un vaste carré au fond de la place du 18-Juin. Le long de la façade de la gare s'alignaient les voitures, pare-chocs contre pare-chocs. Juste en face, en bordure de la grille qui séparait la grande cour de la place se tenaient les dix anciens de la Résistance qui allaient recevoir leur médaille des mains du chef de l'État. Du côté est de l'esplanade se trouvaient les officiels et le corps diplomatique, un alignement de complets sombres parmi lesquels tranchaient quelques uniformes chamarrés. A l'opposé flamboyaient les casques et les plumets rouges des gardes républicains devant lesquels, légèrement détachés, étaient groupés les musiciens aux instruments rutilants. En avant des voitures étaient groupés les responsables du protocole et les officiels du Palais.

La musique avait attaqué *La Marseillaise*.

Le Chacal, agenouillé devant le tabouret, souleva son fusil et mit en joue. Il ajusta dans son collimateur le médaillé le plus proche, celui qui serait le premier à être décoré. C'était un petit homme trapu qui se tenait très droit, torse bombé, menton haut. Dans quelques instants, planté devant lui et le dépassant d'au moins trente centimètres, se trouverait un autre homme à l'orgueilleux profil, coiffé d'un képi à deux étoiles.

... Marchons, marchons... qu'un sang impur... Les dernières notes de l'hymne national s'éteignirent pour faire place à un grand silence.

L'ordre lancé par le commandant de la Garde
se répercuta d'un bout à l'autre de la gare.

— Garde à vous... Présentez... A-armes!

Trois claquements précis retentirent tandis que
les mains gantées de blanc se plaquaient contre
les crosses et les fûts et que les talons se joignaient.

Le groupe assemblé devant les voitures se scinda
en deux et de son centre se détacha une haute silhouette qui s'avança vers les dix anciens combattants. A une trentaine de mètres d'eux, toute l'escorte s'immobilisa à l'exception du ministre des
Anciens Combattants qui devait présenter les
vieux soldats au Président et d'un officiel portant
un coussin rouge sur lequel étaient rangées les
dix décorations. Juste devant eux, de Gaulle
marchait, seul.

— Ici?

Lebel, hors d'haleine, désignait le portail d'un
immeuble.

— Oui... je crois bien, m'sieu le commissaire.
Oui, oui, c'est bien ça, il y avait le réverbère devant...

Le petit policier s'engouffra sous le porche, suivi
de Valrémy qui n'était pas fâché de se soustraire
aux yeux du public. Leur étrange comportement,
alors que se déroulait une aussi grande solennité,
leur avait déjà attiré des froncements de sourcils
désapprobateurs de la part de plusieurs officiels
plantés au garde à vous au niveau des barrières.
Enfin, si jamais il était mis à pied, Valrémy pourrait toujours se justifier en disant qu'il avait obéi
aux ordres d'un haut gradé de la police.

Déjà Lebel secouait la poignée de la porte de la concierge.

— Où est la concierge, bon Dieu ? cria-t-il.

— Je ne sais pas, monsieur le Commissaire.

Avant qu'il eût esquissé un geste, Lebel avait fait voler en éclats l'une des vitres dépolies et tourné au-dedans le verrou qui commandait la serrure. Puis il s'engouffra à l'intérieur.

— Allez, suivez-moi, dit Lebel en se précipitant vers le fond de la loge, le jeune C. R. S. sur les talons.

D'un coup de pied, le commissaire poussa la porte du réduit. Par-dessus son épaule, Valrémy aperçut la concierge ligotée sur le carrelage, encore évanouie.

— Nom de Dieu !

Valrémy comprit soudain que le petit homme ne plaisantait pas. Il était *vraiment* commissaire de police et tous deux pourchassaient *vraiment* un criminel. Et il ressentit comme un pincement bizarre au creux de l'estomac.

— Au dernier étage ! cria Lebel et il se rua vers l'escalier avec un tel élan que Valrémy, occupé à libérer la bretelle de sa mitraillette, dut s'employer à fond pour ne pas se laisser distancer.

Le chef de l'État s'arrêta devant le premier des anciens de la Résistance alignés devant lui et s'inclina légèrement pour écouter le ministre qui lui exposait les états de service du vieux soldat et lisait la citation que lui avait value sa conduite dix-neuf ans plus tôt. Tandis que la musique de la garde attaquait en sourdine la *Marche lor-*

raine, le Général, penché en avant, épinglait sa
médaille sur la poitrine de l'homme figé au garde-
à-vous devant lui. Puis il recula d'un pas pour
saluer.

A cent trente mètres de là et six étages plus
haut, le Chacal tenait fermement son fusil bien
calé au centre du coussin, l'œil vissé à la lunette.
Il distinguait avec netteté la visière du képi, les
yeux cernés au creux des orbites, la tempe grisonnante au milieu de laquelle se croisaient les fils
du collimateur. Doucement, sans hâte, il pressa
la détente...

Une fraction de seconde plus tard, il considérait
le centre de la cour sans parvenir à en croire ses
yeux. A l'instant même où il tirait, le chef de l'État
s'était brusquement penché en avant. Et le Chacal
le vit qui, d'un mouvement rapide et saccadé,
donnait l'accolade à l'homme qu'il venait de décorer.

L'on put établir plus tard que le projectile était
passé à peu près à un demi-centimètre de la nuque
du Général. Le Président perçut-il le bref piaule-
ment de la balle qui l'avait frôlé, nul ne le sut
jamais. En tout cas, il n'en laissa rien paraître.
Et ni le ministre ni aucun des officiels à proximité
n'entendit quoi que ce soit. La balle s'enfonça
dans l'asphalte amollie par le soleil et se désintégra
sans causer le moindre dégât dans plusieurs centimètres de goudron.

Déjà, d'un pas mesuré, portant haut la tête, le
chef de l'État s'approchait du deuxième vétéran.
Son fusil toujours épaulé, le Chacal s'était mis à
transpirer. Jamais de sa vie il n'avait encore manqué une cible fixe à cette distance. Quelques ins-

tants lui suffirent pour se maîtriser. Il avait encore
largement le temps. Posément, il déverrouilla la
culasse, éjecta la douille vide, prit sa deuxième
cartouche sur la table et la mit en place.

Claude Lebel surgit, haletant, sur le palier du
sixième. Il avait l'impression que son cœur allait
lui exploser entre les côtes. Deux portes le long
d'un étroit couloir donnaient sur des logements
en façade. Il les considéra tour à tour, irrésolu,
tandis que le C. R. S., sa mitraillette à hauteur
de la hanche, le rejoignait en soufflant comme un
phoque.

Comme il hésitait entre les deux portes, Lebel
perçut nettement derrière l'une des deux un plop
étouffé. Le doigt tendu, Lebel désigna la porte
au C. R. S.

— Vite! Faites-moi sauter cette serrure! dit-il
en sautant de côté.

Le C. R. S. solidement campé, jambes écartées,
pressa la détente. La rafale, avec un crépitement
assourdissant, fit voler en tous sens des éclats de
bois et de métal. Puis la porte s'abattit vers l'intérieur, à moitié décrochée de ses gonds. Valrémy,
le premier, bondit en avant. Tout ce qu'il put
reconnaître, ce fut la tignasse grise hirsute du
Chacal. Mais l'homme avait deux jambes, sa capote
avait disparu et les bras musclés, les mains puis-
santes crispées sur le fusil étaient ceux d'un individu jeune et vigoureux.

Le tueur ne lui laissa pas le temps de réagir.
L'écho de la rafale déchiquetant la porte retentissait encore qu'il avait déjà pivoté d'un bloc, le

fusil au creux du bras. Valrémy ne perçut même
pas la détonation étouffée par le silencieux. La
balle lui déchira la poitrine, toucha le sternum et
explosa. Le jeune C. R. S. s'abattit comme une
masse, foudroyé.

Derrière lui, Lebel regardait fixement dans les
yeux le tueur encore accroupi sur la table qui tenait
son fusil braqué devant lui. Il ne sentait plus son
cœur cogner dans sa poitrine. Au contraire, c'était
l'impression qu'il avait cessé de battre.

— Chacal, murmura-t-il.

— Lebel, dit l'autre simplement.

Fébrile, il actionnait le levier de culasse de son
fusil. Lebel vit la douille brillante s'éjecter de son
logement et tomber sur le sol. Puis l'homme prit
quelque chose à côté de lui et sa main tâtonna
le long de son fusil. Ses yeux étaient rivés sur
ceux du commissaire.

« Il va tirer, il va me tuer », pensa Lebel, comme
engourdi pendant un laps de temps infinitésimal.
Puis il s'arracha à l'espèce de fascination qui le
paralysait, baissa les yeux, vit la mitraillette de
Valrémy tombée à côté du cadavre. Brusquement, il plongea vers le sol, empoigna la MAT 49,
releva le canon en direction du Chacal. A l'instant même où il entendait le claquement de la
culasse que verrouillait le tueur, son index pressa
la détente. L'écho des déflagrations dans la petite
pièce se propagea par la fenêtre ouverte jusque
sur la place du 18-Juin. Plus tard, on expliqua aux
journalistes qu'il s'était agi d'une moto dont le
pot d'échappement s'était décroché au moment
où une espèce d'écervelé actionnait le démarreur
à proximité de la gare Montparnasse.

Le Chacal reçut en pleine poitrine près de la moitié d'un chargeur de balles de 9 millimètres. L'impact fut tel qu'arraché de la table, il décrivit en l'air une sorte de demi-rotation avant d'aller s'écraser contre la cloison au fond de la pièce près d'un divan. Comme Lebel repoussait du pied le tabouret renversé pour s'approcher du Chacal, l'orchestre attaqua sur l'esplanade *Sambre et Meuse*.

Le commissaire Thomas reçut un coup de fil de Paris à six heures ce soir-là. Aussitôt après, il convoquait l'un de ses inspecteurs en chef.

— Ça y est, dit-il, ils l'ont eu ; à Paris, sans histoire. Mais maintenant, vous feriez bien de sauter chez lui faire une dernière inspection des lieux.

A huit heures, alors que l'inspecteur achevait d'opérer un tri des affaires de Calthrop, il entendit quelqu'un entrer dans l'appartement. Vivement, il se retourna. Sur le seuil de la pièce était planté un grand type robuste aux larges épaules et à la mine renfrognée.

— Qu'est-ce que vous faites ici ? demanda l'inspecteur.

— Dites donc, c'est moi qui pourrais vous poser la question. Vous, qu'est-ce que vous fichez ici ?

— Ça va comme ça, rétorqua l'inspecteur. Comment vous appelez-vous ?

— Calthrop, répondit l'homme. Charles Calthrop. Et je suis ici chez moi. Alors je le répète, qu'est-ce que vous fabriquez chez moi ?

L'inspecteur regrettait presque de n'être pas armé.

— Bon, je vois, dit-il d'un ton las. Le mieux, c'est que vous veniez au Yard et qu'on ait une petite conversation.

— Et comment, bon sang de bois, grogna Calthrop. Vous aussi, vous avez des explications à me fournir.

Mais en fait, ce fut Calthrop qui s'expliqua. Retenu pendant vingt-quatre heures, il dut attendre une triple confirmation de Paris de la mort du Chacal et le témoignage de cinq propriétaires d'auberges perdues dans le comté de Sutherland au fond de l'Écosse qui déclarèrent tous que Charles Calthrop avait effectivement passé les trois dernières semaines dans la région, s'adonnant à ses sports favoris, la pêche et l'escalade, et qu'il avait bien séjourné dans leurs établissements.

— Alors, nom d'un chien, demanda Thomas à son inspecteur tandis que la porte de son bureau venait de se refermer sur le puissant dos de Charles Calthrop rendu à la liberté, qui était ce Chacal ?

— Il ne saurait être question, déclara le commissaire principal de la Police métropolitaine à l'adjoint Dixon et au commissaire Thomas, que le gouvernement de Sa Majesté admette jamais que ce Chacal fût un sujet britannique. Le fait est que, pendant une période donnée, les soupçons se sont portés sur un Anglais... Il est maintenant disculpé. Nous savons également que durant une période de son... euh... de sa mission en France, le Chacal s'est fait passer pour un Anglais avec un passeport illégalement obtenu. Mais il s'est aussi fait passer pour un Danois, un Américain et un Français, avec des passeports volés et des faux papiers.

« En ce qui nous concerne, notre enquête a permis d'établir que cet assassin circulait en France avec un faux passeport au nom de Duggan et que, sous ce nom, sa trace a été suivie jusqu'à... euh... la ville de Gap. Voilà tout. Messieurs, à partir de maintenant nous pouvons considérer cette affaire comme classée. »

Le jour suivant, le corps d'un homme était enterré dans une tombe anonyme au cimetière du Père-Lachaise. Le certificat de décès indiquait que le corps était celui d'un touriste étranger de nom inconnu, tué le dimanche 25 août 1963 sur l'autoroute de l'Ouest, heurté par une voiture. Étaient présents un prêtre, un policier, un greffier et deux fossoyeurs. Nul d'entre eux ne manifesta la moindre émotion tandis que le cercueil de bois blanc descendait dans la fosse, à l'exception peut-être d'un sixième homme qui, un peu à l'écart, avait assisté à la scène. Lorsque tout fut terminé, il tourna les talons, refusa de donner son nom et s'éloigna le long de l'allée du cimetière, petite silhouette solitaire et un peu mélancolique. Bientôt, il retrouverait près de sa femme et de ses enfants le rythme monotone de la vie quotidienne.

L'ultime phase de l'affaire Chacal était achevée.

Dernières parutions

135.	Colette	*La retraite sentimentale.*
136.	Nathalie Sarraute	*Martereau.*
137.	S. de Beauvoir	*Une mort très douce.*
138.	Honoré de Balzac	*La Cousine Bette.*
139.	R. Martin du Gard	*Les Thibault,* tome I.
140.	R. Martin du Gard	*Les Thibault,* tome II.
141.	Victor Hugo	*Choses vues, 1870-1885.*
142.	Montherlant	*Le maître de Santiago.*
143.	Marcel Aymé	*Le chemin des écoliers.*
144.	André Gide	*Isabelle.*
145.	Henri Troyat	*Tant que la terre durera,* tome III.
146.	Marcel Proust	*Albertine disparue.*
147.	Gustave Flaubert	*L'Éducation sentimentale.*
148.	Montherlant	*Les jeunes filles.*
149.	Jean Cocteau	*Les parents terribles.*
150.	Chester Himes	*L'aveugle au pistolet.*
151.	Hemingway	*Les neiges du Kilimandjaro.*
152.	P. Drieu la Rochelle	*Le feu follet* suivi de *Adieu à Gonzague.*
153.	Jean Anouilh	*La sauvage* suivi de *L'invitation au château.*
154.	Pierre Mac Orlan	*Le quai des brumes.*

324. Dostoïevski	Le joueur.
325. Rudyard Kipling	Le second livre de la jungle.
326. Boileau/Narcejac	Les diaboliques.
327. Jacques Lanzmann	Le rat d'Amérique.
328. Jean Cocteau	L'aigle à deux têtes.
329. Alain Gheerbrant	L'expédition Orénoque-Amazone 1948-1950.
330. Jean Giono	Solitude de la pitié.
331. Blaise Cendrars	L'or.
332. Molière	Le Tartuffe, Dom Juan, Le Misanthrope.
333. Molière	Amphitryon, George Dandin, L'Avare.
334. Molière	Le Bourgeois gentilhomme, Les Femmes savantes, Le Malade imaginaire.
335. Willy et Colette	Claudine en ménage.
336. Jean Anouilh	L'alouette.
337. Henri Bosco	L'Ane Culotte.
338. Paul Morand	Fouquet ou le Soleil offusqué.
339. André Gide	L'école des femmes suivi de Robert et de Geneviève.
340. Félicien Marceau	Les élans du cœur.
341. Albert Simonin	Du mouron pour les petits oiseaux.
342. Barbey d'Aurevilly	Les Diaboliques.
343. Marcel Aymé	Les contes du chat perché.
344. Maurice Genevoix	Tendre bestiaire.
345. Jean Giono	Rondeur des jours.
346. M. de Saint Pierre	Dieu vous garde des femmes!
347. Roger Grenier	Le Palais d'Hiver.
348. Victor Hugo	Les Misérables, tome I.
349. Victor Hugo	Les Misérables, tome II.
350. Victor Hugo	Les Misérables, tome III.
351. Malcolm Lowry	Au-dessous du volcan.
352. Hemingway	Les vertes collines d'Afrique.
353. Le Clézio	Le procès-verbal.
354. Rudyard Kipling	Capitaines courageux.

490. Robert Musil	*L'Homme sans qualités,* tome III.
491. Robert Musil	*L'Homme sans qualités,* tome IV.
492. Bernard Pingaud	*L'amour triste.*
493. Jean Genet	*Journal du voleur.*
494. Roger Nimier	*Les épées.*
495. Georges Duhamel	*Confession de minuit.*
496. Goethe	*Les Souffrances du jeune Werther.*
497. Armand Salacrou	*La terre est ronde.*
498. Le Sage	*Histoire de Gil Blas de Santillane,* tome I.
499. Le Sage	*Histoire de Gil Blas de Santillane,* tome II.
500. Marcel Aymé	*Travelingue.*
501. Philippe Hériat	*La main tendue.*
502. Curzio Malaparte	*La peau.*
503. Rudyard Kipling	*L'homme qui voulut être roi.*
504. Guy de Maupassant	*Boule de suif, La Maison Tellier* suivi de *Madame Baptiste* et de *Le Port.*
505. Roger Vailland	*La fête.*
506. Jean Dutourd	*Les taxis de la Marne.*
507. William Irish	*La sirène du Mississipi.*
508. Alberto Moravia	*La désobéissance.*
509. Vladimir Nabokov	*Pnine.*
510. Jean Giono	*L'oiseau bagué.*
511. Paul Nizan	*La conspiration.*
512. Marcel Aymé	*Le bœuf clandestin.*
513. Louis Bromfield	*La Colline aux Cyprès.*
514. Benjamin Constant	*Adolphe* suivi de *Le cahier rouge* et *Cécile.*
515. Stendhal	*Lucien Leuwen,* tome I.
516. Stendhal	*Lucien Leuwen,* tome II.
517. Jean Guéhenno	*Journal des années noires (1940-1944).*